1.ª edición: marzo 2008

© Emilio Ruiz Barrachina
© por el prólogo: Javier Sierra, 2004,
   cedido por Círculo de Lectores SA (Sociedad Unipersonal)
© Ediciones B, S. A., 2008
   para el sello Zeta Bolsillo
   Bailén, 84 - 08009 Barcelona (España)
   www.edicionesb.com

Printed in Spain
ISBN: 978-84-98720-23-5
Depósito legal: B. 5.265-2008

Impreso por Cayfosa Quebecor

CALAMARÍ

EMILIO RUIZ BARRACHINA

América mágica

—¿Me puede decir qué es eso?

Lancé mi pregunta sin saber muy bien quién era mi interlocutora. Estaba sentada en el suelo, con un bombín marrón cubriéndole la cabeza y dos trenzas canas saliendo por los costados. Cuando levantó su mirada y dejó que viera su rostro andino cruzado de arrugas, me sobrecogí.

—¿Esto, señorito?

De un zarpazo, la anciana —supuse que lo era, aunque me fue imposible estimar su edad— alcanzó aquel extraño esqueleto que tanto había llamado mi atención. Colgaba en medio de un muestrario infinito de cajas de colores, frascos llenos de hierbas inidentificables y añejos prospectos escritos en los idiomas más dispares. Lo que me atrajo parecía un pájaro momificado. Tenía las alas replegadas contra su minúscula caja torácica y estaba provisto de unas cavidades oculares enormes. Miré el rostro severo de mi interlocutora y asentí.

—Es un feto de llama —sonrió maliciosa—. ¿Quiere uno?

Fue el instinto lo que me obligó a dar un paso atrás. De repente, me sentí un estúpido.

—¿Le ocurre algo? —susurró, acercándome aquello al rostro—. ¡Ah, ya! Es la primera vez que está en el mercado de los brujos... Pobrecito. No se preocupe. Con uno de éstos podrá protegerse de los hechizos. Nada le hará daño.

—¿Cuánto vale?

—Para usted, sólo diez dólares.

Recuerdo lo mucho que me costó no comprar aquel despojo animal. Era la primera vez que pisaba el cono sur americano, y aunque iba preparado para encontrarme de bruces con la magia, ignoraba que en Bolivia ésta hubiera dado lugar a todo un mercado de hechizos y sortilegios en el centro de La Paz. De repente, tuve la impresión de haber caído de bruces en plena Edad Media europea. ¿Cómo era posible?

Tras aquel viaje, visité otros parajes idénticos en Perú, Brasil, Costa Rica o Panamá. En todas partes encontré rastros vivos de esa poderosa magia en la que miles de personas todavía creen a ciegas. Llegada en algunos casos del corazón de África gracias a los esclavos negros, y en otros conservada desde los tiempos de los pobladores prehispánicos, la magia en América conserva las mil y una caras que perdió en el Viejo Continente. En los Andes, junto a La Paz, toma formas heredadas de los incas. Allá mascan hoja de coca —sagrada, de la que incluso distinguen las hojas macho de las hembras—; en Brasil, la ayahuasca o «soga del muerto» lleva a los chamanes a estados alterados de conciencia en los que creen hacerse uno con la naturaleza. Y eso por no hablar del Caribe, donde a la magia le suman el ritmo de la música y los vapores etílicos, en una confusión de creencias cristianas y animistas sorprendente. Hans Staden, en 1557, ya describió el uso de maracas en ceremonias vudú brasileñas, y aseguraba que sus brujos «visitando todos los pueblos, de choza en choza, anuncian que un espíritu venido de lejos concederá a quien lo desee el poder de hacer hablar a las maracas y habitará en ellas».

Inexplicablemente, nada ha cambiado desde el siglo XVI. Y esta novela, *Calamarí*, que narra el poderoso mestizaje entre cristianos y animistas, lo demuestra.

La historia de su protagonista bien pudo haber sido real. Es el relato de una niña que se va adentrando en los vericuetos del vudú y de la magia afrocaribeña de la mano de sus nodrizas. Su trasfondo histórico es rigurosamente exacto; muchos de sus caracteres, escenarios y hechos públicos existieron realmente. No en vano, su autor dedicó varios años a recorrer las calles, playas y tugurios por los que ahora desfilan sus personajes. Los cometas que presagiaron desgracias, las ceremonias de los *hungan* (jefes espirituales) que salpican estas páginas, o las referencias a los manuales inquisitoriales como el *Malleus Malleficarum*, también son reales, y dan como resultado una mezcla sabrosa de colores y aromas capaz de transportarnos a un continente donde la magia es aún perceptible.

—Llévese este feto a casa —volvió a insistir la anciana del bombín al dejar el mercado de los brujos—. Le protegerá. Hágame caso. No habrá magia que pueda con usted.

Tanto perseveró, que recuerdo haberle dado sus diez dólares y haber arrojado su macabro amuleto en la papelera de mi habitación de hotel.

Hice mal. Muy mal. La magia de la que debía cuidarme terminó hechizándome de nuevo. Y este libro tuvo la culpa.

JAVIER SIERRA

A María Fernanda

Mis sinceros agradecimientos para
José María Domenech
y Álvaro Paredes

¡Alma humana, cómo te asemejas al agua!
¡Destino humano, cómo te pareces al viento!

GOETHE

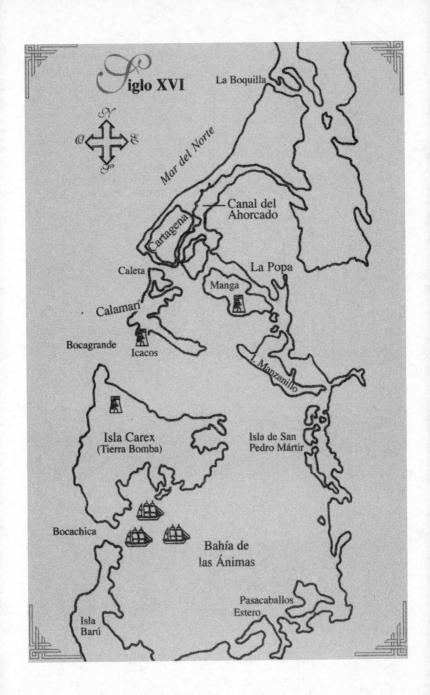

1

Estaba absorto en las últimas palabras que masculló mi abuelo poco antes de morir, cuando el Caribe acabó de tragarse el sol. «Los Santander siempre peleamos al lado de los rebeldes.» Nada más cierto. El abuelo hizo tal afirmación después de haber trepado lentamente por nuestro árbol genealógico. Subió hasta una de las ramas más altas, la correspondiente a Francisco de Paula Santander Omaña, y allí se quedó mirando nuestras glorias y tristezas, nuestras victorias y derrotas, todas ganadas o perdidas desde el bando revolucionario.

A los veintiocho años pude conocer la tierra de mis antepasados. El sábado primero de marzo de 1997, el avión que me tuvo tensionado doce horas aterrizó en la tarde de Cartagena de Indias. Madrid iba quedando en una lejana realidad, y desde los primeros momentos me sentí invadido por esa ensoñación que flota en el aire de la costa atlántica colombiana. Llegué al hotel Santa Clara, antiguo convento de monjas, recientemente recuperado para bien y disfrute de los turistas y de los propios cartageneros. Quería despejarme, sacudirme el aturdimiento. Me di una ducha rápida y salí a recorrer las últimas horas del día. Caminé por lo alto de la muralla hasta una esquina rematada con un torreón, donde pude contemplar la enigmática puesta del sol caribe, un sol distinto al de otras partes, como si en verdad se sintiera dios. Allí, en toda su inmensidad, viéndole hacer una reverencia a la noche, añoré al abuelo.

Toda mi vida está repleta de la palabra abuelo: con él jugué mis años de infancia; de su mano atravesé la adolescencia; en sus consejos basé mi juventud; por su muerte me aferré a la memoria. Gustavo Santander Paredes nació en Colombia en 1907, en el seno de una familia de pudientes industriales madereros. Ya desde pequeño le inculcaron el orgullo de ser descendiente de uno de los padres de la patria: el general Santander, «el hombre de las leyes». Con esta insignia hemos nacido y vivido siempre en la familia.

Desde Francisco de Paula, muerto en 1840, hasta mi abuelo Gustavo, fallecido hace apenas dos meses, han pasado por este mundo unas cuantas generaciones de Santanderes peleones. Unos lucharon en guerras de independencia, otros en revueltas campesinas, otros se bebieron entera la época de la violencia, otros simplemente participaron en reyertas pueblerinas, incluso algunos pelearon contra sí mismos, locos también hubo, y siempre, todos, del lado que no ostentaba la mayoría. Del árbol genealógico familiar desconocemos los tallos más lejanos. El abuelo se cansó de trepar. La muerte lo sorprendió a los noventa años sentado en la rama del general, intentando saber quién era él mismo. Supuestamente me encontraba en Cartagena aquella tarde cálida para llevar a cabo esa labor inconclusa: subir a la copa americana de nuestro árbol.

En casa pensamos que los árboles familiares están mal hechos. Las raíces no son los antepasados, sino nosotros mismos que cada día con la sabia del recuerdo vamos alimentándolos y manteniéndolos vivos. Y así como lo entendíamos, el abuelo había dibujado el nuestro sobre una cartulina en la pared de su despacho. Cada vez que inscribía un nombre, me llamaba a su lado y lo celebrábamos con desfile triunfal hasta la nevera. Él se bebía el vino, yo la coca-cola. Pero a los quince años agarré mi primera borrachera gracias a la esquiva prima de una tatarabuela, el primero que pude festejar con cerveza porque el abuelo no advirtió los colores de la botella... las cataratas y esas cosas. Después uno de los instructivos regaños de mi madre cuando tuvo que caldearme la resaca.

Gustavo Santander no fue el rebelde estereotipado de bandolera al cinto y pistolas al aire. Rebelde sí, político colombiano obligado a exiliarse en España durante los años sesenta. Y allí quedó para siempre, escondido tras gigantescas torres de papel que escribía y utilizaba para atrincherarse del mundo. Muchos días me sentaba al pie de su escritorio durante largas horas a la sombra del castillo de hojas blancas, estudiaba o leía, pretextos. El abuelo escribía folios y folios. Una mañana, cuando las torres tocaron el techo, le pregunté el porqué de todo aquello.

—Estoy haciendo literatura.

En aquel momento, ante la postura solemne que adquirió, sentí cobardía para continuar averiguando. No capté la respuesta, entonces no me interesaba, alguna chifladura, hasta que una semana antes de morir, en medio de los desvaríos de su postración, mientras estaba apoyado en su cama leyéndole el periódico, me acercó la cabeza a su boca y me dijo con aliento de muerte:

—La literatura es rebeldía; el que escribe protesta, o critica, o tiene algo serio que decir.

Mi abuelo, que nunca publicó nada, que nunca tuvo la más mínima intención de dar a conocer sus escritos, encontró durante veinte años su propia revolución «haciendo literatura», eso dijo. La mayoría de sus eternas disquisiciones son ilegibles.

Su gran sueño era viajar conmigo a Colombia en busca de los eslabones faltantes de nuestra cadena ancestral. Nos habíamos propuesto encontrar al primer español desembarcado en el Nuevo Reino de Granada con apellido Santander. Pero los achaques propios de la edad le tuvieron bastante desalentado.

Un mes antes de fallecer me llamó.

Madrid oscurecía cubierto de nieve. Estaba sentado en su poltrona favorita junto al radiador. Se quitó las gafas, me hizo sentar frente a él y me entregó un sobre.

—Los dos sabemos que me queda poco tiempo. Tu abuela debe de tener buenas influencias donde esté, no ha dejado de reclamarme desde que murió. Antes de irme quiero hacerte un regalo. —Sacó un sobre del bolsillo de la chaqueta de lana y me lo entregó—. Este sobre contiene una carta de recomendación para un gran amigo y un billete de avión a Cartagena. —Me miró con nostalgia, no podía mirarme distinto—. Aprovéchalo, porque me ha costado mucho convencer a tu madre.

Sorpresa y tristeza se abrazaron. Procuré en vano evitar una lágrima del abuelo. Tras los agradecimientos llegaron las explicaciones: la carta iba dirigida al padre José María Ferrer, Parroquia de San Pedro Claver, Cartagena de Indias. El cura había tenido las mismas fiebres vitales que mi abuelo: la política y la historia. Habían coincidido en complicados procesos políticos de diferentes países latinos: mi abuelo representando a Colombia en calidad de senador de la república, y el padre Ferrer como agente secreto del Vaticano, por decirlo de algún modo. Desde un principio me llamó poderosamente la atención este jesuita, encargado de hacer trabajos para la congregación católica por debajo de cuerda. Su misión no fue criminal, ni inquisitorial, ni siquiera ilegal. El padre Ferrer estuvo a cargo durante treinta años de resolver las intrigas políticas de la Iglesia con los diferentes gobiernos latinoamericanos en las cuales los obispos, cardenales o demás funcionarios eclesiásticos no podían figurar por su calidad de hombres públicos. Catalán atávico y viajero irredimible, su residencia principal nunca estaría en su adorada Barcelona, sino en Ciudad de México. Desde hacía once meses disfrutaba, a los setenta y un años, de un supuesto descanso en el Corralito de Piedra.

—Además de recomendarte, le pido a José María que te ayude a investigar lo de nuestros antepasados. A él le resultará fácil hacerlo ahora que vive allá.

Aunque en alguna charla había salido el nombre del padre Ferrer, hasta ese día no tuve una información precisa sobre él.

El billete de avión tenía las fechas abiertas. Mandé la carta y quedé a la espera de una contestación para fijar el día del viaje.

El jesuita, presto en sus diligencias, no tardó en enviarme una misiva accediendo a todas las solicitudes que se le hacían, y deseando a su amigo Santander una rápida recuperación. Los deseos de mejora llegaron dos días tarde. Me dolió sobremanera tener que notificar al sacerdote la muerte de su antiguo aliado.

El abuelo marchó tranquilo después de haber ganado sus rebeliones y despedirse de la familia con la que compartió más de la mitad de su vida: mi padre, mi madre y yo. No tuvo hermanos ni más hijos que mi progenitor, ni más nietos que el presente.

Cuando Gustavo Santander salió de Colombia por haber apoyado revueltas importadas con causa perdida, ya era padre de Rafael Santander Rincón. Mi abuela Marta, costeña como mi abuelo y mi padre, dio a luz en 1945 mientras escuchaba en la radio la noticia del fin de la guerra.

Como nunca regresaron a América, la abuela Marta fue enterrada contra sus deseos en el madrileño cementerio de la Almudena. El abuelo yace junto a ella, aunque ambos preferían reposar en su tierra natal. Pero mi padre es un hombre de ideas prácticas, y de igual forma que no quiso complacer a sus padres, tampoco volvió a visitar su país de origen. Argumenta que, salvo haber nacido allí, nada le ata a aquellos parajes. No tiene amigos, ningún familiar vivo, no se vanagloria de su carrera de abogacía estudiada en Bogotá, ni siquiera mantiene el acento característico de la costa caribe. Cuando llegaron a España ya venía con sus estudios universitarios concluidos. En Madrid aprobó las oposiciones al Estado y pronto se casó con Teresa Adel, valenciana de intachable conducta aprendida en colegios de monjas de los que ya quedan pocos, tal vez ninguno. En 1969 nacería yo, su único hijo. Mi temperamento volvió a ser el del abuelo. La genética hizo un paréntesis con mi padre, que a pesar de su carácter debe de guardar en algún rincón las semillas de la rebeldía, y me devolvió la jovialidad de los Santander.

El chapoteo de los pelícanos lanzándose en picado al mar me regresó a la incipiente noche cartagenera. La brisa se había levantado para abanicar la ciudad amurallada. El cansancio me iba venciendo, así que me dirigí al hotel adentrándome por las estrechas calles que comenzaban a seducirme bajo la tímida luz de los faroles.

Telefónicamente había concertado con el padre Ferrer una cita al día siguiente por la mañana.

Entré al hotel, fui a recepción, y reclamé mi llave.

—¿Número de la habitación? —me preguntó el conserje, un negrito simpaticón que contrastaba con el uniforme blanco.

—Álvaro Santander Adel.

—El señor pase buena noche.

Aunque en España ya se usara como nombre común para la ciudad el de Cartagena, los lugareños gustaban seguir llamándola Calamarí, que en lengua indígena significa «cangrejo». El día 1 de junio de 1533, en el mismo sitio que ocupaba la aldea de Calamarí, Pedro de Heredia fundó oficialmente, con todos los requisitos legales, la capital de su gobernación, denominada Cartagena de Poniente, para diferenciarla de Cartagena de Levante en la Península. El rey Felipe II, en el año de 1574, le otorgó la categoría de «ciudad», y la dotó de escudo de armas y del título «muy noble y muy leal». De alguna forma tenía que agradecer el oro que abastecía al Imperio.

Poco antes del nombramiento, el rey se había preocupado de enviar a sus territorios de ultramar una ordenanza con un modelo para construir las ciudades: «... cuando hagan la planta del lugar, repártanlo por sus plazas, calles y solares a cordel y regla, comenzando desde la plaza mayor, y sacando desde ella calles a las puertas y caminos principales, y dejando tanto compás abierto, que aunque la población vaya en gran crecimiento, se pueda siempre proseguir y dilatar en la misma forma». Vías paralelas espaciadas con regularidad y cruzadas por otras en forma similar. Los edificios religiosos y administrativos en la plaza mayor. De vez en cuando una cuadra ajardinada para verdear el ambiente. Y con esta forma hipodámica quedó diseñada Cartagena, al igual que tantas otras poblaciones coloniales.

A finales del siglo XVI habitaban la ciudad unas cuatro mil almas, aunque muchos españoles dudaban si los más de dos mil negros e indios la tenían. Las construcciones oficiales y de la gente principal ya eran de piedra. Los vecinos de menores recursos iban poco a poco cambiando sus casas de paja y bahareque por otras más sólidas. En la Plaza Mayor se trabajaba sin descanso para concluir la catedral. Podríamos decir que Cartagena estaba en obras.

Un puente, única vía de acceso, separaba el puerto de la ciudad. Calamarí estaba rodeada de agua por casi todas partes. Incipientes fortificaciones con empalizadas de madera la defendían. El rey Felipe II se asomaba todas las mañanas a la ventana de su dormitorio en El Escorial para ver si ya podía observar desde allí las murallas de Cartagena. Moriría antes de llegar a verlas.

Acabando 1585, en Londres, junto a los muelles del Támesis, la reina Isabel I despedía con bombos y platillos a la escuadra de piratas que bajo las órdenes de sir Francis Drake ponía rumbo a las costas del Nuevo Reino de Granada. La comitiva de despedida estaba compuesta, entre otros, por el conde de Essex, el duque de Florencia, los condes de Pembroke y de Leicester, y el mismísimo alcalde mayor de Londres, sir Thomas Lodge. El primer navío en zarpar fue el *Golden Hind*, con Drake alzando los brazos y saludando a la chusma que se agolpaba en las orillas del río. De la madera de este barco se fabricaría una silla que hoy se conserva relicariamente en la Universidad de Oxford: de semejante tamaño era la admiración que al pirata tributaba la «reina virgen» (que por aquellas fechas ya no debía de serlo).

En enero de 1586 el gobernador de Cartagena, Pedro Fernández de Busto, recibía una carta urgente de la isla de Santo Domingo. En ella se advertía del fatal peligro que corrían las ciudades de Riohacha, Santa Marta y Cartagena, pues los galeones españoles habían avistado a la escuadra inglesa del pirata Drake con rumbo a las playas de la provincia de Castilla del Oro. El gobernador no era hombre de guerra, así que dejó la organización de la defensa en manos de los oficiales militares y del obispo Juan Montalvo.

Los fuertes se proveyeron de agua, alimentos y munición. La tropa estaba compuesta por quinientos indios de los pueblos circundantes, armados con arcos y flechas envenenadas, a los que se encargó defender el puerto desde los manglares cercanos, donde supuestamente desembarcarían los herejes; un nutrido grupo de negros con armas blancas, al mando de veinte españoles, se apostarían delante del puente levadizo que permitía el acceso a la ciudad; y la tropa militar, con los pocos soldados acuartelados en Cartagena, reforzados por ciento cincuenta más llegados de Tolú, Mompós y Tenerife, villas próximas, se ocuparían de organizar la defensa de la población. Los piratas venían arrasando la costa, por lo que no se esperaba mayor ayuda de ningún otro enclave vecino. No había forma de contrarrestar el ataque por mar. Unas pocas piezas de artillería no eran suficientes para mantener a raya veintitrés navíos, así que la estrategia se esperanzó en la lucha cuerpo a cuerpo. Los indios sembraron playas y caminos de púas impregnadas de hierbas venenosas que producían la muerte en menos de seis horas. En el agua, las únicas posibilidades eran dos galeras bajo las órdenes del general valenciano Pedro Vique, anclada una frente al puerto y otra frente a la ciudad. El resto de la población buscaría refugio en iglesias y conventos.

El noveno día de febrero, Miércoles de Ceniza, amaneció brumoso y con neblinas que se esparcían por toda la bahía. Los cartageneros aguardaban inquietos en los puestos asignados, tratando de escudriñar entre la bruma las velas enemigas. El obispo, seguido de la corte eclesiástica, pasó por cada uno de los baluartes y posiciones estratégicas a impartir la ceniza de tan sacra conmemoración, y a infundir valor asegurando la presencia divina. Todos los indios se arrodillaron fervorosamente y quedaron con otra señal: la cruz cenicienta en la frente. La tensa espera se rompía con el murmullo constante de lenguas indígenas y africanas, y algunas órdenes esporádicas de los españoles.

De repente, un silencio sepulcral.

Una tras otra aparecieron en el horizonte las banderas negras de los veintitrés navíos ingleses en formación de media luna. Al frente de la escuadra, en un patache, el mismísimo Drake sondeando la profundidad del mar. Alentaba a sus tres mil hombres con gritos de ánimo e insultaba a los defensores en aceptable castellano (aprendido cuando pasó su juventud en España como sirviente de la duquesa de Feria).

La mayor parte de la mañana los piratas avanzaron lentamente. El calor comenzaba a ser inaguantable. El patache se acercó hasta las reventazones de las olas. Detrás seguía la mayor parte de la flota con las banderas tendidas, flámulas y gallardetes, todo del más riguroso color negro. Dos tiros gruesos fueron disparados al agua desde la playa. Drake hizo virar la embarcación a la derecha y paseó por delante de la costa a prudente distancia, pasando revista a las formaciones enemigas apostadas en la playa, examinando el campo de operaciones hasta darse cuenta de que no podía entrar por el frente hacia la urbe, como era su deseo, pues los españoles habían tendido una cadena, mantenida a flote con barriles, que cruzaba toda la bahía. Hizo señas con los brazos, de tal forma que quince barcos viraron y siguieron al patache hasta la Punta del Judío, a una milla escasa de Cartagena, donde tranquilamente más de mil quinientos piratas luteranos desembarcaron en el transcurso de la tarde. Las naves restantes anclaron en la Bahía de las Ánimas, frente a las empalizadas, con los cañones prestos a disparar.

Al caer el sol, dos esclavos negros aparecieron ante los ingleses hincados de rodillas. No tardaron mucho en llegar a un acuerdo con Drake: ellos mostrarían el camino hasta el puente levadizo, a cambio de la libertad y permiso para enrolarse en las filas corsarias.

Con la noche perfectamente cerrada, sin luna, Francis Drake ordenó la marcha de su tropa, conformada por mosqueteros, espingarderos, arcabuceros y piqueros, veteranos soldados, la mayoría pertenecientes a la real armada inglesa. Como un cortejo fúnebre, a la vanguardia iban treinta piratas separados uno del otro a la distancia de un tiro de arcabuz, por la orilla del mar con el agua a las rodillas y antorchas encendidas bien altas, el brazo estirado, de tal forma que si los cristianos disparaban apuntasen a la cumbre de las mechas.

Dos vigías de a caballo atravesaron a todo galope el puente. «¡Ya vienen los piratas, ya vienen!» Cornetas y tambores tocaron a rebato. Los herejes vocingleros se detuvieron poco antes de llegar a las posiciones de los indios. Inesperadamente un trueno, una estela de fuego, partió de una nave inglesa, cruzó la bahía y se clavó en tierra por mitad de las palmeras. Saltaron por los aires indios, mangles, selva, agua, barro. Sólo un cañonazo bastó para acabar con la resistencia indígena. No alcanzaron a disparar una azagaya. Los indios, despavoridos, corrieron por la selva dando gritos ancestrales, suplicando a todos sus dioses. Esta vez el dios cristiano les había jugado una mala pasada.

Superado el primer obstáculo, los piratas siguieron avanzando. Las naves inglesas abrieron fuego definitivo sobre Cartagena y sobre las dos fragatas españolas. Los barcos cristianos intentaron la respuesta, pero pronto unos cuantos sobrevivientes se veían en el fango con el agua al cuello, rodeados de maderas, telas, oscuridad y cadáveres.

Negros, mulatos, criollos, españoles, se afianzaron a las saetas, jiferos y arcabuces, cuando divisaron las primeras antorchas que subían del puerto. Algunos, contagiados del miedo anárquico de los indios, abandonaron sus posiciones y corrieron a esconderse de la muerte. Muchos esclavos, invitados gentilmente por Drake a obtener la libertad si cambiaban de bando, no dudaron en hacerlo. Los españoles, con las filas extremadamente mermadas, y los ingleses con unos cuantos agregados, se enredaron en un pandemonio sin límites. La lucha fue a muerte. El improvisado ejército cristiano se defendió a la española usanza: testicularmente. A pesar de la minoría, la primera escaramuza se libró con siete bajas castellanas por doscientas sajonas. Pero los piratas eran millones, eso parecía. Tras la primera horda atacaron muchas más. Negros horros, truhanes de barriada, soldados de fortuna, colonos, gente sin ley, vendieron a muy alto precio un árido presente que no auguraba porvenir.

Las naves piratas cañonearon con regularidad la población durante toda la noche, afortunadamente sin gran acierto. En tierra se disputó cada metro, cada paso. Los últimos veinte defensores del puente, al mando del capitán Martín Polo, sucumbían al crepúsculo. Los invasores entraron a la ciudad por la Plaza del Muelle, encontrando más muertos, unos de verdad y otros de pavor, que resistencia armada. Calamarí estaba herida en todos sus flancos; pero tuvo la entereza de caer, no de entregarse.

La luz del alba reveló un panorama deleznable. La mezcla de humo y niebla no permitía ver con claridad, el olor a quemado y a muerto no hacía posible la respiración, la realidad no dejaba tocarse. Despacio, la gente refugiada en iglesias y conventos fue saliendo a recorrer las calles, una mínima esperanza de encontrar a sus seres queridos. Quienes seguían con ganas de pelea terminaron confinados en improvisadas cárceles de barrotes de caña. Los ingleses permitieron a los cristianos enterrar a sus muertos. Ellos hicieron piras en la playa e incineraron a los suyos; luego esparcieron las cenizas en el mar.

Hasta el medio día hubo tiempo de llorar las pérdidas. Los incendios fueron sofocados. Y Cartagena quedó lista para afrontar el saqueo. Lo primero que hicieron los piratas fue dividirse en cuadrillas y peinar la ciudad casa por casa, tomando cuanto de algún valor encontraban. Se arrancaron puertas y ventanas de las viviendas, nadie podía tener privacidad. Las mujeres encerradas en la catedral, los hombres a cargo de hijos y ancianos.

Al anochecer las hembras comparecieron desnudas en la Plaza Mayor, más de quinientas, de toda clase, raza y condición: desde la esposa del gobernador a las abadesas de los conventos, señoras, señoritas, damas de compañía, putas, y hasta doncellas, que después de aquella noche no quedaría ninguna. Blancas, negras, indias, mestizas, mulatas, zambas, cuarteronas, pardas, criollas...

Sir Francis Drake, en lúbrico reconocimiento, separó las diez que mejor le parecieron. El resto quedó a merced de la tripulación: cuatro marinos por mujer. Drake finalizó su particular concurso de belleza. La fortuna de tener que contentar sus lujuriosos deseos recayó en una de las mujeres más hermosas de Calamarí: María Pérez de Espinosa, nacida en Valladolid, de carnes prietas y mirada insinuante, solitaria esposa del marinero portugués Giácomo de Acereto.

Aquella noche los hombres tuvieron que ver desde las casas, los que aún la tenían en pie, cómo abusaban de las mujeres sin piedad ni distinción. Hasta las meretrices se sintieron ofendidas. Olía a bucán ardiente, a ron, a capón y tasajo, a óbito y herida, a carnaval de agravios.

Sólo una mujer no se sintió mancillada: María Pérez disfrutó aquellas horas, y muchas otras, de la húmeda compañía de sir Francis. En tanto, el marino lusitano recorría los cálidos mares tropicales ignorando la excitante aventura emprendida por su señora (ésta no fue la primera ni sería la última, aunque sí la más sonada).

Las naves, a medida que eran cargadas con el botín, partían en flotillas de tres o cuatro hacia Jamaica, donde tenían previsto reunirse de nuevo para regresar juntas a Inglaterra.

Los negros, horros y esclavos, tanto los que pelearon del lado español como los que se unieron al enemigo, fueron hacinados en los ergástulos navieros para ser vendidos a los plantadores de las Antillas. Las gentes principales y el obispo se refugiaron en Turbaco, pueblo aledaño.

Durante la permanencia en tierra firme, Drake concentró sus esfuerzos en María. Se enamoró, dicen. Su frenética pasión por la mujer y por el oro le iban proporcionando ideas dilatorias para abandonar la ciudad. Una de ellas fue solicitar la suma de cuatrocientos mil ducados a cambio de no arrasar hasta los cimientos. Como magnánima prueba de fuerza, cañoneó sin piedad la catedral.

No pasaban dos días sin que el obispo Juan Montalvo, otra vez al frente de la organización cristiana, se acercara desde Turbaco con nuevas propuestas y solicitudes de clemencia. Los vecinos apenas pudieron reunir ciento siete mil ducados, la mayoría en joyas y piedras preciosas.

Ya no quedaban muchos piratas, pero una tras otra, cada tarde, se quemaban unas cuantas casas con el fin de presionar el pago del rescate. Y cada anochecer se repetía la bacanal con las mujeres.

Drake no cedía a ninguna de las peticiones del obispo. Una noche, mientras el luterano cabalgaba sobre María encima del escritorio del gobernador, leyó la carta que desde Santo Domingo habían mandado a don Pedro Fernández de Busto anunciando la posible llegada a Cartagena del «pirata y hereje Drake». La cólera inglesa comenzó a rebosarle por la boca. ¡Pirata y hereje! Se sintió ofendido en cada uno de sus títulos nobiliarios. Desnudo, encima de la mesa, comenzó a gritar desaforadamente y a maldecir contra el rey Felipe II y toda la corte celestial, católica, por supuesto. Alarmados, los marinos corrieron a la Gobernación. Endemoniado sir Francis la emprendió a puntapiés contra todos los objetos que habían sobrevivido al embate amoroso. Volaron por la sala plumas, tinta, tinteros, papeles, misivas. La única que pudo calmarle fue su *lovely Mary*. Se relajó cuando su amada le acarició el cabello, el pecho, el vientre, y le colocó las manos en sus partes pudendas.

—Pachito, ¿por qué no accedes a las solicitudes del señor obispo? Pronto llegarán nuestros barcos, y no quiero pensar lo que puede pasarte si te agarran. Sé clemente, prometo recompensarte por ello. Puedo pagar los faltantes con mucho amor.

—No tengo tiempo para cobrrarr tanto amorr —respondió el británico arrastrando cada una de las erres.

La vallisoletana le estrujó las gónadas y le dijo al oído, pacito: «O aceptas la propuesta de don Juan, o te las arranco de cuajo». La tripulación observaba expectante sin atreverse a nada. El corsario, pálido, aguantó el dolor con gallardía. Un breve silencio. Agarró las carnosas nalgas de María y le contestó:

—Así gustarr a mí hembrrras, *with* agallas, como *my queen Elizabeth*.

Al despuntar el alba, el corsario firmó un recibo por los ciento siete mil ducados. Sin embargo, dos días después, entre el nerviosismo creciente de los piratas ante el inminente arribo de algún galeón español, Drake reclamó la presencia del gobernador y del obispo y les exigió unos cuantos miles de ducados adicionales por el convento de San Francisco y algunas haciendas que estaban fuera del perímetro urbano. Los franciscanos y los propietarios de los terrenos accedieron al pago. De igual forma, cada familia tuvo que pagar un rescate por los que aún seguían prisioneros.

Más de un mes había pasado desde la toma de la ciudad, cuando los últimos cinco navíos partieron rumbo a Jamaica. En ellos cargaron ochenta piezas de artillería que nunca habían conocido el olor de la pólvora, las campanas de todas las iglesias (útiles para fabricar cañones), muebles, agua, alimentos y todo lo que pudiera ofrecerles algún servicio.

Los marinos increpaban a su comandante, incapaz de despedirse de su amor. Pero él sabía perfectamente que las mujeres daban mala suerte en alta mar, y que «Mary» no podía navegar a su lado. Con apasionadas caricias a la vista de las multitudes, los amantes se desligaron para siempre. Los piratas marcharon desplegando su negro traperío, como había sido el color de cada instante, como la vestimenta y el alma de Drake.

El pueblo quedó con la mirada fija en María Pérez, de quien todos ya decían calmó con un conjuro la furia del demonio inglés la noche que, en el despacho del gobernador, arrojó fuego por los ojos y por la boca. Ella cruzó altiva la explanada del puerto en medio de los derrotados conciudadanos, mientras la escrutaban de arriba abajo con mezcla de agradecimiento y de temor. ¿Cuál sería el castigo de Dios todopoderoso por los actos concupiscentes y blasfemos de aquella bruja, que había copulado sin pudor con Lucifer?

Al día siguiente, por fin libres de los corsarios, atracó en la Bahía de las Ánimas el primer galeón ibérico. Provenía de La Española. El mal tiempo había retrasado su llegada, mala suerte. Entre la tripulación, el marinero Giácomo de Acereto.

Quedaron estupefactos ante la desolación reinante en el

puerto y la ciudad. Rápidamente descargaron los avituallamientos y prepararon la nave para regresar a La Española en busca de mayores auxilios. Zarparían al cabo de dos jornadas.

Aquellas cuarenta y ocho horas se convirtieron en un infierno para María Pérez. El marido le propinó toda clase de golpes, la fustigó con execrables vejaciones e insultos. No había tardado mucho en averiguar la hazaña de su mujer. De otras ya sabía, pero siempre se hizo el tonto; a diferencia, ésta era una afrenta pública que lo dejaba muy mal parado ante la comunidad. El de Acereto partió en el galeón con idea de no volver jamás (aunque lo haría un año después).

Poco a poco comenzó la reconstrucción de Cartagena. Desde entonces a la gente ya no le gustó llamar a la ciudad Calamarí. Intentaron romper con los ontológicos recuerdos de aquel desastre. El nombre de Cartagena quedó labrado en todas las piedras grisáceas que se colocaron en las casas nuevas. Calamarí se redujo al arrabal del puerto, donde se concentró la grey de desecho, los negreros, los desadaptados, los pescadores, las cansadas tripulaciones, las putas, los libertinos, los borrachos, los que no pudieron olvidar ni recuperar el honor ni la decencia, los que se escondían de la justicia y de sí mismos, los que se refugiaban en amores ilegales. La juerga, las cantinas, las fritangas a cuarenta grados, las casas de madera, la playa, el bullicio, los esclavos, la brujería, la hechicería, los demonios, la vida en el barro. El más fascinante y mágico puerto de mar sobre el Caribe.

Cartagena se divorció del mar. Calamarí se fundió con él.

A los nueve meses, María Pérez de Espinosa tuvo una hija rubia como el color del oro robado por el pirata, la tez blanca, resplandeciente, y los ojos claros de color miel. María se apresuró a bautizarla y darle nombre y apellido. En la pila bautismal de una calcinada capilla con el techo derruido, junto a la playa, en medio de los manglares, rodeada de indios, esclavos y la élite de la más alta alcurnia arrabalera, fue entregada a Dios antes que al diablo la preciosa Lorenza de Acereto.

Una de piratas. Increíble. El padre José María Ferrer me recibió con una historia de piratas.

—Lo que te acabo de narrar no es más que una adaptación a vuelapluma de las crónicas de fray Pedro Simón, eso sí, con algunos añadidos de mi cosecha. Pronto te darás cuenta que tiene mucho que ver con tus antepasados y contigo mismo. Ten calma y déjate guiar. A pasos se anda el camino, y verás que nos adentramos en un terreno por el que no se debe correr.

Además de los piratas, misterios. Menuda bienvenida.

Pero retrocedamos un poco en el tiempo. Me había despertado temprano. En el trópico amanece a las cinco y media de la mañana. A las seis, por la diferencia de horario con Madrid, ya no tenía sueño. Deshice la maleta. Me duché y me vestí con unos vaqueros y una camiseta, lo habitual. Admiré la decoración del cuarto, época de la colonia, rústica pero con toques de buen gusto, azules y amarillos en telas y paredes. Bajé a desayunar. El comedor, antiguo refectorio de las monjas, lo encontré en el ala izquierda: un claustro de dos pisos con soportales cubiertos, adornados por arcadas de piedra blanca. Las fachadas y paredes de todo el hotel eran color café claro. El patio cubierto de espesa vegetación tropical y, en el centro, dueño de su mundo, un viejo pozo seco. Caminando entre las matas podía uno toparse con fastuosos torsos en bronce (bueno, estatuas, sólo estatuas de bronce, sí, tal vez la memoria me obligue a magnificarlas), y algunas mesas con un candil para alumbrar los suspiros de los silentes fantasmas (tenía que haberlos, seguro). En la planta de arriba las oficinas administrativas. Abajo, además del restaurante, un salón de lectura, un bar y una puerta que comunicaba con la antigua iglesia, hoy convertida en salón de exposiciones y sala de juntas. El ala derecha del edificio la conformaban (la conforman... el edificio debe de seguir en pie, supongo) tres pisos de habitaciones con interminables hileras de ventanas cuadradas, todo del mismo color blanco y café claro. Los cuartos daban a un patio mucho más grande que el otro, con una inmensa piscina en la mitad: la alberca le decían. Los primeros bañistas apilaban ingentes filas de bronceador junto a las tumbonas. Detrás de la piscina, una escalera amplia con barandas de mármol conducía a una terraza sobre la muralla, desde la que tendría ocasión en días sucesivos de deleitarme con quiméricas puestas de sol sobre el mar... ¿quiméricas?

Con el estómago agasajado por las arepas, café y jugo de papaya, me encaminé hacia San Pedro Claver. El recepcionista me obsequió con un plano. Tenía que cruzar la ciudad de extremo a extremo. Podía caminar por la muralla o atravesar el centro. Opté por el paseo a vista del agua: la muralla. Gran cantidad de morenitos de pelo chuto cobrizo, así me dijeron que era su pelo, jugaban en la orilla. Tardé quince minutos. La impresión ante la iglesia, en el marco del convento, fue de serena austeridad. El exterior, de áspera piedra, parecía infranqueable. Hallé la entrada y la sacristía, por casualidad, en uno de los laterales. Empujé el portón y al penetrar en la fresca estancia con olor a moho, encontré al octogenario párroco colgando la casulla dentro de un armario estrepitoso.

—Buenos días. Por favor, ¿el padre José María Ferrer?

—En su despacho.

Se volvió, sacó un paquete de tabaco del bolsillo de la sotana, prendió un cigarro y me señaló una puerta.

—Por ahí sales al claustro. La oficina que verás puro al frente es la del padre Ferrer.

El azote que recibí en la nariz de aquel rompepechos sin filtro no me dejó ninguna duda que debía de estar elaborado con amoniaco y hebras de patata. El padre Manuel Castillo podía fumar ese veneno con la misma tranquilidad que había afrontado todos los avatares de la vida. Aragonés, terco como una mula, con sesenta años de apostolado en diferentes partes de Colombia, la Compañía le había recompensado con una de sus parroquias más tradicionales: San Pedro Claver.

Crucé el patio. El despacho tenía las puertas abiertas. Siempre las tuvo. Entré, congestionado.

—Hola. Ya veo que el padre Castillo te ha saludado con

sus particulares señas de humo. —El padre Ferrer se levantó y me tendió la mano—. Te pareces mucho a tu abuelo.

Desde el primer momento la figura del jesuita me infundió respeto. No aparentaba ni mucho menos los setenta y un años que tenía. De talla esbelta, fornida, cabello claro pero no canoso, ojos verdes oscuros, facciones adustas sin dejar de ser gratas, toda su persona emanaba una espiritualidad y una confianza entrañables. Aquel domingo por la mañana iba de pantalón negro y camisa blanca. Vestía impecable, ropa sin arrugas, sin una sola arruga, el blanco, blanco, y el negro, uniforme. Las mancornas de oro y el Rolex daban fe de suculentos estipendios; no cabía duda de que los contables eclesiásticos lo tenían bien considerado.

Las paredes estaban atiborradas de libros, de vez en cuando una figura, una placa o los simples recuerdos del pasado. Música clásica: Rachmaninov. Y en el centro de la sala la única mesa, redonda, gentilmente redonda, abrazada por ocho sillas. Todo dispuesto según sus indicaciones. El padre Ferrer nunca tuvo un escritorio tradicional. Desde muy joven mandaba colocar en todos sus despachos una mesa redonda. Para él, conciliador innato, la mesa cuadrada generaba un espacio muerto entre los interlocutores. La mesa redonda, como dijera el rey Arturo —al rey Arturo se remitió—, no tenía cabeza ni pies; todos iguales cuando se sentaban alrededor del círculo: nadie era más, nadie era menos. La verdad, me hubieran presentado al padre Ferrer como el rey Arturo, y me lo hubiera creído.

Pero dejemos Camelot y volvamos a Cartagena. Cuando nos sentamos mandó traer un tinto (no se trata de un rioja mañanero, sino que al café lo llaman así: tinto). El padre sacó una pluma y se armó de papel. Tenía la costumbre de hablar y dibujar a la vez, siempre con estilográfica.

—La pluma es una prolongación de los dedos. Cuando vayas a escribir algo trascendente, hazlo con pluma —me dijo acomodándosela entre los dedos.

Una negrita simpática entró, bandeja en mano, y nos sirvió. Aspirando el aroma de café suave que se apoderó del cuarto, el sacerdote comenzó a relatar la historia de piratas, entonación pausada y acento rayado de catalán y mexicano, mientras la pluma se deslizaba sobre la primera hoja.

Y así estuvo, hablando y dibujando hasta el bautizo de Lorenza de no sé qué.

Concluyó. Se esparcían sobre la mesa diez folios repletos de mapas, croquis, esquemas, con la representación del encarnizado fragor de la batalla.

Me halagó la comparación física con mi abuelo; las mujeres lo trataban como hombre de buen parecer. Seguramente yo no era tan apuesto, pero nunca reparé demasiado en mis dotes corpóreas. Buena estatura, cabello y ojos castaños, delgado, suficientes atributos, creo, que unidos a un activo mundo interior, me habían permitido coronar algunas conquistas amorosas, ninguna definitiva hasta el momento.

—¿Dónde estudiaste? —me preguntó el padre José María.

—En el colegio con los escolapios. Luego hice la carrera de periodismo en la Universidad Complutense de Madrid.

—¿Y de trabajo?

—Nada que merezca la pena. Corresponsalías esporádicas, artículos en varios periódicos, colaboraciones en emisoras de radio y una gigantesca experiencia en producción y envío de currículos.

—Pero Gustavo me dijo que lo tuyo era la literatura.

—Apreciaciones del abuelo. Todavía camino por la cuerda floja que separa el periodismo y la literatura.

—¿Algo en marcha?

—Estoy rumiando una novela desde hace rato, un proyecto quizá fuera de tiempo: se requiere madurez. Por lo demás, cuentos, ensayos, poesías de novato y esas cosas.

Regresó la chica del tinto con más café. Miré hacia la calle y quedé por unos instantes atrapado en la historia de piratas.

—Padre —pregunté mostrando el interés que él estaba esperando—, ¿la ciudad siempre ha sido como se ve ahora?

—Sí en su diseño, pero no en su aspecto. Lo del trazado en cuadrículas ya te lo comenté; sin embargo, desde la toma de Drake su cara es otra. Se sustituyó la paja, madera y baharaque, por piedra coralina. Se amuralló totalmente, se levantaron castillos, fortalezas, baluartes y muchos otros edificios a lo largo de cuatro siglos. Por ejemplo, la Plaza Mayor vendría siendo lo que hoy es la Plaza de Bolívar, pero a principios del XVII era mucho más grande y no existían ni el Palacio de la Inquisición ni varias de las construcciones que hoy se aprecian. De la vieja catedral no queda nada. También son de la época la mayoría de iglesias y conventos. Un día de esta semana damos una vuelta y te amplío detalles.

—¿Por qué dijo que Cartagena se divorció del mar?

—Básicamente por dos razones: la primera, porque la muralla aisló la ciudad de sus aguas. La segunda es mucho más sutil: los primeros habitantes no fueron precisamente la flor y nata de la corte española, casi todos habían desfilado por alguna cárcel o presidio en la Península, y como ordenaba la ley, los reos eran marcados con hierro candente en la espalda. Cuando llegaron a estas tierras, recuperaron de alguna forma la dignidad y el prestigio, una segunda oportunidad, ya sabes. Así que no iban a la playa, no porque no les gustase, sino porque nadie quería mostrar la piel marcada. Luego se impuso la moda de que la piel blanca es sinónimo de hidalguía, y a mayor claridad, mayor cantidad de sangre española en las venas... la pureza de raza y esas idioteces.

Me fijé en los libros de las estanterías: grandes clásicos, historia, política, amén de algún que otro título de actualidad. El padre se levantó y se pasó el pañuelo por la frente.

—Acompáñame, necesito que me eches una mano. ¿Te importa?

Le seguí por la sombra del claustro hasta la esquina de enfrente. En el rincón había una barquilla de mimbre con una gran lona de colores adentro.

—Ayúdame a estirarlo —me indicó.

Desenrollamos la tela a lo largo del soportal, la extendimos y mi asombro volvió a hacerse notorio.

—¡No pongas esa cara! —me increpó sonriente—. ¡Como si en tu vida no hubieras visto un globo!

Me parecía imposible que un hombre con sus características y su edad tuviera la afición de volar en globo. Lo imaginaría coleccionando sellos de correos, fósiles, documentos políticos de anticuario, incluso la revista *Playboy*.

—Esto es lo único que me faltaba por hacer en la vida, de lo permitido, entiéndeme —aclaró—. La semana pasada terminé el curso e hice mi primera ascensión en solitario. Es una experiencia única, inolvidable. —Pero no aprecié en sus ojos el brillo del entusiasmo—. Ahora hay que hacerle un pequeño mantenimiento.

El padre trajo dos butacas, nos sentamos y me pidió el favor de sostenerle la tela mientras él comenzaba a tejer un remiendo. Definitivamente no me encajaba aquella afición: debía de obedecer a cierta laguna senil del entendimiento.

El año 1587 fue muy difícil para Cartagena. La reconstrucción se llevó a cabo con paciencia y arduo trabajo. Felipe II se rasgaba los tafetanes negros cada vez que tenía que firmar una orden para enviar suministros a sus debastados territorios americanos, y maldecía mil veces contra el pirata Drake y su execrable reina Isabel. Harto, despachó al mejor de sus ingenieros, Bautista Antonelli, con el encargo de elaborar el plan general de fortificación de la ciudad. Además amplió sin pudor los «asientos», que eran cédulas reales que permitían vender al año en el Nuevo Reino un determinado número de cargamentos de negros africanos en calidad de esclavos.

Se levantaron casas y se refaccionaron iglesias. Se arregló el puerto, se construyó un nuevo puente, se empedraron las calles. Las fincas y las haciendas, sembradas de esperanza, acogieron hatos esporádicos y numerosos esclavos. La desidia de los españoles y la belicosidad de los indígenas fueron cediendo espacio a los africanos; su creciente afluencia comenzó a ser notoria.

Los indios, sumando derrota tras derrota, agacharon la cabeza y perdieron la alegría en la mirada para siempre. Desde entonces la mantienen así, baja. No había muchos en el sector urbano, apenas los que integraban el servicio doméstico de algunas familias. Los únicos que seguían en pie de guerra, habitando los rincones de la selva cercana a Turbaco, eran los feroces machanaes, raza feroz y guerrera que no estaba dispuesta a recibir la doctrina cristiana. Su credo permanecía encerrado en la manigua, y allí lo conservarían durante varios años más.

Cuando Lorenza comenzó a gatear, ya se habían restituido las heridas físicas de la ciudad y de los hombres, pero no las espirituales: el orgullo continuaba fustigado. Cartagena albergaba más de tres mil habitantes, aunque en el futuro la cifra aumentase en más de dos mil personas anualmente, la mayoría esclavos del África. Era la población más grande del Nuevo Reino, incluyendo la propia capital Santa Fe.

María Pérez logró mantenerse a flote. Desde la ida de su esposo se las había ingeniado para conseguir alimento y ciertas comodidades. Vivía con su hija en una pequeña casa de dos habitaciones junto al puerto, bajo la sombra de las palmeras y la playa como jardín. Drake, Pachito, no le había regalado nada, sin contar a la niña, pero tampoco le había quitado. Los favores amorosos de marinos y comerciantes fueron la principal fuente de ingresos. Además contaron siempre con la protección de los maleantes de Calamarí, quienes pagaron con gratitud la admiración por su belleza y su arrojo.

A principios del ochenta y ocho, enero o febrero, no sé, Lorenza intentaba atrapar un escarabajo en la puerta de la casa cuando fue alzada por un marinero con apestoso olor a vino y sufrimiento. Era Giácomo de Acereto. Volvió, volvió a pesar del juramento, quizá únicamente por la curiosidad de saber si la niña era suya o del inglés. Le miró los ojos claros, el cabello rubio, la piel blanca, y la comparó instintivamente con su pelo negro, sus ojos negros, sus entrañas negras y su piel oscura para confirmar la evidencia. Lorenza le regaló una sonrisa, Giácomo la devolvió a la arena. María observaba desde el lavadero, aterrada ante la posibilidad de otra zurra del tamaño de la última. El portugués entró a la casa, recogió algunas pertenencias, pocas le quedaban, y salió sin mediar palabra. Sólo cuando retomaba el camino del puerto gritó:

—Cuando tu hija me necesite, aquí estaré.

María supo entonces que no volvería a verlo. Desde que habían contraído matrimonio, cuatro años atrás, fueron constantes las amenazas de abandono. Pero él siempre regresaba pasados algunos meses, aguantaba en el chiribitil de la playa unos días, y a la primera oportunidad de bronca, cosa normal, volvía a enrolarse y a desaparecer otra temporada.

Nunca mostró celos desmesurados, aunque las veces que sorprendió a su mujer con otro, golpeaba sin cuartel a los amantes más por descansar su conciencia que por castigar la infidelidad. Los problemas jamás se desorbitaron. Inclusive, buscando los favores del capitán de su barco, muchas noches le invitaba a cenar después de haber recorrido los burdeles del puerto y se emborrachaba con más facilidad de la acostumbrada, de modo que, vencido por el sueño, la esposa asumía la responsabilidad de hacer hospitalario el hogar.

María y Giácomo se habían conocido en Lisboa; entonces Portugal pertenecía a España. Ella, a sus veintidós años, tuvo que huir con su madre y una tía a la capital lusitana perseguidas por la justicia, el hambre, la Inquisición, las necesidades y las privaciones. En Valladolid quedaban la abuela y una prima a recaudo de los carceleros, acusadas de prostitución y robo. Llegaba a su fin la agitada juventud por los lupanares castellanos entre triscas y marimorenas. En la familia de María no hubo hombres permanentes. Llegaban, entregaban sus ansias, y las Pérez de Espinosa recibían los favores y el dinero. Todas llevaron los mismos apellidos. Los que nacían varones duraban poco en el seno familiar, como el tío Luis Gómez de Espinosa, primo de su madre, que a temprana edad tomó los hábitos y marchó a las Américas a poner a Cristo como recaudador de sus trapicheos.

Nunca se supo quién fue el padre de María, por consiguiente sería ligero hacer hipótesis sobre su limpio origen.

Con tan prístinos antecedentes, se presentó en el puerto lisboeta. Conoció a Giácomo de Acereto mientras despojaba de sus abalorios en una taberna de mala muerte a las mozas que asistían a los parroquianos. El de Acereto, treintañero medianamente apuesto, la sorprendió, y en lugar de delatarla, mandó a paseo a la pelandusca que le acompañaba e invitó cortésmente a la española a servirse unos vinos. Aquella noche de verano se ocupó del resto. En menos de quince días celebraron los esponsales, y no tardaron mucho en convencerse mutuamente que el futuro se encontraba al otro lado del océano. Tenían dónde llegar: a Calamarí, con el tío Luis.

Se enrolaron en un cascarón que alcanzó su destino de milagro, navegando en la retaguardia de la flota, vapuleado por las estelas de los poderosos galeones.

En tierra inmóvil, no tanto firme, poco les costó conseguir lote. Construyeron la casucha de la playa. Terminada, Giácomo apenas aguantó un mes sin viajar, rodeado de todos los vagos y perdonavidas que merodeaban por la ciudad. María siempre dijo que no podía estarse quieto porque tenía hormigas en el culo. Así que la soledad de la bella mujer comenzó a ser compensada en las vastas ausencias del marido por la compañía de cuanto marinero tenía algo interesante que ofrecerle, aunque sólo fuera amor.

La madre de Lorenza, o Lorenzana como muchos la llamaron, siempre estaba risueña, alegre, juguetona, o así parecía. Lamentaba aún la definitiva marcha de Giácomo cuando una ola de calor se apoderó de Cartagena. Nunca el litoral viviría un momento tan ardoroso, tan devastador. Las paredes de las casas se agrietaron, el suelo prendía los pies curtidos de los esclavos, la sequía devastó los campos, el agua potable disminuyó alarmantemente y el mar se calentó hasta semejar un pozo estancado a punto de hervir. Las moscas y las ratas se enseñorearon de la ciudad y del puerto. Más de seis meses de sopor.

Para colmo de males, la peste de la viruela apareció de la huesuda mano de la parca, matando sin piedad indios, esclavos y algunos vástagos de las clases favorecidas.

Calamarí no tenía fortuna: primero los piratas, más tarde la sequía y la peste.

La ignorancia popular pronto señaló a Lorenza de Acereto como provocadora de tales desastres. Una ronca acusación se desató contra los amores del inglés y la castellana. La ciudad buscaba entre su impotencia una causa, tal vez una revancha.

Los alguaciles se presentaron muy de mañana en casa de María, la obligaron a recoger a la niña y llevarla a la Plaza Mayor. Tomó en los brazos a su hija y caminaron. Gran cantidad de gente se había reunido en torno al rollo, cilindro de piedra utilizado para impartir látigo a los esclavos desobedientes. Un doctrinero de baja estofa gesticulaba y emitía desproporcionados gritos desde las escaleras de la catedral. Cuando entraron en la plaza, el predicador señaló a María y a Lorenza.

—¡Esa criatura, fruto del diablo, engendro infernal, es la causa de nuestros males! —sentenció el cura sin más ni más—. ¡Sólo el fuego purificador de la hoguera nos librará del pecado!

María tembló de pánico. La grey estaba enardecida. La golpearon, la tiraron al suelo. Lo único que pudo hacer fue proteger con su cuerpo a Lorenza. La niña berreaba. Los alguaciles intentaron varias veces quitársela, pero cualquier esfuerzo resultó inútil. María reclamaba con gemidos la inocencia de la pequeña. Hasta que una cruel patada en el costado dejó a la madre tendida en el piso y a la niña en brazos del acusador.

Las autoridades no aparecieron por ningún lado. El acto se desarrollaba, sin lugar a duda, bajo su aprobación. De otra manera no se hubiera entendido la participación de los alguaciles.

Cuatro esclavos amontonaban leña al pie del rollo.

De pronto, por la esquina norte, entró el obeso tío Luis. El canónigo se hacía acompañar de Margarita, descomunal esclava mulata inundada en lágrimas. Se abrieron paso entre la multitud hasta los peldaños de la escalinata. Don Luis levantó los brazos y acalló a la muchedumbre. Le respetaban, todos le debían algo... dinero principalmente.

—No es por culpa de María Pérez que Dios omnipotente nos haya castigado con las plagas de la sequía y la peste. Pero sí es por una intervención diabólica que estamos penando nuestro infortunio. Lorenza de Acereto no es hija de Lucifer. El pirata Drake al único demonio que puede tratar es a su reina. Además, tengo entendido que María no fue la única preñada por los ingleses, ¿o me equivoco? Escuchad un momento a Margarita, aquí presente, antes de cometer un grave error.

Habló la esclava entre sollozos:

—Hace unos meses, una de las negras bozales que entraron al servicio de don Luis, en nuestra casa, parió un cambrón. Ella misma me confesó que hizo el amor con su demonio Rompesantos la noche del Jueves Santo. Desde entonces, el tambo se llenó de insectos inmundos, de culebras, de víboras, de miles de bichos que no nos permiten acercarnos a la criatura.

Total expectación. Los rostros de la turba mudaron de la rabia al pánico. Don Luis retomó la palabra:

—¡Ésa es la señal que avisa la culpa! —dijo en tono vibrante—. Un cambrón, un hijo de diablo y mujer, el engendro del maligno rodeado de todo su séquito de podredumbre. ¡Dejad a esa niña y a su madre en paz!

María se arrastró hasta la escalera y recuperó a su hija. Margarita la socorrió. En tanto, el doctrinero con aires cardenalicios envió a los dos alguaciles a buscar al cambrón.

Transcurridos no más de veinte minutos, los soldados regresaron jadeando, azarosos, como si les llevara el alma el diablo (y puede que se la llevara). Explicaron que no habían pisado siquiera el patio de los esclavos, cuando fueron atacados por millones de avispas, abejas, iguanas, ratas, serpientes, babillas y reptiles de todo tipo. Desencajados, buscaron afanosamente agua del abrevadero para aliviar mordiscos y picaduras.

Don Luis, maestro de negocios, invitó al pueblo a entrar

en la catedral y rezar. Sabía perfectamente que nadie se preocuparía por acosar al cambrón: el miedo era superior a la ignorancia. Se encaramó en el altar y comenzó a recitar oraciones de su improvisado repertorio, latinajos de medio pelo, que afortunadamente nadie entendió. Acabada la farsa, incapaz de inventar más, se volvió al pueblo y dijo:

—Dios está satisfecho. *Dominus vobiscum*. —Y les arrojó una desabrida bendición.

No había terminado de arrear la última frase cuando gran estruendo de pitos y tambores estalló en la ciudad: la armada de galeones desplegaba su velamen frente al puerto.

Las provisiones, el regocijo, las lluvias que pronto caerían, la débil memoria, aplacaron los ánimos. Menguaron los brotes de viruela. Se olvidaron de la hija del pirata y del cambrón.

Para Lorenzana, sus recuerdos de infancia siempre fueron felices, elementalmente felices. Creció junto a su madre en la absoluta libertad de la playa, o en el campo jugando con todos los pelafustanes del puerto. La pobreza nunca afectó su inefable mundo pueril. Desde que aprendió a caminar correteaba por la arena embadurnada con aceite de coco y pez que preparaba María para protegerla de los rayos solares. Los negritos, únicos habitantes de aquel tramo de costa, la obsequiaban con caracolas y estrellas de mar. Su acontecer diario eran la playa y su madre. Cuando el calor apretaba se desnudaban y se lanzaban al agua. Construían castillos de arena, y si las olas derrotaban las frágiles murallas, reían y se revolcaban sobre los escombros. Buscaban frutas silvestres y mantenían un coloquio permanente con la naturaleza.

Por la tarde solían acercarse al puerto. María llevaba trajes vaporosos y amplios que no pocas veces la brisa levantó pícaramente. Los marineros se deshacían en piropos y ella contestaba sin sonrojarse con acertado descaro.

De noche, las dos compartían cama. Lorenza se acostumbró a dormir entre los saltos, jadeos, maromas y sudores de los lances amorosos que su madre mantenía frecuentemente. Al principio quedaba en vigilia sorprendida por el pasional ajetreo. La fuerza de la costumbre acabó venciéndola. Nunca recibió castigos ni sanciones, salvo cuando despertaba en momentos inapropiados... Aunque los coscorrones eran más admonitorios que mortificantes.

Si la miseria apretaba más de la cuenta recurrían al tío Luis. María se presentaba vestida de negro, con su hija de la mano, fingiendo ponderación y mesura. El abate, conocedor de las ligerezas de su medio sobrina, se enfrascaba en eternas homilías condenatorias de los actos impropios de mujeres recatadas.

Y María, sabedora de las orgías que el presbítero organizaba con las esclavas, respondía con hipócrita dulzura a los sermones.

Cuando ambos llegaban al punto muerto de la negociación, el adinerado tío Luis buscaba una moneda perdida en el hábito y se la entregaba misericordiosamente. El óbolo era suficiente para calmar las ansias agiotistas de los abaceros.

Así pasaron los días: tranquilos, plenos, felices.

Faltaban tres meses para que Lorenza cumpliera siete años. Las necesidades habían aumentado porque María comenzó a padecer serios dolores en la región lumbar. Muchas veces, las más, no podía levantarse de la cama. Lorenzana asumió las tareas propias del hogar, pero los recursos se iban agotando. Como sobraba una habitación, decidieron arrendarla para procurarse algún ingreso.

Arribó la flota de galeones del año noventa y tres a finales de septiembre. Como era costumbre, fue recibida con extremo alborozo. Por primera vez, María y Lorenza no pudieron correr al puerto a dar la bienvenida a las embarcaciones.

Circularon la voz sobre el alquiler de la habitación. En cuarenta días nadie se interesó.

Sorpresivamente, una tarde a fines de noviembre, un hombre golpeó la puerta. La pequeña abrió y le hizo seguir hasta el dormitorio donde su madre se retorcía de dolor. El forastero hablaba con marcado acento francés. Saludó con educados modales, y por su compostura, María se percató que aquel visitante provenía de altos estamentos sociales.

—*Madame*, estoy interesado en el habitáculo.

Lorenza rió ante su extraña forma de pronunciar. Rápidamente llegaron a un acuerdo: el gabacho ofreció casi el doble de lo que pedían y pagó el primer mes por anticipado. No se hable más.

Vestía finos ropajes venidos a menos, zaragüelles raídos de un color parecido al verde y jubón que ayer debió de ser colorado. Por la pinta, podía tratarse de quien instituyó la ropa de colorines en el trópico. Se recogía el pelo, blanco, en una coleta. Su aspecto descubría los grandes esfuerzos realizados en la última etapa de su vida. No daba sensación de aventurero ni de impertérrito viajante, así lo fuera. Extremadamente flaco, apenas podía arrastrar un baúl de cuero que logró acomodar finalmente entre su cama y la pared.

El extranjero se identificó simplemente como Jean Aimé. Nunca quiso dar su apellido, pero a María no le extrañó: aquellos parajes estaban llenos de gente con problemas, sería otro del montón. Las normas portuarias sugerían no esculcar en el pasado de nadie.

No tardó en acomodarse. Se entretenía leyendo a la sombra de las palmeras y jugando con Lorenza. Arregló algunos desperfectos de la vivienda y aportó mayores beneficios que molestias.

La cortesía y los buenos modos se apoderaron del cuchitril, un juego. Jean Aimé confesó tener los estudios completos de medicina y ser aficionado a la astronomía y a la astrología. No obstante, era parco en palabras.

No perdía a Lorenzana de vista. Observaba a la niña con atención desde su hamaca bajo los árboles.

En repetidas ocasiones ofreció a María sus servicios médicos, pero la testaruda castellana no aceptaba, alegando que sus dolencias se debían «al golpe recibido el día que los hideputas curas pretendían achicharrar a mi hijita».

Los pinchazos en el costado llegaron a ser inaguantables, como los gritos que daba, y el galeno tuvo que intervenir a la fuerza. Al terminar el examen tomó asiento en la cama y le dijo gegeando:

—*Marie*, te hablaré con sinceridad. Lo que tienes es grave. Los riñones apenas te funcionan. Tu sangre está dañándose. No puedo curarte ni con las cosas de Dios, ni con las de los hombres, ni con las del diablo, que de las tres conozco. Pero mitigaré tus dolores con algunos brebajes. —Le tomó la mano—. *C'est dommage*...

María presintió la desgracia; se la tragó, la analizó, intentó escupirla y no pudo. Se aferró a la vida por la única justificación que halló: su hija. Lloró sus ojos sin encontrar consuelo.

El viejo francés se internó esa misma tarde en la selva acompañado de Lorenza, a buscar hierbas, dijo a María. La pequeña estaba en la edad de preguntarlo todo.

—¿Y cuántos años tienes?

—Muchos. Creo que ya he perdido la cuenta... ¿Setenta y cinco?

—¡Tantos! —exclamó Lorenza.

—Tantos... *Très larges!* —suspiró Jean Aimé.

A la jovencita le interesó aquello de conocer el uso de las hierbas.

—¿Me puedes enseñar?

—La ciencia se adquiere durante muchos años de práctica. Pero estoy seguro de que algo aprenderás en estos días.

—¿Por qué viniste a Calamarí?

—A buscarte. —Caviló un poco antes de responder—. Tengo una misión que cumplir... Después moriré aquí, tranquilo, en los albañales del mundo. —Levantó los brazos en gesto irónico—. *Monde cruel!*

—¿Me vas a matar? —preguntó Lorenza con la exageración que agregan los niños a su existencia.

—Por supuesto que no. —Se agachó a la altura de la pequeña—. En su momento te entregaré una encomienda, porque tú serás una mujer muy importante.

—¡Un regalo!

—Algo así. —Le tocó la nariz con el dedo índice y se irguió.

Volvieron a concentrarse en las plantas, había muchas. Qué nombres tan extraños.

Regresaron entrada la noche.

Jean Aimé mezcló ante los ojos atentos de Lorenza las hierbas, previamente machacadas en el mortero, con polvos de colores que extrajo de su baúl. Puso las manos sobre el ungüento y conjuró en francés antiguo.

—¿Qué es eso? —Lorenza continuaba ávida de conocimiento, pesada.

—Magia. Magia para curar a tu mamá.

Llevaron la humeante totuma a la enferma. María sorbió el bebedizo. «Carajo, está hirviendo, pero el dolor se calma.»

—Se lo agradezco mucho —le dijo al herbatero.

—*De rien.* —Le puso la mano en la frente—. Ahora descanse.

—Hace rato quería preguntarle algo —trató de intimar María—. No hace falta que me conteste si no quiere, pero siendo francés, ¿no tuvo muchas dificultades para venir en la flota española?

—No vine en la flota española. —Tomó asiento a los pies de la cama—. Me embarqué con los ingleses hasta Jamaica y desde allí navegué furtivamente a tierra hispana. En este momento la situación entre Francia y España es tensa, pero aguanta. Tras la firma del tratado de Wervins hace cuatro años entre Felipe II y Enrique IV no se han suscitado nuevas agresiones. Pero su monarca no quedó muy contento al tener que devolver todas las conquistas realizadas en territorio francés, y menos aún cuando se enteró que los ingleses apoyaron a Enrique de Borbón, y que a su vez éste favoreció a los rebeldes en Holanda. —Frunció el ceño—. En cualquier caso, le puedo asegurar que el rey español nunca ocupará el trono de Francia. Es más, la dinastía borbona arrebatará el poder a la Casa de Austria —sentenció gravemente, como si de antemano lo supiera.

—Con nosotras no tendrá problemas. —A María la política le importaba un ardite—. No es el primer enemigo de España que viene a parar a estas tierras. Mientras no vengan muchos juntos, no pasa nada. Por aquí cada cual, si persigue algo, es un techo y comida, lo demás importa menos. Puede robarle el báculo al gobernador si le apetece, pero no intente robar una presa de pollo. No arme mucha bulla, no vaya a la ciudad, quédese en el puerto y pasará inadvertido. Además, es persona grata y habla buen castellano.

—Mi madre era navarra. Yo soy del Pirineo francés, medio ibérico. Conozco el idioma desde pequeño, aunque mi pronunciación no sea óptima. Hablo tres lenguas más, así que no sería difícil esconder mi origen en caso dado. —Sonrió mostrando seguridad.

En días sucesivos charlaron abiertamente sobre la niña, el portugués, la toma de Drake y otras cuestiones que ahuyentaron la desidia.

Jean Aimé iba solitario algunas tardes al embarcadero. Abría la boca justo lo necesario, a decir verdad, casi nada, pero nunca fue tildado de individuo hostil. Hizo algún que otro amigo de vaso largo. El grueso de la población le permitía escabullirse en el anonimato.

Lorenza dedicó mucho tiempo al inquilino. Por las mañanas, él leía bajo las palmeras en voz alta, traduciendo, inventando a veces, antiguos poemas que encantaban a la niña. Ante la postración de María, el viejo y la chiquilla asumieron también los asuntos de la cocina. Pero consagraban las horas de oscuridad a estudiar las estrellas desde la playa. Ella quedaba absorta en el tintineo de los astros. Aprendió de su maestro la posición de las constelaciones, el hipnótico movimiento de la bóveda celeste, y a descubrir los misteriosos guijarros que siembra el destino en el universo.

—*Attendez!* Siempre que quieras observar las estrellas, hazlo sola, nunca acompañada. Y si algún día te hablan, no desveles lo que dicen —le advirtió el anciano—. De lo contrario, *tu mourras au feu.*

El gabacho y la niña acabaron desarrollando una peculiar camaradería.

El día de su séptimo cumpleaños Lorenza se despertó pletórica, llena de ilusión, con sus ojos garzos del color de la panela abiertos como magnolias. Sabía que los galopines del puerto le traerían obsequios. María, no haga locuras, advertida estaba, pero se levantó a preparar un pastel para su hija. El forastero, ante la terquedad de la española, procuró los ingredientes. Los tres almorzaron en la playa, con la muerte rondando los desechos.

Al refresco de la tarde, Jean Aimé solicitó a Lorenza desde la orilla del mar. La pequeña acudió de inmediato. Se sentaron en la arena. Observaron un rato, en silencio, la puesta de sol y el devenir de las olas.

—¿Recuerdas cuando fuimos a recoger hierbas y te dije que tenía algo para ti?

Lorenza se encogió de hombros.

—Ha llegado la hora de entregártelo.

Jean Aimé sacó del bolsillo un pergamino enrollado.

—Me costó mucho encontrarte: varios años más de los que hoy cumples. Mi encomienda era entregar este manuscrito a una niña inglesa nacida en la tierra española del nuevo mundo. *C'est difficil!* ¡Qué locura, una hereje en suelo hispano! Casualmente descubrí tu pista: la famosa historia de la hija del pirata. Ahora estoy seguro de que tú eres la indicada. Tendrás, Lorenza, que guardar y proteger siempre este pergamino. —Le puso la mano sobre la cabeza y le mostró el documento—. Encierra cosas muy importantes que marcarán el destino y la existencia de tus descendientes. Se hará venganza de todos nuestros oprobios... *Très important!* Nadie debe verlo. Nadie debe conocer su existencia. De ello depende tu propia vida. Será nuestro gran secreto. Lo revelado deberá cumplirse. *Mon message est dit.*

Lorenza miraba al viejo con los ojos entrecerrados, queriendo asimilar.

—¿Me has entendido?

—Creo que sí; pero léemelo.

—Ahora no debo. —Movía el dedo de la mano negativamente—. Esa tarea no nos corresponde. Prométeme que harás lo que te he pedido.

—Lo prometo —dijo Lorenza a pesar de todo.

Le miró a los ojos, y confió.

—Ven, mira, aquí he escrito mi nombre para que no me olvides. —Señaló en el pergamino unas frases con distinta caligrafía.

Ella nunca atinó a pronunciar correctamente el nombre del francés.

Jean Aimé desenrolló el manuscrito y lo plegó en cuatro para facilitar a Lorenza su manejo. Se lo entregó.

—¿Si aprendo a leer, sabré lo que dice?

—Algún día intentarás descifrarlo, pero las estrellas no auguran que lo consigas.

—Sí lo haré —afirmó convencida mientras observaba las letras de limpio trazado.

Con el transcurrir del tiempo Lorenza se daría cuenta de que leer y escribir era una costumbre muy mal vista en las mujeres de la época. Sin embargo, desde aquel instante había quedado establecido un reto consigo misma.

Guardó el manuscrito bajo la pollera y tomó su juramento con el sublime compromiso que adquieren los niños en sus juegos. Asumió la tarea con la misma férrea decisión que mostraría en todos los actos de su vida.

Tres días después, a media mañana, Lorenza fue a buscar a Jean Aimé a la playa. El anciano permanecía tumbado en la arena con la cara tapada por un libro. La niña lo zarandeó para que la acompañase a la cocina. El viejo no se volvió a levantar jamás. Murió sin avisar, y fue enterrado, como predijo, junto a un manglar olvidado de Dios, en los «mismísimos albañales del mundo».

El sol en su cenit: las doce en punto. Exacto como un reloj, el padre Ferrer levantó la cabeza cuando sonaban las campanas en la torre de la iglesia. A vista del remiendo se deducía fácilmente que la costura no era su fuerte.

—Aguantará —afirmó, pero no debía de estar muy convencido.

Yo no lo estaba.

Guardamos el globo en silencio.

—Si te apetece, te invito a comer. Hay un restaurante cerca donde preparan buen marisco.

—Gracias —acepté gustoso, faltaba más.

Salimos a la calle por la sacristía. El sol caía de punta, dañaba. En el camino, el padre José María, las manos en los bolsillos, volvió al tema de Lorenza en forma deshilvanada, dando puntadas aquí y allá, como si continuara con el remiendo.

Comencé a intuir una sediciente admiración por aquella niña, como había quedado intrigado por el viejo Jean Aimé y el asunto del manuscrito. De alguna forma entendía que aquellos elementos podían resultar importantes, no sabía entonces para qué, una corazonada.

—¿Quién era el francés?

—No lo sé —me respondió el padre Ferrer con franqueza y desasosiego—. No he logrado averiguar más, pero estoy seguro de que en algún momento volveremos a tropezarnos con él. —Calló nuevamente unos segundos—. De cualquier modo, no nos adelantemos a los acontecimientos. Calma, calma, calma...

Sobre el pergamino recibí similar contestación.

El restaurante estaba decorado en madera, imitando un viejo navío. Agradecimos el aire acondicionado, casi rezamos.

—¿Qué quieres? —me preguntó cuando se acercó el camarero para tomar el pedido.

Tímidamente pedí una trucha.

—Traiga dos langostas —ordenó el cura.

El padre Ferrer debió de verme otra vez cara de estúpido, así que optó por hacer un chiste:

—¿Tú no sabes que los jesuitas no morimos nunca?

—No, ¿por qué?

—Porque es imposible que pasemos a mejor vida.

Tuvimos que reírnos. La verdad es que me gustó; posteriormente he repetido ese chiste a mis amigos hasta la saciedad.

Mientras almorzábamos, el padre Ferrer me contó anécdotas, inolvidables dijo, que vivió junto a mi abuelo. Incluso me comentó algunos aspectos de su actividad profesional. No lo esperaba.

—Las cuestiones más complicadas en las que coincidí con Gustavo se produjeron en Argentina, con los generales, durante la dictadura militar, y después en México... ¡Ah, sí, la de México fue simpática! Tu abuelo asistía en calidad de veedor internacional, yo como garante encubierto de la Iglesia, ambos con la finalidad de garantizar la transparencia de las elecciones presidenciales. La jornada había transcurrido con normalidad aparente. Por la noche decidimos dar una vuelta por la Televisora Nacional, sede central del recuento de votos. Al principio todo parecía en orden. Éramos los únicos observadores trabajando; los demás habían dado por finalizada la tarea y disfrutaban de una magnífica fiesta preparada en el Hilton por grupos de la oposición. Serían las tres de la madrugada cuando se me acercó tu abuelo y me dijo: «José María, aquí hay demasiada gente armando barullo». Era cierto: se abrían y cerraban puertas, entraban y salían personajes oscuros cargados de papeles, cuchicheos siniestros, miradas temerosas... Sospechoso. Más de una hora estuvimos indagando. Al fin me decidí a coger el teléfono y marcar el número del Palacio de la Presidencia. Mandé despertar al presidente y le dije: «Señor Presidente, le están robando las elecciones». ¡Eran las cuatro de la madrugada! Tu abuelo me daba codazos, temía haber metido la pata. ¡Pero qué va! —Rió con la satisfacción que dejan las buenas aventuras—. En menos de diez minutos el recinto se llenó de policías, militares, ministros en pijama, funcionarios en bata y zapatillas, y hasta el primer mandatario con traje mal abotonado y pantuflas. Se descubrió que, en efecto, estaban preparando un tongo de padre y muy señor mío. El presidente, como muestra de agradecimiento, quiso condecorarnos, hacernos ciudadanos ilustres, hijos predilectos, no sé cuántas cosas más. Pero mi trabajo no me permite aparecer en público. Tu abuelo fue quien se gozó los agasajos. ¡Hizo bien, caramba!

—¿Usted ya se retiró?

—No del todo. Solicité una pequeña licencia. Mi trabajo se acaba con uno mismo, no tiene jubilación.

—Pero todos tenemos derecho a descansar algún día.

—Mi profesión me ha permitido descansar durante grandes temporadas, y luego volver a la carga. Me siento útil haciendo lo que hago, así no sea una labor reconocida. Da igual. Estoy a gusto como estoy y con lo que soy. Eso es lo importante.

—Cuando mi abuelo se refirió a usted me dijo que era un hombre con mucho poder.

—Quizá; pero eso nadie lo sabe, y nadie debe saberlo. Digamos que tengo buenos contactos y muchos amigos.

Hábilmente desvió la conversación. Intenté profundizar un poco más por otro camino.

—¿Acaba de concluir algún asunto importante que le ha permitido venir a descansar a Cartagena?

—No exactamente. Terminé una misión de poca importancia en Brasil el año pasado y decidí venir a ayudar al padre Manuel con algunos problemillas internos. Tengo una gran ventaja en mis desplazamientos: en todas partes encuentro lugares de la Compañía de Jesús donde hospedarme.

Volvía a eludir la pregunta. Tuve que entrar por el frente (a riesgo de toparme con cadenas, como Drake).

—Los problemillas son, como su nombre indica, cosas sin importancia, que no demandan mucho tiempo. ¿Qué le impulsó a quedarse en Cartagena?

El cura sonrió ante el acoso. Sacó un paquete de cigarrillos mentolados y comenzó a fumar.

—Éstos no son como los del padre Castillo. —Miró de soslayo la caja de tabaco y la dejó sobre la mesa—. Tienes madera para el periodismo, pero no hagas la carrera diplomática. Voy a ser franco contigo. —Las facciones se le mutaron serias—. Recibí la carta de tu abuelo, me solicitaba que te ayudase a localizar unos antepasados, y me puse en la tarea. Disponía de tiempo, me sentía a gusto en Cartagena y, sobre todo, era un favor que me pedía Gustavo. No resultó difícil encontrar los ascendentes de Francisco de Paula Santander, aunque todavía los historiadores colombianos no llegan a un acuerdo al respecto: cada cual está interesado en ponerle unos abuelos distintos, todos dignísimos señorones. Pero topé con alguien que no era precisamente el tatarabuelo modélico que los acartonados letrados desearían reconocer como predecesor del «hombre de las leyes». Algún día te darás cuenta de que la historia de Colombia se hizo acomodándola siempre a determinados parámetros impuestos por el historiador de turno, y que, en ocasiones, no se corresponden con la realidad. Y es que se fue desarrollando de forma escalonada, es decir, un autor se basaba en el inmediatamente anterior y daba por cierto lo que leía en los libros más viejos. No hubo investigaciones. Te voy a poner un ejemplo: si lees cualquier historia tradicional del país, te darás cuenta de que a la luz de lo expuesto todos los presidentes que ha tenido Colombia deberían estar ya elevados a los altares, sí, todos santos, porque no se les reconoce error ni pecado alguno. Nadie se ha preocupado por averiguar si ciertamente fueron buenos o malos: mucho miedo o mucha lambonería. Ése es precisamente el problema que enturbiaba la claridad sobre la rama más alta de tu línea familiar. —Bocanada de humo—. Al final, como te decía, encontré al personaje en cuestión, fascinante, y éste me llevó por senderos que nunca hubiera podido imaginar. Ahora, he vuelto un poco atrás para recogerte y para que me acompañes hasta el final. Por eso te solicité algo de paciencia.

Dibujaba con la pluma en una servilleta de papel.

Charlamos también de mi vida, mis padres, mis intentos literarios, mi mundo.

Ya en las cartas y conversaciones telefónicas nos habíamos conocido someramente, por lo que aquel encuentro fue bastante amistoso... sorprendente. La presencia sentimental de mi abuelo lo llenó de cordialidad.

Pagada la factura, Señor te damos gracias, volvimos al calor de la calle.

En la puerta de la iglesia nos íbamos a despedir. Pero el

sacerdote se dio cuenta de que yo trataba de asomarme al interior y me invitó a entrar.

Me impresionó la severidad de los elementos arquitectónicos. Si tuviera que definir la iglesia de San Pedro Claver en dos palabras, serían «armonía y serenidad». Fresca y oscura, invitaba a la reflexión.

El padre Ferrer me señaló bajo el altar una urna con el cuerpo incorrupto del santo.

—Algunos de los jesuitas que están aquí enterrados resucitarán en nuestra historia.

—¿También el padre Claver? —pregunté.

—No. Pedro Claver llegó con un poco de retraso. Hubiera sido interesante que coincidiera con Lorenza de Acereto, pero no fue así.

La ornamentación era escasa. El barroco no penetró en esta iglesia. Líneas simétricas, estilo casi herreriano. En cierta forma me recordó El Escorial (también tendría que ver en la historia).

El sacerdote me confesó que añoraba el ejercicio de la eucaristía; casi había olvidado las formas del ritual. No celebraba misa desde hacía más de treinta años. Igualmente, las vestiduras clericales habían desaparecido de su armario, apenas guardaba la empolvada sotana con la que se ordenó, como recuerdo de que en algún momento fue un religioso normal y corriente.

La luz de las velas mistificaba el entorno. Traté de buscar al cura en su terreno.

—¿Qué le atrae de Lorenza de Acereto?

Tardó en responderme. Se oía el crujir de la madera y el crepitar de los cirios.

—Su decisión de supervivencia. Fue una superviviente, como Calamarí, como Colombia, como Sudamérica... una pieza del destino que se antojó caprichosa en su deseo de salir adelante, de defenderse de la propia vida, de emerger de la soledad.

El futuro tendría que ser el encargado de explicarme su parecer.

Nos despedimos bajo el pórtico. Quedamos para el martes siguiente en la puerta del hotel a las diez de la mañana. Tendría el lunes para disfrutar la ciudad.

Me encaramé a la muralla para regresar al hotel. Cuando comencé a caminar escuché a mis espaldas:

—El próximo día te explico lo del globo.

Alcé la mano derecha para asentir mi conformidad.

—Y recuerda —agregó—, Calamarí entonces no tenía murallas.

2

El lunes por la mañana compré el periódico en la librería del hotel. ¿Un libro o el periódico? El periódico. Luego me sumé al pelotón de turistas que junto a la piscina eran fusilados por los rayos del sol y leí. Un grupo de canadienses ya presumía de natural bronceado camaronero, que pocas horas después los tendría tumbados boca abajo en las habitaciones con paños de vinagre en la espalda para aminorar el dolor de las quemaduras.

Pasó rápida la mañana. Almorcé. Una siesta para esconderme del calor.

Y por la tarde, aprovechando el sereno, me aventuré hacia la parte nueva de la ciudad. Pocos metros después de abandonar el recinto amurallado, miles, millones quizá de negritos saltimbanquis me rodearon haciendo malabarismo con diez pares de gafas en cada mano. «Mono, le vendo las Rayban. Baratas.» Tan sólo a un morenito genuinamente descarado le cogí un modelo que me llamó la atención. Al pasarle un dedo por la marca, se borró. El negrito marchó jurando, de todas formas, que eran auténticas.

Gentío aglomerado frente a los puestos de vendedores ambulantes, las terrazas de las cafeterías a rebosar, el desfile de bronceados... no era un panorama muy distinto al que se vive en una típica ciudad veraniega de cualquier costa.

Debo confesar que no me gustan los paseos solitarios. Tengo cierta animadversión a la soledad peatonal, así constituya un elemento necesario para las pretensiones de un curioso. Pronto me sentí incómodo entre la turba. Regresé a la tranquilidad guardada detrás de las murallas. A pesar del ajetreo, del griterío, de las maromas de los negritos, de la vertiginosa carrera de las olas, de los autobuses con la radio a todo volumen, del fresco nocturno en su despertar, de las idas y venidas de los ecos, a pesar de todo, la vida iba muy despacio. No sé si todos aquellos seres humanos sentían lo mismo. Supongo que no, que a cada uno la vida le marcha como se le antoja. Pero yo siempre he tenido la contravenida sensación de que la vida se mueve mucho más lenta que mis anhelos, que mi mundo interior. Por eso, ya en el Santa Clara, a ver si frenaba un poco, me senté al alivio de las teas del claustro a escribir unos versos. Pero me di cuenta de que aquél, como tantos otros escritos míos, sólo era un ilusorio mazamorreo de palabras buscando sueños imposibles.

A las diez de la mañana del día siguiente, tal como habíamos acordado, el padre Ferrer pasó a recogerme. Bajé de mi habitación y le vi charlando en el hall con un empleado del hotel (digo empleado porque tenía un identificador, un carnet si no recuerdo mal, colgado del bolsillo de la camisa).

—Hola, Álvaro, buenos días —me saludó el padre, animoso—. Te presento a Maurice, el gerente de alimentos.

Me estrechó lánguidamente la mano. El galo, de formas un tanto amaneradas, resultó ser mucho más cordial de lo que a menudo son los parisinos: ya estaba invadido de trópico. Nos invitó a conocer el bar, recién inaugurado, dijo, el que está en el patio del ala izquierda. La ambientación se había logrado con artilugios marinos, no entiendo mucho de marinería, así que no los describiré. El local todavía estaba cerrado, sin asear, y él mismo nos sirvió dos jugos de guanábana. Parecía, a la luz de la conversación, que el padre Ferrer lo había conocido años atrás, en Aruba, en otra hostería de la cadena francesa.

—Quiero que vean algo interesante —éste también vapuleaba las erres, como Jean Aimé.

Maurice nos pidió que le acompañáramos. En el centro del bar, una angosta escalera de piedra descendía hasta una reja cerrada. Abrió el candado y prendió una bombilla de escasa potencia... ruina de bombilla. Una bóveda fría y húmeda se iluminó ante nuestra sorpresa.

—Ésta es la cripta donde enterraban a las monjas —comunicó alegremente, como si hubiera finalizado un truco de magia.

Estaba limpia de restos, pero no dejaba de infundirle al cuerpo cierta sensación de escalofrío.

—¿Qué piensan hacer aquí? —preguntó el sacerdote.

—Posiblemente una discoteca, ¡para que la gente venga a mover el esqueleto! —respondió muerto de la risa.

Las vueltas que da la vida, pensé. Al padre Ferrer no le hizo ninguna gracia el chiste, pero tampoco lo recriminó.

—Como dijo Virgilio, *varium et mutabile* —comentó el padre Ferrer mientras subíamos de nuevo la escalera.

El hostelero de suaves maneras tuvo que atender sus obligaciones, así que nos obsequió con la placidez del bar. Allí nos sentamos a sorber el jugo.

Los siete años no sorprendieron a Lorenza con la única muerte de Jean Aimé. A los pocos meses, María dejó de luchar contra el sufrimiento. Sin las pócimas del francés su salud se había deteriorado rápidamente.

Pocas horas antes de morir, por el ánimo de confortar a su madre, quizá de evitar una muerte anodina, sin nada que terminase de unirlas, Lorenza le mostró el pergamino. Haciendo sublimes esfuerzos, acallando el dolor, María levantó la cabeza para observar el manuscrito. No sabía leer, pero, por la disposición de las frases, indicó a su hija que debía de tratarse de una bella poesía.

—Guárdalo bien. Un poema es de las cosas importantes que una mujer debe atesorar. Algún día alguien te lo podrá leer.

—Pero me dijo que no se lo mostrara a nadie. Yo aprenderé a leer.

—Si ésa es tu decisión, me parece bien. Pero tendrás dos

secretos que guardar: uno, el poema, y otro, que sabes leer.

—No importa.

Lorenza volvió a esconder el pergamino bajo la pollera y sintió el consuelo de haber compartido con María algo realmente trascendental. Se sentó al pie de la cama para hacer compañía a su madre mientras llegaba la Muerte. Rondarían las diez de la noche cuando ésta hizo su entrada sigilosa, silbando como el viento, con el manto negro cargado de luceros. Tomó de la mano a María, y con dulzura, con amarga dulzura, apartó a Lorenza de su camino. Atravesaron el quicio de la puerta y se dirigieron a la orilla del mar cogidas de la mano. María estaba desnuda, ebúrnea a la luz de la luna; se giró y mandó un beso a su hija. Luego la Muerte la cubrió con el manto y se calmó la brisa.

Los primeros vecinos acudieron al medio día siguiente, extrañados de no ver a la pequeña jugar en la playa. Encontraron a Lorenza durmiendo sobre las piernas rígidas de su madre. El color amarillo intenso en la piel del cadáver asustó a los acudientes, y con la prisa que otorga el miedo, organizaron un pobre, ni siquiera triste, e improvisado entierro. La metieron en un cajón de tablas sin pulir y algunas gentes del puerto que la conocían, la mayoría rufianes y marineros, la enterraron junto a la ermita de los manglares, la misma donde habían bautizado a su hija, que gracias al esfuerzo de un cura criollo estaba cubierta ya por una goterosa techumbre de palma. La pequeña iglesia no tardaría en ser devorada por la manigua; nunca llegó a tener nombre. Lorenza no pudo asistir al sepelio de su madre. Estaba desnutrida y anémica cuando la encontraron los vecinos. No hablaba, no gemía, respiraba lo necesario; pero había serenidad en sus ojos.

Pasó un mes completo sentada en la arena, a la sombra, delante de la puerta de la casucha. Las golondrinas y los cuervos la alimentaron: raíces, insectos, pedazos de torta, migas de pan, hierbas, agua que derramaban en su boca. Los negritos de la playa observaban desde lejos, sin osar acercarse, cómo su amiga, petrificada, con la melena dorada a merced del aire y la mirada perdida en la línea del horizonte, dejaba agotarse las horas en el vuelo de las aves. Muchos contaron que los pájaros descendían de vez en cuando y batían las alas a su alrededor para evitar que el sol le abrasara la piel. Por las noches dormía allí mismo, a la intemperie. Nadie se hizo cargo de ella, ni siquiera el tío cura, no se había enterado, o no se había querido enterar, del fallecimiento de su sobrina.

Cuatro semanas permaneció Lorenza ausente de la vida, moviéndose únicamente para comer, evacuar el cuerpo y reacomodar el pergamino cuando le molestaba bajo la falda. Hasta que una ventosa mañana de lluvia un hombre la sacudió y la devolvió a la realidad. Estaba emparamada, con la saya hecha jirones, goteándole la soledad por el cabello. Al levantar la vista chocó con la mirada etílica de Giácomo de Acereto. No era una mirada de compasión, sino de cumplimiento. Había regresado, Dios sabrá por qué. No tenía deber alguno de hacerlo, salvo el honor de acatar la palabra empeñada ante su mujer el día de la partida. Tampoco se sabe quién le dio la noticia de su muerte. Lorenza afirmaría años después, frente al Tribunal de la Inquisición, que habían sido las golondrinas y los cuervos.

Giácomo envolvió las ropas y pertenencias que halló de Lorenza. Lió un petate, lo colgó del hombro de la niña y prendió fuego a la casa.

La tomó del brazo, en silencio la alejó de su niñez con bruscos bamboleos. Se dirigieron al puerto bordeando la playa. Lorenza volvió la cabeza dos veces para ver la columna de humo elevándose al cielo. La lluvia caía demencialmente.

En Calamarí un color opaco se extendía por el muelle hasta perderse en un mar huraño, sin sentimiento. El portugués se detuvo varias veces para apurar un sorbo de licor que llevaba en un zaque, al lado de la faltriquera. Cruzaron el puente y subieron hasta la ciudad. El destino final era inevitable: la casa del tío Luis.

Atravesaron Cartagena de punta a punta. La residencia del abate era una de las más alejadas, al lado opuesto del bullicio portuario, colindante con la selva.

Se plantaron frente a la puerta y el marino golpeó duro la aldaba. Abrió un esclavo cuarterón de ojos saltones.

—Dile a don Luis Gómez que Giácomo de Acereto reclama su presencia.

Seguramente al presbítero no le costó mucho adivinar el motivo de la visita del portugués, anunciada por su esclavo en húmedos tonos. Hizo seguir al marino y ordenó que la niña esperase en el zaguán.

Giácomo fue conducido al segundo piso, hasta la sala de lectura en la que don Luis despachaba un viejo mamotreto sentado en una poltrona de cuero.

—Mal día para andar haciendo visitas —el mastodóntico cura saludó, por saludar, al marino: jamás le había perdonado el gozo de los placeres del cuerpo de su medio sobrina, que él siempre persiguiera con la sutileza que permiten los hábitos, pero nunca alcanzó. Y menos aún que los hubiera desperdiciado largándose a la buena de Dios.

—Los hay peores —respondió Giácomo ignorando los protocolos—. Mi visita no obedece a ningún fervor de la amistad ni al requerimiento de ningún servicio religioso.

—¿A qué debo entonces vuestra inesperada presencia, si no son asuntos continentes a mi clerecía?

—Negocios. Simples negocios.

—Y... ¿cuál es la mercancía motivo del supuesto... negocio? —inquirió el abate con sorna, mientras invitaba al marino a sentarse frente a él en una silla de madera, rústica, bastante menor que su poltrona.

—La hija del pirata —tajó el de Acereto.

—No sé por qué, me lo estaba imaginando. Valiosa mercancía la que me ofrecéis. Si algún día la salvé de las llamas fue por su madre, no por ella. —Al cura le hubiera gustado levantarse e ir hasta la ventana, pero en ese momento el cuerpo parecía pesarle casi tanto como la conciencia.

—Yo no soy su padre. La niña tampoco tiene culpa de ser quien es. —Al fin un poco de caridad—. Usted representa la familia más cercana y el único en capacidad de darle sustento. Yo, aunque quisiera, no podría ofrecerle futuro alguno. En los barcos las mujeres atraen las tempestades, dan mala suerte. Usted ya sabe...

—¡No me venga con idioteces! Las mujeres dan mala suerte en cualquier parte. —Don Luis andaba sulfurándose. Secó su cuello (aparentemente no tenía) y la inmensa calva, ahorro de la tonsura, con un pañuelo de seda verde. A pesar de la lluvia, el bochorno era espantoso. Desabrochó el primer botón de la sotana y resopló como un caballo—. Venga, al grano. ¿Cuál es su propuesta?

—Quédese con la niña. Recompensaré su alma caritativa con una buena cantidad de oro. —Es posible que dijera «arca» en vez de «alma».

—Mi alma, mi alma... ¿dónde estará mi alma? —bromeó el cura, conocedor de los paraderos de su alma.

El lusitano descolgó del cinto una bolsa y la vació sobre la mesilla interpuesta entre los dos. Las monedas, relucientes, se reflejaron en las pupilas negras de don Luis.

—Estos tejuelos de oro son suyos si acepta a la niña. Es todo lo que puedo ofrecerle.

El cura los contó de un vistazo, sin tocarlos con los dedos.

—¡Hecho! No se hable más. La mocosa se queda —volvió a resoplar—. Para algo servirá.

Estrecharon la mano en señal de «Dios quiera no vuelva a toparme con vos», bajaron las escaleras que morían en el patio junto al zaguán y se despidieron con la misma frialdad con la que se habían saludado.

Giácomo de Acereto se diluyó en la tormenta. Lo verían morir años después consumido por el humor gálico en la cubierta de un navío con derrota a Brasil. Concluyó su tiempo como empezara: entre la proa de un bajel y el fondo de una botella de vino. Su cuerpo lo tiraron al océano, «a ver si algún tiburón se lo come y el maldito animal revienta de lúes».

Una mulata corpulenta, sesentona, con el turbante blanco de las esclavas y un sayal colorado como sus labios ajados, encontró a Lorenza temblando, acurrucada en una esquina del patio resguardándose de la lluvia. La cubrió con una burda mantilla de algodón. El tío Luis se acercó hasta donde la mulata trataba de darle calor con sus escurridas carnes, otrora lozanas y prietas.

—Señor, la pobre está como un pollito. ¡Tan linda que es!

—Pues ya que te has encariñado tanto y tan rápido, ocúpate de cuidarla. Búscale un sitio en la casa, lejos de mí.

—¿Para que viva entre la negrería, amo?

—Con que viva es suficiente. El resto es cosa tuya.

—La cuidaré, señor; pero no se olvide de ella...

El tío Luis ya había dado la vuelta y regresaba a las estancias del piso superior.

Margarita era la misma que años atrás liberase a Lorenza del pasto de la ira en la Plaza Mayor. Su madre fue una de las primeras negras llegadas al litoral, de raza mandinga y credo vudú. De ella aprendió la pobre Margarita, pobre y fea, todas las artes de la hechicería. El padre pudo ser cualquiera de los cientos de blancos que ejercieron el derecho de pernada. Madre e hija quedaron separadas en un remate cualquiera, una tarde cualquiera de un día cualquiera, de un año cualquiera perdido en la memoria. Pero Margarita no heredó el cuerpo sensual y altivo de su progenitora. Ni siquiera los amos más borrachos, rebozados en el lodo de la lubricidad, abusaron de ella. A los sesenta años no recordaba si alguien, alguna innominada noche, la había desvirgado. Con más de treinta años al servicio de don Luis, Margarita era el enlace entre el amo y el mundo sometido; pero la mulata era, ante todo, una especie de sacerdotisa regentadora de la magia africana de los esclavos.

Cargó los corotos de Lorenza y cruzaron la puerta que conducía al patio posterior de la casa. Atravesaron el límite entre el mundo blanco y el mundo negro. Detrás se apiñaban las barracas de los esclavos, a la izquierda el galpón de los quince hombres, a la derecha el de las mujeres y los niños, en total una veintena. Los negros, cuarterones y zambos, sin distinción de sexo ni edad, dormían en el suelo sobre esteras de cáñamo. Dos indias para el servicio personal del amo gozaban del privilegio de descansar en hamacas. Tres sirvientas criollas y una mestiza tenían alojamiento en uno de los cuartos de la planta baja de la casa, la zona blanca. Lorenza, rechazando los ofrecimientos de su aya para acondicionarle un chinchorro, señaló el suelo y exigió mudamente un lugar junto al de Margarita, sobre el suelo limpio, barrido con escobas de azahar para alejar la mala suerte... ¿Cuál peor suerte que la de aquellos cautivos, arrancados de sus ancestros, digeridos en intestinales barcos negreros, ablandados por los jugos de una incomprensible religión y cagados en unos barracones para hacer la vida agradable a un cura gordo que se limpiaba las babas con sus esperanzas de libertad?

El cielo iba despejándose y a las nubes de lluvia siguieron las nubes de zancudos. El presbítero mandó colgar en su habitación ristras de ajos para ahuyentar los molestos insectos y, de paso, los malos espíritus. Los esclavos quemaron bosta, que además eliminaba pulgas, piojos, chinches y sanguijuelas, así los cobertizos se llenasen de un humo denso que Margarita aderezaba con esencias aromáticas.

En mitad del sahumerio todas las esclavas desvistieron a Lorenza, la bañaron, le peinaron la rubia melena lisa, la vistieron con un refajo de lienzo, la alimentaron con carne de armadillo y la consintieron. Margarita le colgó del cuello un collar de piedras y conchas. Lorenza miró a las morenas y les señaló a la cabeza: también quería un turbante blanco. La negra Martina le recogió el pelo y le colocó el turbante. Lorenza agradeció la hospitalidad con una escueta sonrisa, la única que le permitieron sus menguadas fuerzas, y se tumbó a dormir escondiendo bajo la estera el pergamino mojado.

Despertó al día siguiente cuando los esclavos ya ejercían sus labores. Salió del tambo y se regocijó en la claridad de la mañana. Detrás de los barracones estaban las cuadras de los animales: caballos, cerdos, ovejas, cabras, gallinas, vacas... Y tras las cuadras unos cuantos árboles frutales y el campo con los sembrados. Al fondo, muy al fondo, se atisbaban las primeras espesuras de la selva. A la derecha, lejano, asomaba el Cerro de la Popa para los blancos, o Monte de los Trasgos para los negros, y para unos y otros, el sitio donde se refugiaban de la luz todos los diablos y engendros del mal a la espera de la oscuridad de la noche. Rodeando el cerro, extendiéndose en centenares de millas, las ciénagas enigmáticas y pestilentes. Pero no estaba el mar. Lorenza buscó el mar en todas direcciones; por primera vez no pudo dar los buenos días al océano.

Extrañó a Margarita. Entró en el patio de la casa. Los cuartos de abajo estaban dedicados en su mayoría al bodegaje de granos, alimentos y artículos de granjería. En la habitación de las blancas no se oía ruido. Al piso de arriba ya le había advertido su aya que «ni de fundas». Por fin la encontró en la cocina, orquestando un sancocho de pollo entre la algarabía de las criadas más jóvenes, las favoritas del amo. Volaban plumas por doquier.

—¡Hola, mi amor divino! —Los brazos de carnes colgantes apachucharon su frágil cuerpo.

Lorenza agarró la falda de la mulatona y tiró de ella.

—¿Qué quieres tú, mi niña, que te acompañe? Pues ea, mijita, tira palante; a ver qué se le ofrece a la princesa... —Su cuerpo caía a un lado y otro al caminar.

La condujo hasta el cobertizo de palma. Ya en el interior, se sentó e indicó a Margarita que también lo hiciera. Quedaron frente a frente. Se miraron a los ojos.

—Quiero darte las gracias —dijo Lorenza en voz queda, desacostumbrada la garganta. Luego de aclarar la voz y las ideas narró acongojadamente los sucesos remotos y próximos de sus siete radiantes años hasta la muerte de su madre, incluyendo la historia de Jean Aimé, el inquilino que curaba con hierbas y conjuros, leía en las estrellas y le fundiese la vida a un enigmático trozo de papel. Se abrazó al cuello de Margarita y el turbante resbaló por la espalda.

La mulata también lloró. Desde aquel instante se sintieron unidas, como si ambas fueran iguales, ni blancas ni negras: parias.

Lorenza tragó con amargura la miel que le caía de los ojos.

—Necesito un favor —rogó la niña.

—Lo que pidas, mi muchachita.

—No sé dónde guardar el pergamino. —Se lo mostró—. Mi madre dijo que era un poema y que haría bien en protegerlo. Porque un poema es un tesoro para una mujer. Y yo soy una mujer...

—¡Una mujer... mujer y con mandas que cumplir! No te preocupes, Margarita sabrá cuidar tu promesa. Quítate la sayuela.

Lorenza quedó desnuda.

—Estás muy grande para tu edad, mi niña. —Rió con los pocos dientes que le quedaban—. ¡Vas a traer de cabeza a muchos hombres, caramba que sí! Más de uno va a perder el jopo por ese cuerpo.

Volteó el vestido y con tela del mismo tono cosió en el interior del bajo un bolsillo donde metió el manuscrito.

—Aquí estará seguro. Mientras nadie te levante la saya quedará a salvo tu secreto... y alguna cosilla más.

Margarita cuidó a la muchacha como si fuera la hija que nunca tuvo. Con el transcurrir del tiempo Lorenza se incrustó en el mundo de los esclavos, y los negros a su vez se colaron por las rendijas de su alma hasta ocuparla toda. Se pintaba la cara, los brazos y las piernas con tizne de carbón. Asistía en la casa durante las horas diurnas con igual diligencia que los demás. Al negrear la noche se reunían en el patio, entre las dos barracas, y al son de los tambores y la luz de las velas bailaban frenéticos ritmos africanos hasta caer extenuados por el cansancio. Lorenza rápidamente mostró tal maestría en las contorsiones del mapalé que ante cualquier desconocido hubieran pasado como propias de su naturaleza. Asumió las costumbres negras, los dioses negros, las danzas negras, el erotismo negro y las pasiones negras.

Las negras pobres y desposeídas la llenaron de afecto. Su existencia se concentraba en el patio trasero, salvo algunas escapadas a la recámara del tío Luis, donde había descubierto la irresistible atracción que un espejo puede obrar sobre una mujer. Una negrita, Catalina, contraviniendo las órdenes de

Margarita y aprovechando la ausencia del amo, permitió subir a Lorenza a la planta superior para que le ayudase a tender la cama. Desde ese momento, y ante la fascinación del mueble, único en la casa, Lorenza aprovechaba cualquier descuido para fugarse a bailar tiznada sólo para ella; a jugar con sus ilusiones.

El presbítero no influyó ni aportó mayor cosa a la vida de Lorenza. Ella lo rehuía y a su turno él no la buscaba, hasta el día que la sorprendió en su habitación danzando obscenamente delante del espejo. El abate llamó a Margarita, la reprendió con severidad y mandó bañar de inmediato a la niña. La restregaron con estropajo para intentar disolver el tegumento carbonífero; pero sólo consiguieron blanquearla por fuera.

Aquella noche Lorenza ayudó con rabia a cerrar las heridas y mitigar el dolor en la espalda de su aya, producidos por los cuarenta latigazos que había recibido en atención a su desobediencia.

Del nutrido conjunto de prácticas, los esclavos desarrollaron con magistral dominio el arte de la mentira. Se cubrían unos a otros, inventaban cuanta historia de terror, brujería o muerte que pudiera infundir en los españoles una mínima gota de inseguridad o miedo. Se hicieron fuertes en los terrenos oscuros que a los blancos horrorizaban. Desarrollaron todo un sistema de engaños y medias verdades. La única ley en el enmarañado juego de las añagazas era que entre ellos no podían utilizarse: un negro jamás mentía a otro; un esclavo siempre hablaba con la verdad a sus similares. Y todo eso Lorenza también lo aprehendió.

Los esclavos eran sigilosos, como los gatos, mejor dicho, como la muerte. Los amos les temían, dormían con las puertas trancadas. El tío Luis no era una excepción; incluso mandó llevar a su recámara los artículos más valiosos para que no le robasen.

Una mañana, Lorenza recordó el cuento del cambrón y todo ese jaleo armado en Cartagena cuando ella nació. Su madre le había relatado muchas veces los acontecimientos, pero hasta ahora no venía a caer en cuenta que nunca había visto al famoso «hijo del demonio».

Las negras mayores tejían en la puerta del cobertizo. La techumbre se había llenado de guacamayas.

—Margarita —indagó antes que nada—, ¿la historia del cambrón y de que tú me salvaste, y todo eso que dicen... son cosas ciertas?

—¡Claro que sí! Tan ciertas como que La Mojana nos llevará a todos el día menos pensado. —Le acercó la cara y abrió mucho los ojos—. Es cierto, aunque nos pese, es cierto, mi niña. —Señaló a una esclava, más azul que negra, y le cuchicheó al oído—: Carlota es la madre de ese mal bicho.

Carlota había sido capturada en África diez años atrás. Aún tropezaba con el idioma, pero no era ésa la causa que la mantenía en silencio sepulcral. La vergüenza, una gigantesca y losaria vergüenza, era el motivo. Nunca le perdonaron parir al hijo de un diablo. En casa de don Luis apenas la soportaban las esclavas viejas, a quienes la edad permitía restarle a las faltas algo de culpa.

Lorenza examinó a Carlota pormenorizadamente. Escrutó en sus pupilas sentenciadas, y al final osó preguntarle:

—¿Se goza más con un cristiano o con un demonio?

Las mujeres casi se caen de los escabeles. Carlota frenó la mano de Margarita, que ya volaba en dirección a la boca de la niña.

—El demonio tiene el falo más grande, pero su semen es frío, helado, y cuando penetra en tus entrañas sientes un dolor horrible que acaba convirtiéndose en un desalmado placer —le contestó—. Pero tú no debes preocuparte de eso. Tú no serás de un diablo ni de un negro, sino de un blanco.

—Yo seré de quien yo quiera.

Margarita dio por concluida la conversación. Aquéllos no eran términos para poner en oídos de una cría. Pero la mulata no imaginaba cuánto conocía Lorenza de los placeres del sexo, gracias a las descarnadas conversaciones de las siervas adolescentes y a los instructivos paseos nocturnos por el huerto, donde frutas y hortalizas maduraban con el abono de los amores furtivos de los esclavos con las esclavas y de los esclavos con las cabras.

Una pregunta seguía rondando a Lorenza: ¿dónde estaba el maldito cambrón? Observó atentamente cada uno de los movimientos de Carlota. Tres veces durante la jornada se perdía detrás del cañaveral, al fondo de la hacienda, con una múcura entre los brazos.

Dejó pasar unos días.

Decidió seguirla.

¡Hasta que por fin descubrió el misterio! Allí estaba el hijo del diablo, sentado al pie de un manzanillo, rodeado de miles de piraustas revoloteando. Las piraustas son unas míticas mariposas que viven en el fuego, de color negro con un diminuto punto rojo en cada ala. La madre le dejó la múcura con plátano asado y ñame, le acarició el cabello y se fue sin hablarle.

Una barrera ponzoñosa de insectos, alimañas y reptiles lo protegían. Tomás, el hijo de Rompesantos y Carlota, tenía la misma edad que Lorenza, siete años, casi ocho. Por lo feo y lo perverso le llamaban Cacanegra. Era tan bizco que las niñas de los ojos se conocían. Sus aplanadas narices se desparramaban sobre los pómulos. La boca era grande, los labios carnosos, las orejas elefantiásicas y el pelo crespo del mismo color que la piel: tinto. Se reía intermitentemente, a plazos. A menudo podían verle haciendo cabriolas, expresión inequívoca de su gran dinamismo, de su agilidad felina y la fuerza de un hombre adulto. Los negros lo expulsaron de las chozas; los indios le huían; los blancos se santiguaban a su vista. Don Luis le había prohibido acercarse, porque los perros se atacaban de rabia y el ganado se agusanaba. Dormía bajo el manzanillo, y a su sombra acudía tres veces al día para recibir alimento de su madre; fue la única concesión que se le hizo, gracias a la piadosa intervención de Margarita: «Al fin y al cabo es un niño».

Lorenza volvió a la casa.

—Hoy he visto al cambrón.

—¡No te acerques a ese engendro! —Margarita se llevó

las manos a la cabeza—. ¡Ese malnacido es capaz de arrancarte la lengua para darle de comer a las víboras!

Justo la recomendación que Lorenza necesitaba. En los albores de la siguiente mañana la muchachita estaba parada frente a Tomás Cacanegra.

—Hola. Soy Lorenza.

—Ya sé quién eres. Te he visto muchas veces bailando con los esclavos.

Maridaje perfecto. No hace falta contar más. Tomasito se convirtió en el amigo inseparable que a todos recorre la infancia. La miríada de fechorías que ejecutaron en aquel entonces pusieron en jaque a la población. No se amedrentaron ante ninguna tesitura ni la mayor pillería les pareció excesiva. Los domingos, durante la misa, Tomás hacía deslizar varias serpientes por las baldosas de la catedral. Entre 1594 y 1598, pocas fueron las ceremonias celebradas completamente.

Sin ir más lejos, en el baile de despedida del gobernador lograron entrar a la cocina gracias a la amistad de Lorenza con las esclavas y, en un descuido de ellas, pendientes de Cacanegra, la pequeña metió hierbas purgantes en la olla de la sopa. El ágape fue breve.

Otra pilatuna sonada fue cuando llenaron el colchón nupcial de la hija del herrero Juan de Encinares con espinas de rosa. Tomasito se opuso rotundamente a introducir también los pétalos.

Junto a Tomás Cacanegra, Lorenza salió a las calles en plena libertad. Escapaban por un agujero en el muro que daba a la calle de los Artesanos. Entonces Cartagena estrenaba pavimento: por el centro de las calles corrían los caños destapados, donde se estancaban y fermentaban las excrecencias. A una hora convenida del día, momento subyugador para las ideas del cambrón, se vaciaban los bacines en las cloacas. Los días de mucho calor, cuando apretaba la sequedad o no corría el viento, la pestilencia de los miasmas hacía poco menos que imposible el tránsito, salvo en un caballo veloz o en un landó de buena rueda.

Una tarde, cuando volvían festejando las carreras del cabildo gubernamental, atacado por un enjambre de avispas que obligó a los burgomaestres a saltar de cabeza en el abrevadero, Lorenza encontró en el cañaveral a la joven esclava Bernarda (que las Bernardas a pesar del nombre alguna vez en su vida tienen juventud) tendida en el suelo con las piernas abiertas llenas de sangre. Era evidente que acababa de parir. Bernarda miró con súplica a Lorenza. La niña se quitó el turbante de la cabeza y lo colocó entre los muslos de la zamba. Crujieron las cañas, apareció el negro Juan de Dios con un fardo en las manos. Venía susurrando «Ya está... ya está, ya no respira...». Lorenza acató la exégesis del asesinato y comprendió, o al menos asumió con lacerante estupor, que los esclavos mataban a sus hijos recién nacidos para liberarlos de una vida sin fundamentos. Y todo, como le explicó Bernarda, con el consentimiento de don Luis, quien mantenía el derecho de dictaminar si la criatura podía quedarse en la casa o debía morir, aunque en la mayoría de los casos ni siquiera llegaba a saber del parto ni de la muerte de los recién nacidos.

Lorenza se dirigió con paso ciego al manzanillo. Miles de ojos brillantes rodeaban a Tomás. Solicitó ayuda de su camarada, y tras relatarle lo acaecido, pusieron rumbo militar hacia la casa. No se dejaron ver. Margarita iba y venía preguntando a todo el mundo por «su peladita», angustiada por la tardanza de la niña. Se colaron al patio principal y, protegidos por la noche, subieron a hurtadillas al segundo nivel. Risas y chillidos podían escucharse provenientes de la recámara del sacerdote. Tomasito condujo a Lorenza por un estrecho pasillo, empujó una portezuela y se encaramaron por una escalerilla a los travesaños de la techumbre. Gatearon por las vigas hasta la habitación del tío Luis. Bajo el mosquitero, el abate desarrollaba sus juegos seviciosos con tres maritornes a las que tenía puestas a cuatro patas, una junto a la otra, y a las que en riguroso turno asestaba con la mano traviesas palmaditas en las posaderas.

Tomás emitió un sonido apagado, como un quejido, e inopinadamente centenares de murciélagos entraron por las oquedades de la estancia. Esclavas y presbítero corrieron en cualquier dirección buscando resguardo de los chupasangres. Los cuatro terminaron reclamando auxilio, aullando en pelota picada en mitad del patio de los esclavos, ante la diversión de los fámulos y la algarabía de las cotorras que interrumpieron el sueño para sumarse a la fiesta.

Margarita reprochó a Lorenza únicamente la demora, y aunque sospechaba de la intervención de Cacanegra en aquella pendencia, no la amonestó por ello.

Entre picardías y travesuras, servicio y baile, castellano y dialectos africanos, discurría una época de contrastes para la chiquilla a rebufo de su compinche Tomasito y de su aya.

Lorenza de Acereto descubrió junto a Margarita Mandinga el manejo con discreta maestría de los hilos que enlazaban los mundos de la casa del tío Luis: el blanco y el negro, el libre y el esclavo, el de la luz y la sombra, el de Dios y el del demonio, aunque la mulata cuidó a la niña de este último... Invento cristiano.

Al padre Ferrer no le gustaba conducir despacio. Abandonamos el Santa Clara y tomamos la Avenida Santander, rodeando la ciudad por el exterior, entre el océano y la muralla. Estaba pensativo, como en otra parte. Le hablaba y la mayoría de las veces no me prestaba atención. Hasta que abrió la boca:

—Voy a ser el primero en avistar el cometa.

Lo peor es que lo dijo en serio. No supe qué contestarle: si decirle que estaba loco, o por respeto quedarme callado.

—El Hale-Bopp. El cometa de mayor magnitud de cuantos han pasado cerca de la Tierra. Un espectáculo sin parangón, muchacho. —Me miró desafiante—. Ésa es la explicación del globo. Hay que elevarse en medio de la noche para verlo con nitidez. El quince de marzo ascenderé a tomar algunas fotografías.

—Un momento —interrumpí—, barájemela más despacio, padre. No me diga que un personaje anónimo como usted, y a su edad, de buenas a primeras se arriesga a montar en globo una noche de astrónoma primavera cartagenera para ver de cerca un cometa...

Tuve que poner cara de regodeo, seguro.

—No me estoy riendo de ti. Te doy mi palabra. —El cura se mantuvo serio—. Voy a proporcionarte un dato significativo: en 1587, recién nacida Lorenza de Acereto, otro cometa, sin nombre, el que se creía más grande hasta hoy, pasó también muy cerca de nosotros. En Occidente le achacaron grandes males y le atribuyeron enigmáticas propiedades. Muchos creyeron que predecía el fin del mundo...

Me estaba retando. No se burlaba. Me picaba la curiosidad, me tendía una celada burlona para que me zambullera de pleno en la investigación que él mantenía adelantada. Me proponía apresurarme un poco para ponerme a su altura. Necesitaba mi ayuda, quizá mi relevo. Algo le estaba inquietando profundamente.

Bajó el frío del aire acondicionado. El flamante coche japonés azul marino quebraba los remolinos de arena que sobre la carretera formaba el viento.

Pronto aparcamos frente al Muelle de los Pegasos, donde raudas lanchas, voladoras las llaman, repletas de turistas partían hacia las Islas del Rosario.

Descendimos del automóvil. El padre Ferrer se puso las gafas de sol y me señaló hacia la bahía.

—Éste era el puerto: Calamarí. Por aquí entró en América lo que tuvo que entrar... Aquí conoció el mundo Lorenza. Aquí desembarcaron tus antepasados. Éste era el puerto... —lo dijo con cierta nostalgia—. ¿Sabes lo que más le dolió a este mar?

—Supongo que muchas cosas.

—Sí, pero una sobremanera: la esclavitud, la sangre de los esclavos, el trozo de África que arrancaron para traerlo a estos lugares. Ese dolor aún sigue en el fondo. Date cuenta de que todo el Caribe es cristalino, diáfano... menos esta Bahía de las Ánimas y el mar que golpea la ciudad, que es oscuro, hosco... Todavía protesta por todo el llanto que le vertieron... ¿Sabes quién pronunció la frase «el mundo seguirá siendo un infierno, mientras exista en él un hombre encadenado»?

—Martin Luther King, o Nelson Mandela, o fray Bartolomé de las Casas...

—Cualquiera de los tres pudo haber sido. Pero no, no fue ninguno de ellos. La cita es de Camus. La dijo con algunos siglos de retraso, pero la dijo al fin y al cabo.

—Ya podía haberla dicho fray Bartolomé de las Casas.

—No sé. Fray Bartolomé abogó por la libertad de los indios, y medio la consiguió de Felipe II en 1542, aunque una libertad muy relativa, porque los indios siguieron sirviendo a los blancos. Se libraron de los trabajos pesados, eso sí; pero el bueno de fray Bartolomé se equivocó de cabo a rabo. Liberó a los indios y jorobó a los negros. De su autoría fueron las recomendaciones al rey, por sugerencia de los encomenderos, de cambiar cada indio por doce esclavos negros. Luego se arrepintió... ¡a buenas horas mangas verdes! —Levantó la mirada—. Éste fue durante muchos años el único puerto autorizado por la Corona para desembarcar y vender esclavos en América.

El mercado de esclavos fue ampliamente liderado por los portugueses, conocedores y propietarios de gran parte de la costa atlántica africana. Pero quienes mayor provecho sacaron fueron, sin duda, los ingleses. La reina Isabel no sólo se contentó con las actividades de la piratería, sino que encontró en la trata de africanos la más suntuosa empresa para su gobierno. Negreros como sir John Hawkins, cuyo escudo de armas era un negro encadenado, sir Walter Raleigh, o George Clifford, conde de Cumberland, al mando de navíos de la Armada Real inglesa, como el *Jesus of Lubeck* o el *Minion*, se presentaban en el litoral de Castilla del Oro con las bodegas cargadas de esclavos robados a galeones lusos en alta mar. Medio millar de negros por barco que obligaban a los españoles a comprar forzosamente, so pena de ver cañoneada la ciudad. La mercancía inglesa llegaba bastante más deteriorada que la portuguesa, y por el estilo del negocio, salía costando más del doble.

Uno de los momentos más impactantes en la vida de Lorenza fue cuando Margarita la llevó a conocer la «Feria del Negro». La niña cruzó la ciudad con la ilusión de volver a ver el escenario de su infancia. No paró de referirle a la mulata las aventuras de un pasado maternal. Iba llena de recuerdos e ilusiones, de posibles reencuentros adormecidos.

Pero la primera visión del puerto no correspondió con la que guardaba en la memoria. ¿De dónde había salido tanta suciedad, tanto ruido, tanta gente, tanta angustia?

Dos horas antes, en el crepúsculo, tres armazones negreras habían comenzado a escupir de las bodegas mil cuatrocientos esclavos. Ya habían sido separados los sanos de los enfermos. Los muertos fueron arrojados por la borda durante la madrugada. Cientos de cuerpos, hinchados por el agua, rodaban en la playa arriba y abajo al vaivén del maretazo. Los carroñeros, aves y mendigos, se espantaban mutuamente, unos en busca de alimento, otros de amuletos y colgantes, propios para vender a brujas y hechiceros.

Lorenza atisbó al hijo de Rompesantos caminando entre los gallinazos. La maldad, la suerte o el miedo le habían hecho libre. Nadie le quería como esclavo; tampoco como amigo. Tomás Cacanegra vagaba en la soledad de su albedrío.

Los factores iban formando lotes, alistando la mercancía para el palmeo. Ya no era bueno lacerarla ni golpearla. Una tonelada, el lugar que ocupaban dos toneles de agua en un barco, era el lote ideal. La componían tres negros adultos, robustos, sanos, sin tachas físicas ni morales, y de altura mínima de un metro con cincuenta. Si el trío quedaba incompleto, se organizaba una pieza de Indias, en la cual se sustituía un hombre por una mujer más un niño de pecho, o dos muchachos de buen aspecto menores de nueve años llamados muleques.

Distribuida la negramenta se les embadurnaba el cuerpo con aceite de palma. Los morenos músculos resplandecían con las primeras luces del alba.

Margarita no abría la boca por vergüenza de haber sido parte de aquel mercado como ñapa de un lote adquirido por don Luis bastantes años atrás. Lorenza observaba muda de estupor y rabia. Aquello era parte de su mundo negro. Miró a Margarita, pero su aya no le devolvió la mirada, aun a sabiendas de que le estaba pidiendo explicaciones con los ojos.

—Margarita, te espero al amanecer en la Plaza del Muelle —le había dicho el abate la noche anterior—, quiero comprar algunas esclavas y necesito que me ayudes a escogerlas.

La mulata conocía muy bien la intención de su amo: renovar el conjunto de mancebas para sus fantasías eróticas. Antes de que la mercancía saliera a subasta, Margarita debía haber separado el lote más conveniente para sus aspiraciones.

—¿Puedo llevar a Lorenza? —preguntó antes de retirarse.

—Valiente espectáculo para una niña. Haz lo que quieras. Que vaya dándose cuenta de lo que vale tener la piel blanca...

Margarita vistió a Lorenza con la mejor saya que pudo tejerle. Blanca, una sayuela blanca como su piel, con una escarcela para el pergamino. Cogió a la niña de la mano y paseó entre las filas de africanos que esperaban ser herrados en el hombro con el sello del traficante. Más tarde serían marcados también en la espalda con la inicial del nombre del primer dueño. Examinó los grupos: viáfaras, minas, lucumíes, mandingas, yolofos, congoleños, araraes, angoleños, sereres, cazangas, caravalíes, branes, guineos... No se entendían. No podían explicarse qué sucedía. Un grito agudo por el hierro candente. Un disparo ante un intento de fuga. Aquél era el trasfondo del teatro, el preparativo de la gran fiesta.

Los doctrineros amontonaban los negros de diez en diez. A cada montón les daban el mismo nombre y por apellido el de la tribu a la cual pertenecían. Así quedaron nominados los Domingo Folupo, Ignacio Angola, Diego Caravalí, José Monzolo, Francisco Yolofo, Pedro Soso... Les colgaban del cuello un escapulario que ellos analizaban con desconfianza; era la marca menos dolorosa que iban a recibir. El bautizo se completaba cuando los curas asperjaban el agua bendita sobre quien cayera, que en teoría debía ser sobre todos, si bien la mayoría se apartaba por si quedaban encantados con aquella especie de sortilegio.

El rito del bautismo: muchos ya lo habían recibido antes de ser embarcados en las costas de Cabo Verde o Ghana, o vaya usted a saber de dónde. Algunos intérpretes trataban de explicar las palabras de los doctrineros. Nadie se enteraba de nada, absolutamente de nada.

Los enfermos fueron puestos de pie y sostenidos artificialmente hasta terminar la puja. Los que no pudieron tenerse fueron rematados, no en la subasta, sino a tiros.

En la Plaza del Muelle aguardaban los pujadores, la clientela: militares, altos cargos civiles, prestamistas, comerciantes, agricultores, dignatarios eclesiásticos, mezclados con los tragadores de fuego, los titiriteros, los proveedores de ron y aguardiente, los vendedores ambulantes, los bufones. Las putas quedaban acechantes en una esquina mientras los hombres se deleitaban con los esculturales cuerpos desabrigados de las africanas, seguras de ser el consuelo de los que no consiguieran género fresco. El tío Luis se apostó discretamente en uno de los laterales, sobre las andas de terciopelo rojo a hombros de cuatro esclavos.

Margarita buscó mujeres de su etnia. Quizá no fueran las más bonitas, pero no dudaba de sus intuiciones sexuales, además de la ventaja que suponía el conocimiento del idioma. Cuando hubo atisbado un buen cuarteto, llamó al negrero y las separó del grupo. Acordó que aquellas hembras no salieran a subasta. La mulata entregó el sello de su amo con la letra L, y las mandingas quedaron marcadas en medio de berridos desgarradores. Las argollaron, las vistieron con una saya y fueron sacadas por «la puerta de atrás». El negocio era más costoso, pero iban a la fija. Margarita fue a buscar a don Luis para solicitarle el oro acordado, mientras Lorenza quedó al cuidado de las cuatro negras de ojos inescrutables y pelo ensortijado y corto.

No sabía a quién odiar ni cómo hacerlo, pero el odio le asfixiaba más que el hedor de la esclavitud. Trató de calmar varias veces a las morenas, tres o cuatro años mayores que ella, con algunas palabras que había aprendido de su aya y otras que improvisaba o gesticulaba. Las esclavas procuraban entender. Ante el fracaso comunicativo, Lorenza recurrió a la última argucia que le vino a la mente; se levantó la saya y comenzó a bailar. Las mandingas reconocieron sus danzas. Abrieron un canal, si no de entendimiento, al menos de buena voluntad. Margarita regresó pronto con la bolsa y pagó lo convenido.

En tanto, la subasta había comenzado en la plaza. Gritos, pujas, señas, enfados, insultos, broncas, riñas, silbidos, hierros y ánimos al rojo vivo. El martillero mostraba la mercancía; les abría la boca, les hacía levantar carga, les hacía reír y cantar, saltar, bailar y arrodillarse.

—Esta negra no padece mal de corazón, gota, ni otra enfermedad pública ni secreta —gritaba mientras enseñaba a la concurrencia los dientes de la aterrada morena—. No es prófuga, ladrona, borracha, ni tiene otro vicio, tacha ni defecto que le impida servir bien, ni ha cometido delito que merezca pena capital, y por tal la aseguro y fijo como precio de partida la cantidad de ciento cincuenta pesos. ¿Alguien da más?

El tío Luis no se retiró hasta que se acabaron las hembras. Luego llamó a Margarita y verificó que sus nuevas criadas estuvieran bautizadas, ya que era pecado grave acostarse con gentes no venidas a la fe: aún se discutía si la idolatría era contagiosa a través del sexo.

Algunos alcanzaron a mirar gravemente, incluso a insultar, a la hija del pirata, por lo que el presbítero ordenó a Margarita que alejase del grupo a la niña y se retrasara unos pasos, a comedida distancia. Don Luis saludaba a la vecindad desde las alturas.

Finalizada la subasta, los amos, con sus nuevos esclavos colgando de una cadena, se dirigieron a la catedral. El recinto estaba acondicionado desde la noche anterior con turíbulos que lo inundaban de un humazo espeso y un olor penetrante a incienso.

El Concilio de Trento había dejado abiertas, años atrás,

las puertas del barroco, pomposo exaltador de la naturaleza y del espíritu. Formas dinámicas y alborotadas en cuadros y tallas. La imaginería religiosa causaba en los negros un pavor absolutista. Santos martirizados chorreando sangre, Cristos de ojos volteados implorando al cielo, como se sentían ellos, como se vieron clavados en algún madero. No les cabía duda que ése debía ser su fin, saladas sus carnes al sol, como hacían algunos nativos en África con sus enemigos antes de pasarlos a la cazuela.

Los negros bozales que entraban por primera vez aquella mañana en la basílica se tiraban al suelo, se apretaban unos contra otros unidos por la vejatoria condición, buscaban entre la humareda a los de su tribu, lanzaban señales acústicas sobre las notas pesadas del órgano, que eran respondidas desde rincones imperceptibles.

Los rayos de sol no podían penetrar la densa atmósfera. El obispo, a lo suyo, cantaba en latín de espaldas al rebaño. Quince negros ladinos, dispersos por la iglesia, intentaban en diferentes dialectos traducir y explicar a los recientemente cristianizados la diferencia entre el bien y el mal, entre Dios y Satanás. Y en la breve y apabullante catequesis, como en cada conversión de esclavos que aconteció dentro de los muros catedralicios, sucedió lo que tenía que suceder: los africanos, ancestralmente politeístas, asumieron a Dios y a Satanás como dioses distintos, igual de poderosos, cada cual con sus propiedades y jurisdicciones. Dios, señor de los blancos, señor de sus amos, del rey Felipe II, de su presión y su desgracia, de su terror pantagruélico, no les cautivó en demasía. Al otro, al tal Satanás, no tuvieron oportunidad de conocerlo en ese momento, pero sin duda lo harían más tarde.

Lorenza no escapó de las sombras del miedo. Nuevamente vio a Tomás, culebreando por la nave lateral, con una pirausta revoloteándole enloquecida sobre la cabeza. Luego fijó la vista en la pintura de un martirio, un santo acongojado que la miraba cruelmente mientras lo achicharraban al calor de hierros y carbones. El aire olía a piel quemada. Sería una de las pocas veces en su vida que perdiera los estribos. Cuando la presión de la angustia y el desamparo se hizo insostenible, se desgañitó en un grito único, redondo, antológico, acallador. Se hincó de rodillas y se tapó los ojos de miel con la basquiña de su aya.

Los puestos de jugos, siete u ocho, al borde del agua entre el Muelle de los Pegasos y la muralla, mostraban refrescantes los mangos, las patillas, los lulos, las guanábanas, los bananos, las papayas, las naranjas. Directamente de la batidora nos habían servido dos en gigantescos vasos de aluminio. Más allá los tenderetes con fritangas: chunchullo, morcilla, arepaehuevo, pasteles de arracacha... impensables en esa hora tórrida de la mañana.

—Don Luis estaba un poco salidillo, ¿no? —afirmé olvidándome de las sotanas.

—No era muy distinto de otros religiosos venidos para hacer las Américas —me contestó el padre Ferrer—. Ten en cuenta que ni siquiera el Concilio de Trento, en 1563, había aclarado lo del celibato. La única exigencia para los curas era que no se casasen. Pero nadie les había prohibido acostarse con una mujer, esclava o libre, siempre y cuando estuviera bautizada... y ése era un pecado venial, sin importancia. Lo que sí era perseguido por el mismísimo Santo Oficio era la solicitación; es decir, cuando se usaba el confesionario o la penitencia para acceder a los servicios amatorios de una dama. Por lo demás, todo el monte era orégano... Aunque no creas que justifico a don Luis, un impresentable.

Entramos al parque en el que moría la rada, junto al casco antiguo. Aún no me sentía suficientemente ilustrado como para sumergirme en los vericuetos de la crónica, así que me limitaba a preguntar y seguir escuchando con atención, tratando de recrear un mundo fantástico, no obstante cercano, que me iba taladrando como la carcoma.

—Éste es el Parque del Centenario —me indicó el padre Ferrer—. Allá, al frente, Drake ancló las naves que cañonearon la ciudad. Y aquí mismo, justamente donde estamos, se levantaba el poblado indígena de Calamarí. Ésta es la fuente de nuestra historia.

La muralla se interrumpía a nuestras espaldas sobre un parqueadero de taxis.

—Alguna lumbrera de alcalde permitió tumbar la parte posterior para construir un barrio nuevo, La Matuna. —El padre miró al cielo y juntó las manos—. Señor, perdónalo porque no sabía lo que hacía... No, Señor, mejor no lo perdones, esto no tiene perdón...

No, no tenía perdón. Estuve en completo acuerdo con el sacerdote.

A la izquierda el sector de Getsemaní, los arrabales de Getsemaní, con el moderno Centro de Convenciones. A la derecha la Torre del Reloj, principal entrada al recinto amurallado.

—Allí abajo debía quedar el famoso puente que separaba la ciudad del puerto. —El padre Ferrer marcaba un punto equidistante entre el muelle turístico y la puerta de la torre.

Me concentré intentando imaginar aquel cuadro en las postrimerías del siglo XVI.

Lorenza, aquella misma tarde, recibió con estoicismo y nervio templado los diez latigazos que le mandó impartir el tío Luis por su vergonzoso comportamiento en la catedral.

Concluido el castigo no se dejó curar las heridas, se cubrió la espalda y ayudó a preparar la cena como si nada hubiera pasado. Con toda la soberbia que pudo reunir se caló el turbante y solicitó permiso a Margarita para servir las viandas al canónigo. Agarró con precaución la sopera y caminó hacia el patio principal de la casa. Buscó la penumbra del zaguán y, asegurándose que nadie la veía, se levantó el pollerín y orinó en el caldo. Rápidamente compuso sus vestimentas y llevó la sopa al comedor.

Después de la cena, a la luz del candil, comenzó el baile en el corral de los esclavos. Las mandingas habían sido lavadas a cubetazos de agua fría y una de ellas fue tratada por

Margarita de un principio de escorbuto. Ellas bailaron con los demás a pesar de la moledera por la travesía. Sin embargo, los esclavos no danzaron hasta la extenuación como otras veces. Antes de la media noche, cuando se apagaron las palmatorias de la habitación del amo, los negros tomaron algunas mantas, velas, potingues y tamboras, y de puntillas marcharon hasta las ceibas que dibujaban el límite de la selva. No era la primera vez que Lorenza se percataba de su ausencia. Normalmente Margarita la dejaba acostada, o se iba de última, en tanto a la niña le vencía el sueño. Pero aquella noche del día de la Feria del Negro la mulata no permitió que durmiera. La agarró por los hombros y le miró fijamente a los ojos, como hacía siempre que tenía algo importante que decirle.

—Mijita, lo que hoy veas deberás guardarlo con el mismo celo con el que guardas ese papel que andas cargando. De tu silencio no sólo dependerá tu vida, sino la de todos nosotros. Ya estás mayorcita para entender lo que te estoy diciendo, sé que no me vas a fallar. Te he cuidado como a una hija, como a mi propia hija, y te aseguro que los azotes que hoy te han dado me han dolido como si los hubiera recibido en mis lomos. Y ya que has sufrido un trato de esclava, de negra, es justo que también conozcas las armas que nosotros tenemos. Oye bien esto, mi niña: serás la única mujer blanca con poder sobre blancos y negros, libres o esclavos. A los blancos y criollos es fácil manejarlos. Esa enseñanza te la dará el tiempo. Pero a los negros no los dominarás con las solas herramientas que te ofrece la vida. Desde hoy, aprenderás a usar la fuerza del *kwa-vudun*.

Evidentemente Lorenza no se enteró de lo que su aya quería decirle. No obstante, sabía cuándo la quería involucrar en algo relevante. Se dejó limpiar la espalda, sólo con las hierbas maceradas que ella misma aprobó, basándose en la sabiduría heredada de Jean Aimé.

Iba a ponerse ropa habitual, pero Margarita le alcanzó un vestido de gasa de algodón blanca, traslúcida, con un turbante del mismo tejido. La mulata, igual que las demás, también se cubrió con el blanco atavío. Los hombres iban con pantalones pesqueros de similar tono, o con guayuco.

Cuando llegaron bajo las ceibas, en un claro de la selva, otros negros, horros algunos, ya estaban sentados en círculo alrededor de extraños dibujos, como estrellas, pensó al verlos, pintados con cal en la hierba y velas prendidas en las aristas. Un moreno fornido, escultural, cuarentón, con las sienes canosas, presidía la reunión adornado con una capa verde olivo.

—Ése es el hungan, el gran sacerdote —le indicó Margarita.

Lorenza observaba aquello con la frialdad recuperada que le había traicionado esa misma mañana. Cuando todos estuvieron acomodados, el hungan comenzó su jaculatoria alargando los brazos sobre vasijas y recipientes multiformes colocados en una mesa improvisada, entre dos cráneos humanos y una rudimentaria cruz de palo. En un momento determinado llamó a las mambo, las sacerdotisas. Margarita y dos mujeres mayores se levantaron y quedaron de pie en medio del círculo. El maestro continuó el mágico ritual. Una de las mambo se acercó a la mesa y tomó un ánfora alargada. La fue pasando uno por uno para que todos bebieran. Lorenza no la probó hasta que Margarita le dio su aprobación con una ligera inclinación de cabeza. El temor y la amargura del bebedizo, a base de guarapo fermentado, sólo le permitieron pasar un trago. Antes de que la sacerdotisa culminara la ronda, la muchacha empezó a marearse. Le pareció adivinar los ojos fugaces de Tomás Cacanegra entre las ramas de los árboles. En el sopor del mareo escuchó a Margarita solicitar al hungan la iniciación de su protegida. Una discusión se entabló entre los concurrentes por el color de su piel. Palabras foráneas surgían enredadas con el castellano. Al final, parece que el peso de Margarita fue superior al de sus oponentes. El gran sacerdote no quiso opinar, se limitó a admitir a la iniciada una vez calmadas las disquisiciones. Lorenza fue situada en el centro de la estrella junto a seis iniciados más, entre ellos, las cuatro esclavas nuevas del tío Luis y dos varones jóvenes arribados también esa jornada.

No era el único grupo celebrante en la periferia de Cartagena.

Desde que llegó, Lorenza estaba obsesionada con el gran sacerdote. Aquel hombre le producía un cosquilleo en el vientre. Lo exploró de arriba abajo, de abajo arriba, se regocijó en sus brazos, en su pecho, en sus muslos, en sus manos. Ahora, en el centro del círculo, miraba sus ojos pardos, sus pupilas dilatadas, y a través del sudor que le corría por las pestañas, lo admiró como macho.

Sonaron las tamboras. Las mujeres se desprendieron de la parte superior del vestido y del turbante, y comenzaron a bailar. Lorenza las imitó. Desnuda de cintura para arriba, a sus diez años, dejando ver un cuerpo que no terminaba de abandonar la inocencia de la niñez, pero que marcaba la curvatura hacia la hermosa mujer en que se convertiría, danzó con tal intensidad y dominio que no volvieron a cuestionarla nunca.

El ritmo aceleraba; el baile se endurecía. El hungan elevaba la voz sobre los tambores. Colocó un gallo sobre una roca. De un certero golpe de muñeca, la cabeza del animal saltó por los aires. Un chorro de sangre le cubrió el torso. La otra mambo recogió el resto de la sangre en una jícara, y tras mezclarla con unos polvos que tomó de un plato del altar, la paseó por el conjunto de danzantes ofreciéndola para beber. El hungan se sumó a los bailarines agitando el gallo por encima de sus cabezas. La sangre rociada escurría por los cuerpos desnudos. Lorenza tomó la jícara y bebió hasta que el fluido le desbordó la comisura de los labios y le chorreó los incipientes senos de rojos caudales. Veía girar los luceros, desordenarse el firmamento. Escuchaba la voz del hungan adorar a Shango, a Legba, a Dambaya (el amo de la lluvia), a Erzilie (versión pagana de la Virgen María), a los loas. Y los loas, los espíritus, se mezclaron con ellos en la danza. Lorenza los sentía acariciando su cuerpo, dándole consejos, curando sus laceraciones. El eco de los frenéticos tambores llevaba su mente por las enredaderas de la manigua. Miró la noche como la ven las ceibas, con solemnidad. Deseó al negro.

Margarita, en trance, amenazaba, profetizaba, adivinaba la suerte de los que la rodeaban y atravesaba muñecos de barro con astillas de caña.

Lorenza no recordaría más de su primer contacto con el vudú. Sólo que antes de dormir profundamente los negros de la hacienda se lavaron en el abrevadero de las cuadras, y que su aya la zambulló en el agua para limpiarla con la ayuda de los esclavos que la portaron desmayada en los brazos.

—Fíjate, Álvaro, qué cuestión más curiosa. El vudú llegó a este litoral antes que a Haití. No se desarrolló mucho. Pero el primer contacto de la religión africana con América se produjo acá, en el extrarradio de Calamarí.

Atravesamos la Plaza de los Coches, tras la Torre del Reloj, y nos adentramos en la plaza contigua, la de la Aduana. San Pedro Claver quedaba a la vista.

—En esta explanada vendían a los esclavos. No sé si ya entonces era triangular como ahora, supongo que no, porque la muralla aún no la delimitaba —elucubró el padre Ferrer.

Continué en tono prudente, de alumno, callado.

—A menudo sigo pensando en la forma como los esclavos asumieron nuestra religión —siguió explicando—. En el pensamiento africano no existía la dualidad del bien y del mal, cuerpo y espíritu, Dios y diablo. Para ellos, en el África occidental, nada era del todo bueno ni del todo malo. Cada negro que llega, cada tribu, tiene además su propia cosmovisión. Y todo ese maremágnum lo cogemos, me incluyo por ser parte de la Iglesia, lo despreciamos, y de buenas a primeras nos empeñamos en inculcarles unos valores y unas ideas a contrapelo de sus creencias. A vista de los resultados no cabe duda que lo conseguimos, pero esta cuestión creó un poso oscuro debajo de la realidad, un submundo discordante, levantisco, tenebroso. Esos primarios brotes de vudú no tardaron mucho en desaparecer, porque la Iglesia, enterada de las prácticas rituales, pocos años después de la iniciación de Lorenza desterró a todos los negros que lo practicaban, la mayoría mandingas, a las minas de carbón de Antioquia. Su doctrina se derrumbó con ellos y con las galerías de los yacimientos. Los restos, los fundamentos, se mezclaron con la brujería y hechicería españolas, con las religiones indias y con otras del continente africano. En este sincretismo tuvo mucho que ver Lorenza de Acereto.

Dos años antes de aquella noche de vudú, en el noventa y cinco, y tres meses después del fallecimiento del obispo Juan Montalvo, la flota de galeones trajo a Calamarí a su reemplazo: el dominico fray Juan de Ladrada. Un pequeño grupo de esclavos venía a su servicio, liderados por un moreno bien parecido, alto, medía casi dos metros. Ejercía sobre sus compañeros un indiscutible tutelaje. Nacido en Dahomey, se adaptó a América sin dificultad, y pronto su caudillaje se extendió a casi toda la gente de castas de la región. Por lo menos una vez por semana se arrimaba a la selva, con los negros, para llevar a cabo prácticas ceremoniales. Domingo del Señor Dahomey corría como un gamo, ni las cercas ni las cañadas constituían vallas para él. Sobre sus espaldas hercúleas se cimentaba igual un carruaje descachado que el tronco caído de un árbol. En los rituales su presencia sacerdotal se imponía frente a la negramenta genuflexa o contorsionada.

Las heridas de Lorenza cicatrizaron con prontitud. La vida continuó con la complicidad de la rutina. Pero la primera noche de vudú, repetida en adelante cada semana, le dejó abierta una herida mayor, interna, profunda: el primer amor, el platónico, el del maestro. Y se apoderó de su alborotado corazón escurriéndose por los nacientes avisos de la adolescencia. No desveló a Margarita su pasión por el gran sacerdote. Su aya vivía repitiéndole hasta la saciedad que sólo sería mujer de un blanco. Traicionar su intransigencia podía acarrear graves inconvenientes.

Siempre encontraba el momento oportuno para hacerse

acompañar de Tomasito hasta la tapia del obispado, en la Plaza Mayor. Encaramada en las ramas de un naranjo se deleitaba con el cuerpo viril de Domingo del Señor, dominador incomparable del yunque, de la guadaña y de la azada.

El dahomeyano no tardó en descubrir las asechanzas de la rubita. Con el tiempo, las visitas no se realizaron furtivas, sino personales, amistosas. Se reunían en el patio de la casa vecina, un caserón deshabitado, fantasmagórico y asustador, que doce años después sería la primera sede del Tribunal de la Inquisición. Cacanegra, posesionado de su rol de chaperón, no abandonó jamás a su amiga. Domingo del Señor les hablaba de su tierra, de su familia, de su rey (quien vendió a todos sus súbditos a los portugueses), de sus añoranzas, de sus credos, de la multiplicidad de seres que los rodeaban (representados por el rayo, el mar, las tormentas), de los castigos que enviaban las criaturas superiores, y de cómo sus congéneres habitaban en derredor de un mundo lleno de fetiches, maleficios, brebajes y fórmulas mágicas. Pero ése no era el mundo del diablo, como predicaban los curas católicos, ése era su mundo, su espacio pequeño y particular, negro, de los loas, del vudú. Les enseñó que el vudú no sólo era danza, como muchos pensaban: era un conjunto de prácticas y creencias con las que se rendía homenaje a la fuerza de los dioses y se colocaba al hombre en armoniosa relación con ellos. El vudú no tenía una teología formal; muchas veces absorbía preceptos y ritos de otras religiones. El baile para el vuduista era lo que la misa para el cristiano.

Misas cristianas a las que Lorenza también asistía con la periodicidad estipulada por la Santa Madre Iglesia. Para un esclavo no asistir a la misa dominical, no acudir a catequesis una vez a la semana, o no confesar asiduamente, suponía un castigo de veinticuatro latigazos y una buena reprimenda para el amo. Así que unos y otros se cuidaban de no transgredir las severas normas eclesiásticas. En la casa del tío Luis se acudía en grupo a la Misa de la Misera, la que se celebraba antes de la aurora. La escasa iluminación y la oscuridad de la madrugada disimulaban los harapos con que se cubrían los miembros de algunas distinguidas familias venidas a menos y, en el caso de los esclavos, no era difícil ocultar el guayabo cuaternario que dejaba la sesión de vudú de la noche anterior. La parroquia, cerca de la casa, Santo Toribio, causaba la misma sensación de pánico en los negros que la catedral. No hay nada más tétrico que una iglesia en las horas nocturnas.

El fresco del alba restablecía los ánimos. Las cuatro nuevas esclavas se habían acostumbrado al acontecer diario, a veces en la cocina, a veces bailando en el patio, a veces en la cama del amo. No tardaron, con ayuda de Margarita, en aprender castellano. Hicieron buenas migas con Lorenza. A menudo hablaban sobre las mujeres de su estirpe. Platicaban sobre sexo, libertad y magia en aquel remoto continente negro, fantástico a los oídos de los españoles, afable y natural para ellas.

La sexualidad, enérgicamente reprimida por la moral católica, comenzaba a ser buscada subrepticiamente por blancos y criollos a través de los poderes mágico-eróticos que manejaban los negros; atractivo ansiado por los hispanos a pesar del miedo que a lo sobrenatural profesaban, y que los negros no dudaron en apropiarse como defensa y revulsivo contra sus amos. Para indios y negros el sexo era parte de su vida; para los europeos, sinónimo de corrupción y pecado.

Los negros se sintieron fuertes en la magia, superiores a sus patrones. Era el único campo en que descubrieron a los blancos suplicantes. Allí mandaban ellos.

Los nuevos acontecimientos no apartaron a Lorenza de sus juegos y travesuras; ahora contaba con mágicos alicientes.

Tres calles abajo de la casa del tío Luis estaba el primer convento que habitaron las clarisas, anterior al de Santa Clara. Lorenza observó en múltiples ocasiones a las monjas realizar penosamente sus tareas, aburridas, cabizbajas, con caras lánguidas. Repetidas veces había preguntado a Margarita cómo una persona podía estar siempre triste. Su aya le contestaba que seguramente por mal de amores, que era el único mal que rompía el alma. La lógica le llevó a deducir que las monjas necesitaban amor. Todo encajaba perfectamente: se morían de tedio porque no conocían los favores amatorios. Explicó con toda claridad su teoría al camarada Tomás. Éste se mostró plenamente conforme: había que poner remedio a la postración monjil. Ambos conocían bien la efectividad de filtros y pócimas. Lorenza procuró entresacarle a Margarita alguna fórmula para remediar el mal de amores.

—No, mijita, usted no tiene todavía edad para manejar esas cosas. Aprenda, que es su deber. Tiempo le quedará para hacer y deshacer entuertos.

Insistía, insistía, insistía... y nada.

El tío Luis vociferó una tarde desde su cuarto reclamando la presencia de la mulata. Algún esclavo vengativo le había colocado un muñeco pinchado debajo de la cama. Aquellas cosas demoníacas ponían al canónigo extremadamente nervioso. Margarita, sabedora de los inconvenientes que le causaba a una esclava vieja quedarse sin amo, intercedió para que el abate calmara los ánimos y los dioses no dispusieran sus maleficios.

—Venga, mi niña, acompáñeme rápido a la quebrada —apuró a Lorenza.

Las aguas corrían turbias.

—Mire, peladita, cuando alguien le quiera hacer algún mal, corra con el mandado y sumérjalo en una corriente de agua. El agua se lleva lo malo. El agua limpia y purifica.

El riachuelo cubrió el panzudo monigote rojo con una puntilla clavada en el corazón.

De regreso, Lorenza encontró el momento propicio para reclamar la fórmula enamoradiza. Margarita estaba azorada, bajas las defensas.

—¡La madre que te trujo, niña! —refunfuñó—. Coge un corazón de sapo, cuatro ojos de murciélago, un huevo de iguana, las uñas de un gato y polvos de calavera. Machácalo todo en un mortero y viértelo en la comida de quien quieras enamorar.

Margarita le había soltado lo primero que se le vino a la cabeza, asegurándose que tuviera entretenida a Lorenza un buen rato. Desde luego, no era el tipo de filtros que ella utilizaba. Cuando la niña se alejó, rió de la simpleza que le había largado, propia de las guarrerías de la hechicería blanca.

La mulatona no imaginaba que los elementos recomendados eran fáciles de conseguir por el cambrón. En menos de una hora, a la sombra del manzanillo y las piraustas, los jovencitos trituraban una plasta maloliente, con parietal incluido, seccionado de una pedrada a uno de los cráneos que Domingo del Señor utilizaba en el altar. Depositaron la viscosidad en una botellita de barro. Dichosos por el favor que le iban a hacer a las monjas, encaminaron sus pasos al convento. Entraron en la cocina disimuladamente. Permanecieron escondidos tras unos baldes y esperaron a que la hermana Patata, bautizada así por Tomasito en aras a la forma de su nariz, se ocupase en la alacena. El contenido del frasco cayó completo en el sancocho. ¡Pies, para qué os quiero!

Lorenza había culminado su primer gran acto de hechicería.

Las monjas clarisas estuvieron a punto de sucumbir. Corrían de un lado para otro tratando de contener el intestino. Las letrinas no daban abasto. Cavaban un hoyito en mitad del claustro y se despachaban como buenamente podían. El médico no encontró la causa de tan descomunal epidemia. Las churrias acabaron con los oficios religiosos, con los hábitos, buenos o malos, y hasta con los de vestir. La madre superiora creyó morir, hasta que una semana después murió.

—Margarita, ¿el amor produce cagalera?

Regresamos en coche hasta el hotel. No puedo negar lo ilustrativo del paseo. El almuerzo y la tarde los dedicamos a temas distintos. Nos olvidamos un poco del cuento de Lorenza y volvimos a nosotros mismos, nada profundo. Quedaría con el padre Ferrer el viernes, una visita inesperada lo tendría ocupado hasta entonces.

Aquella noche no pude quitarme a Lorenza de Acereto de la mente. La imaginaba una y otra vez, entre sueños, danzando sicalípticamente cubierta de sangre. Rumiaba la historia, le daba vueltas, la digería y la regurgitaba para seguir masticándola.

Al día siguiente comencé a tomar anotaciones; no quería arriesgar la pérdida de datos importantes. Mientras aparecían en escena mis antepasados, pretendí empaparme de la cautivadora biografía de Lorenza. De algo serviría en el futuro.

No fue una jornada de sol intenso. Los nubarrones opacaron el ambiente y enfriaron la atmósfera. La playa estuvo más desierta que de costumbre.

Oscureciendo, un grupito de jóvenes costeños aparecieron en la arena. Pantalonetas y camisetas de colores, ellos; vaqueros ajustados y ombligueras, ellas. Al principio tomaron aguardiente y ron blanco. Luego, entonados, se dieron a la parranda vallenata. Yo había permanecido toda la tarde en lo alto de la terraza, escribiendo a mis padres y leyendo. Puse atención a las letras. Me gustaron; debo reconocer que me llamaron la atención. Letras con sentimiento, profundas, sentidas. No puedo afirmar que sea un experto en música caribeña, pero desde entonces soy un buen aficionado a los vallenatos.

La herida que llevo en el alma no cicatriza.
Inevitable me marca la pena, que es infinita.

No tardé en animarme a bajar. Cinco chicas y cinco chicos, entre los quince y los treinta, digo por no equivocarme, conformaban la pachanga. En Colombia todo se hace por parejas. Tres morenos tocaban el acordeón, la tambora y la guacharaca.

—¿Quihubo?

Al poco tiempo trataba de imitar con torpeza los precisos movimientos de cadera de los costeños. Deprimente. Tenía más expresividad el palo de una escoba.

Quisiera volar muy lejos, muy lejos, sin rumbo fijo.
Buscar un lugar del mundo sin odio,
vivir tranquilo.

—¡Ay hombre...! ¡Un traguito de Tres Esquinas. Fondo blanco, chapetón!

Chapetón, en chibcha, significa «tomate». Así llamaron los indígenas a los españoles cuando desembarcaron, y así nos siguen llamando hoy los colombianos. Dos, tres, cuatro tragos...

Eliminar la tristeza, las mentiras y las traiciones.
No importa que nunca encuentre el corazón
lo que ha buscado de verdad.
No importa el tiempo, que ya es muy corto
y las ansias largas de vivir.

Me dejé guiar por la trigueña. ¡Qué cuerpo! Después otra gente se pegó a la rumba.

Cualquier minuto de placer, será sentido en realidad,
si lleno el alma,
si lleno el alma,
de eternidad...

Mi pareja me indicó que la canción se llamaba *Sin medir distancias*, de Diomedes Díaz, y que era uno de los vallenatos más populares, además, que su intérprete «de puro levantao», se había mandado incrustar un diamante en un diente. «¡Qué vaina, a Diomedes se le perdona todo, hasta que no se presente a los conciertos!»

Es muy cierto que la noche es tan larga con mi desvelo.
Rayito de la mañana, tú sabes, cuánto la quiero...

Vi girar los luceros, desordenarse el firmamento... Miré la noche como la ven las ceibas, con solemnidad, y sentí que tenía clavados los ojos de Lorenza.

Menos mal, tuve tiempo para consentir la resaca. El viernes me había citado el padre Ferrer para almorzar en el restaurante El Bodegón de la Candelaria, en la calle de las Damas. Al entrar pregunté por una mesa reservada a nombre de José María Ferrer. El camarero, atento, me acomodó en el piso de arriba, junto a un ventanal desde el que podía divisar parte de la ciudad antigua y el comienzo del sector playero con impresionante escenografía marina de fondo.

—¿Es usted el doctor Álvaro Santander? —inquirió el *maître*.

—Sí señor —respondí extrañado de la palabra «doctor».

—El padre Ferrer ha dejado este sobre para usted. Me pidió que se lo entregara cuando viniese.

—Gracias.

—A la orden.

Tardé en percatarme de que en Colombia todos somos «doctores», así no hayamos estudiado medicina. México está plagado de «licenciados», y Ecuador y otros países latinos de «ingenieros».

Abrí la carta.

Estimado Álvaro:

Quiero pedirte sinceras disculpas, pero un enredo de última hora me impide acompañarte en estos momentos. Sin embargo, no quiero que desperdicies tu almuerzo ni que dejes de visitar esta tarde el Cerro de la Popa.

Mientras te sirven, trataré de explicarte brevemente lo que estaría contándote en estos instantes.

La edificación en la cual te encuentras tiene aproximadamente cuatrocientos años; es decir, ya existía en el mundo de Lorenza. Perteneció inicialmente a Alonso Álvarez de Armenta, importante mercader, quien sostuvo negocios, turbios algunos, con don Luis Gómez de Espinosa.

Cuenta la leyenda que en esa casa la Virgen de la Candelaria se le apareció al monje agustino fray Alonso de la Cruz y le impartió instrucciones para que arrojase a los demonios del Cerro de la Popa y en la cima construyera un monasterio.

Fíjate, a la salida, en la puerta. Tiene esculpidos ciento cuarenta y siete leoncillos en bronce. Hay uno más grande que el resto. Al tocarlo, pensaban antes, concedía la gracia de salvar de las persecuciones a quienes eran requeridos por la Inquisición o por motivos políticos.

Estás, como podrás apreciar, en el génesis del Monasterio de la Popa.

Cuando termines de comer, un chófer con mi auto

te estará esperando. En la Popa, pregunta por Sacabuches, el jardinero.

Te espero mañana a las seis en mi despacho.

No te preocupes por la cuenta. San Pedro Claver invita.

Buen provecho. Un abrazo,

José María Ferrer S. J.

El chófer me saludó cordialmente. Era un cartagenero serio, callado, de los pocos que pueden aguantar más de un par de minutos sin hablar, acostumbrado a la discreción. Tenía bigote y cabello gruesos, negros.

Atravesamos barrios populares en estéreo, con la FM a todo volumen, repletos de muchachos de moco colgando que tendían cuerdas de lado a lado de la calle para obstaculizar el tráfico y pedir «una moneíta».

En primera, forzado el motor, escalamos la seseada y estrecha carretera que conducía a lo alto del cerro. Pedro Argemiro, el conductor, así dijo llamarse, esperó dormitando en el parking. Compré la boleta de entrada y seguí a un guía que recitó un parlamento como un papagayo, estancia por estancia, a toda velocidad y sin vocalizar. En diez minutos habíamos terminado la visita.

Pregunté a una vendedora de helados, «paletas» gritaba que vendía, por el jardinero Sacabuches.

—El Sacabuches, avemaría..., ése debe andar pendejeando por el huerto de atrás.

Bordeé el recoleto monasterio. Los claveles y geranios rojos contrastaban con el blanco de las paredes y el negro de las rejas de las ventanas. Desde el mirador pude observar la ciudad en toda su dimensión: a la derecha, el casco viejo, el Corralito de Piedra; al fondo, Bocagrande, el Laguito, Castillo Grande, la zona turística; al pie, Loamador, Torices, Chambacú, La Quinta, Chino Barrio, y tras el Caño Basurto, la isla de Manga con sus mansiones criollas; la Bahía de las Ánimas en su calmo esplendor; a la espalda la Ciénaga de la

Virgen, y en sus orillas, los más pobres: las casuchas de tejado de zinc o de palma, las calles sin pavimento, los peces muertos.

Abrí la cancela de entrada al pequeño huerto. Un hombre enjuto, moreno, de blanco cabello crespo, labios abultados y orejas grandes, arrancaba con el azadón las malas hierbas.

—¿Sacabuches? —pregunté con vergüenza por llamar así a alguien.

—A la orden.

—Vengo de parte del padre José María Ferrer, de San Pedro Claver.

—¡Eche... el cura rico! Ea, pues... esos curas sí tienen plata, ¿no? —Aparcó el azadón y me estrechó la mano—. Venga *pa'cá* y charlamos un rato. ¿Un aguardientico?

Sacó media de Néctar que cargaba en el bolsillo trasero de la pantaloneta y me la ofreció. Hice que tomaba, pero el sol decadente de las cuatro no me provocó del licor. Nos sentamos en el muro, a la vista de la ciénaga dorada y el ocre despeñadero que se abría bajo nosotros.

—Cuente, sardino, ¿en qué puedo serle útil?

—Me gustaría saber sobre el Cerro de la Popa, su historia, alguna anécdota. Algo que pueda decirme..., supongo que el padre Ferrer ya le habrá contado...

—Pero el cura, cuando ha venido, no se ha interesado por el cerro... —Achicó la mirada.

—¿Por qué entonces?

—¡Por el Monte de los Trasgos! Que es algo muy distinto, mi chino. —Levantó el dedo índice sentando cátedra—. Unas cosas son del cielo, y otras del infierno.

El dómine gesticulaba constantemente, con exageración y demasía.

—Antes que hogar de Dios, el cerro fue escondite del demonio y toda su corte. —Otra chupadita.

No recuerdo exactamente las palabras con las que narró la historia, enzarzada de cartagenero apretado, pero en esencia, he podido rescatar los acontecimientos.

—En el Monte de los Trasgos vivían en las horas diurnas,

las de su descanso, todos los fantasmas, endriagos, apariciones y espantos. La Mojana, la muerte, era la guardiana del lugar. Sin rostro visible, de figura imprecisa, larga, prolongada, no se distinguía si llegaba o no a la tierra. —Sacabuches, en pie delante de mí, escenificaba con grandilocuentes aspavientos—. Un cayado tosco se enredaba entre los pliegues de sus manos. Con él sesgaba el paso y la vida de todos los que osaban adentrarse en estos terrenos. Además de La Mojana, estaba Canicubá, un diablo pícaro dueño del río Atrato; Taravira, el demonio sodomita; Antomiá, el maligno que actúa en armonía con la Parca; la Marimonda, con sus endriagos montaraces; Dabeiba, dominadora de los fenómenos naturales; el Bracamonte, fantasma pastoril. Podían sentirse al anochecer, cuando despertaban, los alaridos del Gritón y de la Patetarro, los pasos de la Mancarita, el deslizar de la Patasola, los fulgores de la Candileja, los cánticos de la Sombrerona, el husmear del Ayudado, el Duende y la Madremonte, los gemidos de la Llorona, la Madreselva y el Ánima Sola, la presencia del Pollo del Aire, Lórmala y el Monicongo, el olor azufrado del Hojarasquín del Monte. Por la noche se dispersaban por todo el litoral. La gente se escondía de ellos, y de los otros: la Madrediagua, la Mula de Tres Patas, el Cura sin Cabeza, la Tarasca, el Coco, la Viudita, el Enyerbao, el Muan, la Madre del Río, el Perro Negro, el Jinete Negro y la Sombra Negra...

Intermedio. «Visite nuestro bar.» Chupito.

—Algunos habían nacido aquí, en la costa, otros llegaron del interior, y otros vinieron camuflados en los barcos españoles o en las armazones negreras. Hasta zombis había, re-sucitados por los africanos. Pero sobre los engendros del mal, estaban los diablos mayores: Rompesantos, padre de un cambrón que causó estragos en Cartagena, y Buziraco, la personificación de Satán, con forma de macho cabrío. Nadie, jamás, regresó del Monte de los Trasgos. Ni los brujos, ni los hechiceros, ni los zahoríes, ni los curas, ni los ricos, ni los pobres, ni los maleantes, ni los vagabundos, ni los aventureros, ni los locos, se atrevían a pisar estos contornos. Tan sólo una persona, un hombre, o medio hombre más bien, podía entrar y salir con plena libertad: Cacanegra, el cambrón, hijo de Rompesantos y una esclava. ¡Hasta buena papa resultó el sardino!

—¡Un momento! —interrumpí. La aparición de Tomás Cacanegra me sobrecogió—. ¿Se refiere usted a que era buena persona?

—¡Eche... cipote vaina! Ni buena, ni mala..., digo yo. —Se detuvo a razonar unos segundos—. Los hijos de Satanás no son ni buenos ni malos. Si se portan bien, faltan a sus obligaciones, y eso sería malo. Si se portan mal, estarían actuando con responsabilidad, según su naturaleza y educación, y no sería lógico motejarlos de perversos. —Se rascó la cabeza—. ¡Éstas son vainas jodidas, doctor! Yo se las cuento, pero no me pregunte.

Recobró la pose teatral.

—Le decía que el único que entró y salió de aquí fue Cacanegra. Siempre iba rodeado por serpientes que tenían más cascabeles que un carillón, iguanas de cresta verde, arañas pollas, sapos gordos, alacranes y mariposas negras. De vez en cuando algún animalito hambriento se papeaba a otro, ya me entiende: ñam-ñam. El cambrón extrajo de estos montes los secretos del averno. No duró mucho en Cartagena. Se enredó en una pelea con el hijo de un rico y tuvo que salir por patas. Todo esto hubiera importado un carajo si esos secretos no los hubiera compartido, antes de largarse, con una pelada de diez u once años que vivía en su misma casa y llegó a ser una bruja de armas tomar. Ahorita no caigo en el nombre... y eso que el otro día me lo recordó el cura rico...

—Lorenza de Acereto.

—¡Ésa, miérrrrr...coles! Ésa es la bruja. —Puso los brazos en jarras—. Claro que fue mucho más que una simple bruja. Mucho más...

Cambió de tema bruscamente. No sé si lo hizo por desconocimiento de los detalles de la vida de Lorenza o por ocultamiento premeditado. Quizá el mismo padre Ferrer le había pedido que no lo hiciera.

—Un día, en una casa de la calle de las Damas, hoy restaurante de ésos para turistas, la Virgen de la Candelaria se le apareció al religioso Alonso de la Cruz, le ordenó expulsar a todos los engendros malignos del Monte y levantar un monasterio en su honor en todo lo alto para que no pudieran volver. El agustino lo pensó mucho, vaina de encargo. Se dedicó a la oración y al ayuno... ¡Hombre de Dios, si lo que tenía que haber hecho es tomar unas clasecitas de esgrima! —El jardinero desenvainó una espada imaginaria y comenzó a batirla—. Imagine usted, el monje se presentó una noche, crucifijo en mano, de los grandotes, eso sí, a enfrentar a La Mojana. Fue pelea de cruz y cayado, a golpe limpio... Y parece que la venció, o por lo menos la sacó corriendo. Fray Alonso no paraba de rezar. Se internó en la espesura y uno por uno fue expulsando a los espíritus del mal, a punta de batacazos o de oraciones, lo mismo da, pero los iba largando. Y luego se dispersaron por toda la geografía del país, digo yo...

Pude recrear cada uno de los combates en las gesticulaciones de Sacabuches.

—Cuando llegó a la cima, el mismísimo Buziraco le salió al encuentro. El macho cabrío, armado de espada, tiró con dureza varias estocadas. El pobre monje, como pudo, las esquivó anteponiendo la cruz. Se sintió desfallecer y retrocedió unos pasos. Asió firmemente el crucifijo por el palo corto, lo volteó, cerró los ojos, y orando y repartiendo mandobles en todas direcciones arrinconó a Buziraco contra el cantil del despeñadero. Mire, contra éste, justito aquí donde estamos. —El jardinero señaló el terraplén vertical que tras el menguado muro caía hasta el pie del cerro—. El último cristazo, y el diablo se desplomó por el precipicio: chao candao. Desde entonces, a esto se lo conoce como el Salto del Cabrón. Un par de años después, fray Alonso de la Cruz fundó el Monasterio de la Candelaria.

La última frase pronunciada por Sacabuches, dramático, antes de despedirnos, fue: «¡Atento, los trasgos pueden volver pronto!».

El padre Ferrer cacharreaba con el ordenador, o computador como le dicen en Latinoamérica, bajo la luz halógena de la mesa redonda fumando sus cigarrillos mentolados. El resto del estudio se mantenía apagado. Saludos, preguntas, risas, y el tema lógico e impuesto: la visita al Cerro de la Popa y la conversación con el jardinero.

—Es un tío increíble, ¿verdad? —El sacerdote movía los brazos tratando de imitarle.

—Desde luego. No sé por qué los jardineros siempre resultan tipos brillantes. Pero no está quieto un minuto; acaba uno mareado con tanto aspaviento.

—Es un cuentista memorable. —Sonrió.

Le puse al tanto de mis recientes aficiones musicales, del cuaderno de apuntes, del halo mágico y misterioso que empezaba a interiorizárseme, de mis conclusiones hasta la fecha, de mis inquietudes, de todo un poco, menos del heterónimo influjo de los ojos de Lorenza.

El padre me ponía atención sin descuidar las tareas informáticas, hasta que de pronto se bloqueó y solicitó mi ayuda.

—¿Tú entiendes de esto?

—Algo —confirmé—, lo imprescindible.

—Ven a ver si puedes ayudarme. Estoy intentando copiar este fichero dentro de otro; el programa es nuevo y no lo domino todavía.

No era complicado. Aproveché para darle un vistazo a la pantalla: el padre Ferrer escribía sobre Lorenza de Acereto; en el administrador de archivos pude corroborarlo. Un sinfín de ficheros con vocablos que me resultaron familiares se agrupaban en un solo directorio llamado Calamarí: Bruja, Helena, Cruz, Alonso, Tío, Francés, Lorenza, Madre, Feria, Vudú, Indios, Diablo, Machanaes, etc... Dos palabras me llamaron la atención en ese momento: Pergamino y Delfín, quizá porque tuvieran todas las letras en mayúscula, o quizá, simplemente, por figurar últimas de la lista.

El puerto y la ciudad iban distanciándose cada vez más. Pronto perderían la visión mutua. La muralla iba tomando altura.

Bautista Antonelli, ingeniero militar italiano, había entrado al servicio de Felipe II en 1570. Llegó a Cartagena poco después del asalto de Drake, encargado de concebir y dirigir las obras de fortificación de la urbe. Era un hombre amable, sin trazas castrenses, rubio, de mediana edad, con barba y bigotes acicalados, vestido siempre al itálico modo, demasiado abrigado para los calores tropicales. Con frecuencia arrimaba a la vivienda de don Luis buscando piedra coralina, argamasa, cal y otros materiales de construcción que el abate estaba en capacidad de proporcionar a bajo costo.

El tío Luis, por aquellos días, mostraba síntomas de unos delirios perseguidores que lo recluían a cerrojo en sus dependencias. La noticia de varios asesinatos de españoles por parte de sus esclavos, así como las constantes fugas de negros cimarrones, lo tenían temerosamente alterado. Cargaba plena conciencia del mal trato otorgado a su servidumbre. El encierro permitió a Lorenza amplias libertades para infiltrarse en la zona blanca, e incluso acercarse a los frecuentes visitantes, uno de ellos, el más cordial, Bautista Antonelli. El italiano, que nunca pudo concebir hijos, se encariñó con la traviesa Lorenza, descrestado por su ingenio, vivacidad y ansias de conocimiento. Antonelli y su esposa desempeñarían un papel importante en su vida: tuvieron la paciencia y el atrevimiento de enseñarle a leer y escribir.

Tomasito esperaba pacientemente una o dos horas al día cada vez que su amiga le pedía el favor de acompañarla a la mansión de los italianos, en la calle de la Necesidad. Rodeados de sobrios muebles de caoba, a veces el ingeniero, a veces su esposa, dictaban las clases a la joven, quien más gustaba de las coloridas ilustraciones que de la letra gótica de los códices miniados en los que aprendía esmeradamente.

La autopromesa y el deseo de conocer el texto de su pergamino la impulsaron a reclamar el aprendizaje con vehemencia. En diez meses se defendía en la lectura y elaboraba unos trazos imperfectos pero legibles.

El matrimonio se cuidaba de dos asuntos incómodos: las mentiras de Lorenza y la proximidad del cambrón.

Los Antonelli sentían, al cabo de un año, sutil agobio ante la exaltación de Lorenza por las dilatadas sesiones. Afortunadamente, entrando a considerar cómo zafarse de ella, la niña, complacida por el nivel alcanzado, dejó de frecuentar la casa. Continuó asistiendo esporádicamente, reclamando las exquisitas tazas de cacao que preparaba la señora Antonelli, y a repasar, preguntar dudas o sentarse a leer algunas publicaciones que atesoraba el ingeniero. Esto permitió que las relaciones volvieran al tono de la cordialidad y continuaran en el tiempo, al punto que, ocho años después, Lorenza de Acereto podría tener en sus manos uno de los ciento tres ejemplares de la primera edición de *El Quijote* que en 1605 llegaron a América, adquirido por Bautista Antonelli en la librería de Sebastián Huidobro.

A la vuelta de sus secretas lecciones, Lorenza extraía el pergamino del saquillo y lo estudiaba con detenimiento sin poder organizar las letras. No se formaban palabras, al menos tal como ella las conocía. No tomaban significado. ¿Por qué era capaz de entender sin dificultad los libros, y no el texto del manuscrito?

Aprendió de memoria una palabra, «nuntius», y se la consultó al maestro.

—Eso no es castellano, Lorenzana, es latín —le comentó Antonelli—. Ése es lenguaje de clerecía. Algún cura letrado, no hay muchos, podrá complacerte.

No se atrevió a recurrir al tío Luis. Supuso que el abate, de latín, pocón. A pesar de alargarse la espera para descifrar el pergamino, no dio por perdido, ni banal, el esfuerzo realizado en el aprendizaje de la lectura. Estaba un escalón arriba del resto de las mujeres. Y de muchos hombres también.

Entre lección y lección, Lorenza y Tomasito escapaban a la Plaza Mayor, al anochecer, buscando el entretenimiento de los títeres, malabaristas o ciegos cantores que al refresco presentaban sus funciones. Estaban en cierta ocasión embobados en un cantar de gesta recitado por un invidente, cuando el barullo interrumpió el acto y concentró a la muchedumbre en el corazón de la explanada: fray Juan de la Cruz hacía su entrada triunfal tras haber derrotado al diablo y haber expulsado del Monte de los Trasgos a todos los malignos.

Tomás Cacanegra sintió un latigazo fulminante. Lorenza captó de inmediato el abatimiento de su amigo. Al fin y al cabo, acababan de atentar contra su padre. Marcharon al mar, más allá del puerto, cerca de la casucha incinerada de la playa.

El cambrón no articuló palabra. Se refugió en el silencio, sentado en la arena mirando al frente.

Así permanecieron hasta la madrugada, inermes, despreocupados de las obligaciones, cómplices en la desgracia, igual que habían sido siempre.

Lorenza se concentró en las estrellas, siguiendo su curso, como le había enseñado Jean Aimé.

—Tomás —dijo sin apartar la vista del firmamento—, debes estar prevenido, las estrellas no están de tu parte.

—Pamplinas —balbuceó el cambrón.

El océano estaba en reposo, con la marea más baja de lo normal por el influjo de la luna llena. Algunas luciérnagas alternaban con las piraustas.

De repente, Lorenza tocó el brazo de Tomasito. Alzaron la vista. Un velamen blanco se dibujó en el horizonte. A medida que remontaba la curvatura de la tierra era más nítido. Se levantaron. El navío no tomaba la entrada del puerto. Se dirigía en línea recta hacia la playa. Era un extraño galeón plateado. No estaba construido de madera, como todos los conocidos. No emitía ninguna clase de ruidos ni crujía. Parecía todo de nácar. A medida que la proximidad se lo permitió, vislumbraron algunos faroles en cubierta, pero no determinaron hombre alguno. El fantasmagórico navío ancló muy cerca del rompezón de las olas, sin encallar.

—Es todo de conchas marinas —apreció el negrito.

—No son conchas, Tomasito, son uñas —rectificó Lorenza y se guardó tras la espalda del cambrón.

Efectivamente eran uñas, uñas de ahorcado para ser más exactos.

—¡Escondámonos antes de que nos vean!

Corrieron tras los arbustos, donde pudieron fisgar cautelosamente.

Un bote de iguales componentes partió de un costado de la nave. Distinguieron dos personas a bordo. Remontado por la espuma, el bote chocó contra la arena. Primero bajó un tipo escueto, delgado, de finísimos rasgos y exquisita compostura, con la cara blanqueada con polvos de arroz y el cabello claro recogido en una coletilla. Vestía jubón y calzas de un verdoso esmeraldino con brocados en oro. Detrás saltó a tierra un gordo rapado, con una argolla en la nariz y pinta de pocas amistades. Portaba en los hombros un aparatoso fardo del que pendían algunos instrumentos de cocina.

Los muchachos se dirigieron al puerto, sin ser vistos, eso creían, mientras el bote regresaba solo y el galeón levaba anclas y viraba a la derecha para volver a perderse en el mar.

Al día siguiente, entre los esclavos, en las calles, a la salida de misa, en la plaza, todos comentaban: «El Delfín Verde se encuentra en Cartagena». Estaban pletóricos de felicidad por albergar sangre real en la villa.

Felipe II, antes de caer enfermo en El Escorial, había logrado deshacerse del hermano de Juan de Austria, el Delfín Verde, como cariñosamente lo apodaban las damas de la corte; el «hideputa que se ha follado a mi mujer», como lo tildaban los esposos de las damas de la corte. El monarca no hallaba el momento de expulsar a aquel desgraciado de los límites del monasterio. El Delfín Verde contaba en su palmarés cuatro embarazos no deseados, duelos a diario que habían costado la vida a algunos de los más valiosos allegados del soberano, ritos de brujería sobre los mármoles del pudridero y toda una serie de fechorías que habían alborotado a las señoras, enfurecido a los maridos, desquiciado los nervios del rey y puesto en jaque a la nobleza.

Tuvieron que unirse las fuerzas de todos los ofendidos para desterrarlo. El último día, antes de partir, había recibido los guantes de treinta y siete caballeros. De aquel duelo no iba a salir con vida, así que tomó las de Villadiego.

Y reapareció, ufano y orondo, al otro lado del charco dispuesto a dejar muy en alto su fama de galán, conquistador, amante, jugador, fullero, espadachín y, sobre todo, a pavonear su realeza.

Arrendó una casa en la calle del Porvenir, y allí se instaló con su criado. A los quince días ya era asiduo cliente del tío Luis, quien le proveyó de licores traídos de Escocia, adquiridos a contrabandistas napolitanos.

La oportunidad que aprovechó Lorenza para entablar contacto con el misterioso personaje se presentó acompañando a la esclava Isabel del Ángel de la Guarda a entregarle un odre con vino casero que le enviaba el canónigo. Aquel vino era ácido y malo como la peste, pero el de crianza se picaba en el trópico y el llegado de España no aguantaba la travesía sin avinagrarse. Las uvas cultivadas en la huerta no tenían suficiente azúcar. De todas formas, el Delfín lo recibió de buena gana.

—A falta de pan, buenas son tortas —dijo tras la cata.

La casa apenas tenía mobiliario ni decoración. Las paredes aparecían desnudas, frías, la piedra demasiado expuesta. Lorenza se fijó en el único objeto que merecía la pena: un libro empastado en cuero negro repujado encima de la rústica mesa del comedor. En la tapa, el título: *Malleus Maleficarum*. Lo abrió, leyó lo que pudo y la sorprendieron los dibujos. Cuanto hechizo, conjuro o filtro, diablo, trasgo, aparición, ser maligno o asunto relacionado con la magia, hechicería o brujería eran conocidos, desfilaban por sus páginas. Sin embargo, no sería el único ejemplar que leyera: en 1605 la Compañía de Jesús se estableció en Cartagena, y en su biblioteca estaba también el *Malleus Maleficarum*, *El Martillo del Diablo*, el libro negro del Concilio de Trento, donde dos jesuitas, Kraemer y Sprenger, en 1486, habían recogido todas las modalidades de nigromancia que pululaban por el mundo. Lorenza lo estudió con fervor siempre que lo tuvo a su alcance.

En sucesivas visitas, el Delfín Verde no otorgó importancia a las incursiones de la muchacha en el libro, ignorante de su educación lectora, figurándose que las ilustraciones eran las que captaban su atención. Lorenza no sólo aprovechó la candidez del noble para leer cuantas páginas se le antojaron, también le entresacó información oral a través de preguntas aparentemente inocentes que el Delfín tomó como un juego. Se divirtieron gateando por la brujería blanca.

El padre Ferrer dejó de hacer argollas con el humo del tabaco y se levantó. Fue hasta la librería para mostrarme una edición facsímil del *Malleus*.

—No me extraña que a Lorenza le impresionara —expresé analizando el tomo.

—A mí tampoco, no es para menos —asintió—. El papa encargó a la Compañía de Jesús la investigación y elaboración de un tratado sobre la demonología existente en la época, y después fue utilizado en Trento. A la Iglesia se le estaban empezando a salir de las manos los problemas concernientes a la brujería. Había que profundizar en los pormenores del extenso y enigmático terreno de Lucifer. Los jesuitas asumieron la tarea. El Concilio aplaudió la calidad del trabajo, pero el libro acabó sirviendo más como manual a los propios brujos, que como instrumento orientador para los eclesiásticos. A pesar de todo, sigue siendo un volumen infalible en las bibliotecas de la Compañía. Observa esta página. —Me la marcó en el libro.

La estudié con atención, y no con menos sobresalto. El dibujo mostraba un galeón nacarado, acompañado de un texto que ofrecía las explicaciones oportunas: el *Barco Demonológico*, fabricado con uñas de ahorcado, tripulado únicamente por Nisgrov, el cocinero del diablo.

Me reservé los comentarios; no hubiera podido hacerlos. Mi racionalismo estaba empezando a ser catapultado.

—Otra curiosidad —comentó el jesuita con la mano derecha sobre el libro abierto—. Fíjate que Buziraco era un trasgo, o un diablo, perteneciente a la tradición india. En la tradición católica, sin embargo, aparece con forma de macho cabrío. ¿Desde cuándo los indígenas tuvieron demonios con esa forma? Nunca. La Iglesia europeizó la demonología negra e indígena. La acomodó a sus creencias, como pasó con muchas otras cosas.

El claustro de San Pedro Claver descansaba. El viejo párroco también dormía desde temprano, pues debería levantarse a celebrar la misa de seis.

El padre Ferrer pidió un tinto a la única chica del servicio despierta, la encargada de fumigar las habitaciones. El globo seguía inquietándome desde su esquina, tanto como el libro que acababa de cerrar el padre Ferrer.

—Ya ves cómo Lorenza va absorbiendo de los negros y los blancos. —Probó el café—. De los indios también, por supuesto. Es corno una esponja. Coge de aquí y de allá...

La feroz tribu de los indios machanaes seguía con ánimo belicoso. Pocos eran los miembros que habían entrado al servicio de los blancos, la mayoría mujeres. Otros habían sido apresados, juzgados y desmembrados en la Plaza Mayor por cometer pecado nefando y bestialidad; es decir, por bisexuales y caníbales. Los indios eran amarrados por sus cuatro extremidades a las sillas de igual número de caballos. Arreaban las bestias, y el cuerpo de los indios se estiraba hasta descoyuntarse y separarse los miembros. Los asistentes a las ejecuciones aplaudían a rabiar cuando la pena se ejecutaba con pulcritud. Las extremidades debían desprenderse al mismo tiempo. No era considerado de buena factura que un brazo o una pierna quedase pegado al tronco, o que los caballos tirasen descoordinadamente.

Los machanaes tenían como sagrada costumbre abandonar a los enfermos y moribundos en las riberas de la ciénaga, con un poco de pan y agua. Allí morían solos; los tremedales se convertían en económico cementerio. Margarita conocía esta tradición, y cuando la india que estaba al servicio de don Luis, María de los Ángeles, Musinga, enfermó gravemente de pelagra, la mulata no la llevó al hospital de San Lázaro, sino que la acompañó a la ciénaga. Lorenza se les pegó, cargando los alimentos, mientras Margarita hacía lo imposible por no dejar caer a la debilitada mucama.

La niña quedó con ella un rato, le colocó el pan y el agua a prudente distancia. Musinga le acarició la melena y le pasó los dedos por la cara.

—Toma esto, Lorencita. —Se quitó un colgante con forma de diente y se lo puso al cuello sobre el escapulario y los abalorios negros—. Si alguna vez necesitas algo de mi gente, muéstrales este amuleto. Te tratarán como a uno de ellos.

Musinga moriría entre las pestilencias del barro. Nadie la volvió a ver.

Lorenza, el día que asistió a la ejecución de unos machanaes, terminó vomitando. Tomasito no es que diera saltos de alegría, pero descartado el asqueamiento, no le pareció que aquellas muertes fueran más crueles que las habituales, en la calle o en la cantina, donde los marineros caían al suelo con la garganta abierta y la lengua asomando por el corte del machete.

La vejez de Margarita, el grado de confianza, exagerado tal vez, habían ampliado notoriamente la libertad de movimiento de los chiquillos.

Lorenza y el inseparable Tomás, por intermediación de algunos fámulos indígenas, a vista del amuleto, pudieron contactar con un pequeño grupo machanae que vivía escondido en la selva, a una hora de Cartagena. Era la avanzadilla de la tribu, los que avisaban de la organización de las «entradas» de los españoles contra su territorio. Pudieron comprobar que no eran caníbales, así comieran carne cruda; pero una cosa era hincarle las muelas a una pata de mico, y otra, bien distinta, degustar pata de cristiano. Así mismo verificaron que la otra mitad de la acusación era cierta: practicaban la sodomía. Para evitar que de una u otra forma se lo comieran, Tomasito prefería esperar, cobijado por sus alimañas, en la espesura de la selva y rescatar después a su amiga de los mareos de la coca, refrescándola en el agua del riachuelo antes de devolverla a casa. Margarita achacó los sudores de algunas tardes a la posibilidad de la primera regla, y no le dio la mayor importancia. Lorenza era además una niña sana; no padeció enfermedad alguna, ni siquiera las típicas de la infancia.

Ella se mezcló con los indios como lo había hecho con los negros, quizá en menor intensidad, porque la convivencia fue corta, intermitente, nunca un día completo. Se embijó, bailó, ayudó, mascó coca mezclada con cenizas de yarumo, oró a los chamanes, observó y captó su esencia.

No se despegaba del brujo. Le fascinaba husmear en la cabaña del hechicero. La magia india le pareció muy distinta de la negra y la blanca, aunque igual de efectiva e interesante, y a las tres unía ya un salpicón de elementos cristianos. El brujo guardaba en el estante más alto un frasquito con una poción que le sugería ideas maliciosas. Sabía que el líquido rosado de la botellita hacía que los hombres gustasen de los de su especie. El compinche Tomás, informado del magno descubrimiento, se escurrió una tarde hasta el interior de la choza, trepó a escondidas por el mástil que la sostenía y alcanzó el bebedizo. Mientras, Lorenza, en el exterior, entretenía al vetusto curandero.

La poción fue a parar a las cubas de agua potable de Cartagena que se repartían temprano, puerta a puerta, a lomo de mula. No tardó en hacer efecto. A medio día el diablo Taravira brincaba de entusiasmo por las calles de la ciudad. Comenzaron las picadas de ojos entre fornidos varones, besitos mandados con la mano por querendones barbudos, flirteos y silbidos desde los balcones a los muchachos de la guardia, quienes devolvían los agasajos con tiernos requiebros de muñeca. Los oficiales del ejército cambiaron el paso militar por el contoneo de caderas. Políticos y comerciantes presumían de ir a la última moda, ataviados con los mejores y más escotados vestidos de sus esposas. El tío Luis prefirió encerrarse en el cuarto con los esclavos, y los perseguía por los corredores, ataviado con unas enaguas de Margarita.

Al cabo de un mes el único que no sufría los efectos del hechizo, advertido por Lorenza, era el Delfín Verde, además de los esclavos, que recogían el agua directamente de las quebradas. El Delfín aprovechó la circunstancia para asaltar la cama de las desconsoladas esposas. Los únicos rivales serios que encontró fueron los propios indios machanaes, quienes puestos al corriente, entraron en la ciudad y secuestraron una buena cantidad de damas a las que dieron gusto en sus campamentos.

Taravira, por su parte, con forma de negro tripodial organizó... no, más bien desorganizó, las juergas de los travestidos parroquianos.

La ciudad estaba desprotegida. El ataque de los corsarios, o los propios indios, podía ser inminente. El Delfín Verde tomó cartas en el asunto. Harto de tanto amor y tan poca guerra, oxidada la espada, lubricado el hastío, exigió a Nisgrov una solución pronta. El cocinero del diablo demoró tres días en preparar un antídoto que anulase los efectos del hechizo y expulsara al diablo Taravira de Cartagena. Las esclavas se encargaron de distribuirlo, también cansadas de que sus negros tuvieran que atender los requerimientos ardientes de sus dueñas. Recuperada la hombría, los varones se armaron nuevamente con todo tipo de corazas, y hasta de valor. Los que resistieron el trote del caballo, arremetieron violentamente contra los machanaes y, tras una encarnizada batalla, rescataron a las mujeres y dieron muerte a los naturales. Algunas no querían marcharse.

El brujo pereció con los demás. A los nueve meses nacieron un montón de rubitos, mestizos y mulatos: la verdadera mezcla de las razas.

—La historia me la contó también Sacabuches. No puedes imaginar lo que me divertí cuando relató lo de los hombres en plena efervescencia homosexual. El tipo casi me acaba de la risa con tanto meneo... —El padre Ferrer movía los brazos de derecha a izquierda, de izquierda a derecha—. Pero tómalo como algunos pasajes de la Biblia... hay que saber interpretarlos.

No sé por qué, a mí se me vino a la cabeza Maurice, el gerente de alimentos.

—¿Sabes lo que me dijo cuando le pregunté por el Delfín Verde?

—Ni idea.

—Que era la prueba viva de que los cartageneros tenían sangre real en las venas.

El cuento de los indios machanaes distendió bastante la carga oscura por la que discurría la historia. En ningún libro figura este episodio, pero la tradición popular lo narra con lujo de detalles. Más tarde tuve oportunidad de oírlo repetido, no por Sacabuches, sino por un limpiabotas y una camarera del hotel. Ambos vivían en el barrio de la Ciénaga de la Virgen, donde el jardinero, donde los peces muertos, donde se desplomó Buziraco.

El humo del cigarrillo había espesado la atmósfera. El padre Ferrer vació el cenicero en la caneca para volver a llenarlo de ceniza y puchos.

—Mi pequeña Lorenza, no sigas diciendo disparates. —Domingo del Señor le tapó cariñosamente la boca.

—Pero lo que te acabo de confesar es cierto. Lo siento dentro, muy dentro, en mi corazón. Todas las veces que he venido a buscarte es porque necesitaba verte, tocarte, oírte, estar contigo. Y moría de impaciencia y de ganas de contártelo. Hoy pude venir sin Tomasito, y tú estabas solo, aquí, en el establo, y he tenido la oportunidad y el valor de decírtelo...

—Y me lo has dicho con los ojos cerrados —apuntó Domingo, sentándose sobre un poyo adosado a la pared, invitando a Lorenza a acompañarlo.

—Por la vergüenza.

—Lo que me pides no puede ser. —Domingo del Señor se atragantó, la angustia se le anudaba en el gañate. Una angustia que no correspondía solamente a la declaración impetuosa de una niña enamorada de su maestro, el gran sacerdote.

—Te he deseado en cada ritual de vudú. Me he embotado con tu cuerpo; he soñado con él, dormida y despierta. Después de mucho pensarlo, he decidido que tú, sólo tú, debes ser el primer hombre que me posea.

—No sigas.

—¿Acaso he dicho algo que te moleste?

—No, Lorencita. Tú no tienes la culpa. Eres bella, muy bella. Cualquier hombre daría su vida por tenerte. Yo también. No sé si ahora es el momento oportuno, quizá todavía seas muy joven; pero tienes voluntad de negra, y las negras pierden la virginidad antes de los diez años. Compartes la vida con los negros, y la seguirás compartiendo... hasta que te cases... con un blanco...

—Yo no te estoy pidiendo que te cases conmigo. Simplemente, me gustan los negros.

—¿Por qué te gustamos?

—Tal vez porque saben fornicar mejor...

—¿Fornicar?

—Sí... fornicar.

—¡Tú qué puedes saber, Lorencita! —Rió el negro tratando de zafarse la angustia—. Todavía eres virgen... ¿O me equivoco?

—No te equivocas. Pero he visto cómo lo hacen —le dijo con pena de sí misma.

—¿A quiénes has visto?

—A los blancos, a los negros y a los indios. Y me gusta más como lo hacen los negros.

—Bueno, en eso no te voy a quitar la razón. Yo también prefiero a las negras que a las blancas.

—Entonces, ¿me rechazas porque soy blanca?

—No, mi niña... tú no eres blanca...

—¿Lo haremos?

—No puedo. —Aumentaba el estrangulamiento en la garganta.

Lorenza intentó levantarse airada, ofendida por un negro arrogante al que había ofrecido con todo su amor, o lo que ella creía que era amor, la inmolación de su doncellez.

—Un momento, no te vayas. —La sujetó por el brazo—. Quiero contarte algo que desconoces. —Trató de relajarse—. ¿Has oído hablar de los cimarrones y de los palenques?

—Sí, los esclavos que se escapan y se refugian tras empalizadas de madera en la selva. De vez en cuando regresan por la noche a robar o a vengarse de sus amos.

—Correcto. Yo fui un negro cimarrón, Lorencita. A los seis meses de aguantar el encierro, ahogado por la falta de libertad, agachando la cabeza ante los sermones y regaños del obispo por practicar mi religión, deshonrado por los latigazos y los castigos, escapé al palenque de San Jacinto, donde otros de mi tribu habían buscado refugio de la esclavitud. Querían recuperar la vida sin condiciones, sin amos, sin límites, como en Dahomey. En el palenque volví a ser el gran sacerdote, el guía espiritual. Casi vuelvo a alcanzar la felicidad luchando por la emancipación de otros hermanos. El palenque iba creciendo. Logramos llevar algunas mujeres que parieron niños en estado libre.

—¿Y qué pasó entonces? ¿Por qué volviste al servicio del obispo?

—El ejército español nos tomó por sorpresa una noche de danza. Los loas nos avisaron cuando los soldados estaban demasiado cerca, cuando los perros de presa se abalanzaron a arrancarnos la carne a dentelladas. No tuvimos oportunidad de defendernos, desarmados por los efluvios del guarapo y la chicha. Nos apresaron, quemaron el palenque y nos trajeron encadenados a Cartagena. Las mujeres fueron golpeadas en la Plaza Mayor. Los niños subastados. Los hombres corrimos peor suerte: uno por uno fuimos castrados entre los insultos y las burlas de nuestros amos. «¡Para que no nazcan más hideputas que vengan a matarnos después de alimentarlos bien!» Y desmayados por el dolor nos dejaron con la herida untada de panela para que cicatrizara, tirados en los potreros de las casas. Algunos, los que gozábamos de mejor salud, logramos sobrevivir. Los demás murieron. Nuestros testículos estuvieron colgando de un poste en la plaza hasta que se pudrieron y se los comieron los gallinazos. Yo todavía estoy en lenta recuperación. Mi voz, como muchas partes de mi cuerpo, comienza a deteriorarse.

Lorenza odió aquella sociedad, y al monarca, y a España, y a América, y a Cartagena. Los odió porque le habían robado su primer amor, su primera pasión, su primer deseo.

Y también odió a Domingo del Señor, haciéndole inconscientemente culpable de su desilusión. Lo volvió a ver en las celebraciones de vudú, pero no se le acercó. El sacerdote nunca permitió que nadie la tocase cuando el paroxismo de los rituales terminaba en alicorados estrechamientos carnales.

Pronto los dahomeyanos, y el gran sacerdote con ellos, fueron enviados a la muerte en las minas de Antioquia.

El rey mandó una cédula que, como muchas, llegó tarde, o se perdió en el camino, o simplemente pasó inadvertida:

El Rey. Por cuanto nos somos informados que en la provincia de tierra firme, llamada Castillo del Oro, hay hecha ordenanza usada y guardada, para que los negros que se alzaren se les corten los miembros genitales, y que ha acaecido cortárselos a algunos y morir dello. Lo cual, a más de ser cosa muy deshonesta y de mal ejemplo, se siguen otros inconvenientes. Y visto por los de nuestro Consejo de Indias, fue acordado que debía mandar esta mi cédula en la dicha razón. Por la cual prohibimos y defendemos que ahora y de aquí adelante en manera alguna, no se ejecute la dicha pena de cortar dichos miembros genitales, que si necesario es, por la presente revocamos cualquier ordenanza que cerca de lo susodicho esté hecha.

El 13 de septiembre de 1598 falleció de gota el rey Felipe II en su habitación de El Escorial junto al altar de la basílica. Cartagena, enterada de la noticia con un mes de retraso, vistió de luto.

Fue celebrado un funeral por la muerte del soberano al que asistió toda la población. Terminado el oficio, Lorenza y Tomás acompañaban al Delfín Verde en el pórtico de la catedral. El noble parecía el único alegre ante la solemnidad de los actos fúnebres. Un trío de acomodados mozalbetes criollos, de terciopelo negro y gola almidonada, se acercaron risueños. Uno de ellos, poniéndose al lado de Lorenza, se contorsionó burlonamente tratando de imitar la danza africana. Tomás, rápido como una víbora, agarró una estaca y golpeó desde el suelo la parte trasera de los pies del joven bromista, que cayó a tierra dando alaridos y agarrándose los talones. Cacanegra intentó la fuga, pero el padre y los sirvientes del herido estaban demasiado cerca. Lo atraparon antes de que pudiera realizar cualquier maniobra evasiva. Había desgraciado al muchacho para el resto de su vida. Le había roto sin misericordia el talón de Aquiles. El progenitor montó en cólera, y arrebatando un portacirios al monaguillo, arremetió a bronzazos contra el cambrón. Le propinó golpes en la cabeza, la cara y las costillas, hasta que el Delfín Verde logró mediar las furias.

—Llévatelo, Lorenza, y espérame esta noche donde me viste llegar —indicó mientras desenvainaba la espada.

El Delfín no tuvo más remedio, para atajar la brutalidad, que mandar al pecho del iracundo padre la punta del acero.

Tomás rodó escaleras abajo sangrando profusamente, y como pudo, recostado en Lorenza, se perdió por la calle que bajaba al mar.

Permaneció sumergido en el agua largo tiempo, hasta el asomo de las estrellas.

—El agua del mar cura las heridas —fue todo lo que dijo a Lorenza.

Después, se tumbaron en la arena. Tomasito estaba despidiéndose a su manera, en silencio.

El Delfín Verde apareció con Nisgrov poco antes de la medianoche.

—¿Te marchas? —preguntó Lorenza.

—Es tiempo de partir. Voy a buscar el alma del rey —farfulló.

—¿Te llevarás a Tomasito?

—Es lo mejor. Por estas tierras no duraría vivo mucho tiempo.

Los chiquillos se fundieron en un abrazo y se miraron tristemente a los ojos. El mutismo del negrito y una lágrima de Lorenza lo dijeron todo. El *Barco Demonológico* horadó la bruma del Caribe hasta la arena. El bote recogió al Delfín Verde, a Nisgrov y a Tomás Cacanegra. El hijo del diablo y de Carlota partió rodeado de sus piraustas. Las alimañas y reptiles quedaron en la playa, y luego se dispersaron en todas direcciones.

Adiós, Tomás.

Con su amigo del alma marchaba también el resto de su niñez. La vida se le estaba llenando de fantasmas, fantasmas vacíos como el humo.

Cartagena estaba embrujada. Los negros con sus religiones, ritos, danzas, bongoes, erotismo, bebedizos, magias amatorias; con reuniones nocturnas, dioses africanos y esclavitud. Los indios con su idolatría, sus trasgos perversos, supersticiones, pócimas, espíritus, sus muertos que nunca llegaban a morir para no dejar vivir tranquilos a los vivos; con sus miedos y creencias ancestrales. Los blancos con su demonología europea: cada barco anclado era un depósito de fantasmagoría y leyenda.

Para la gran ignorancia reinante, era más fácil llegar a la elementalidad de Satanás que a la complejidad de la apologética.

El punto de contacto entre blancos, negros e indios eran las confluencias mágicas. Unas confluencias llenas de picaresca, entreveradas con la miseria, consumidas por la incultura, sin personajes que supieran magnificar las violaciones sacrílegas y la concupiscencia. Una brujería del subdesarrollo.

Calamarí estaba embrujada.

3

Si el marqués, a su edad, no se hubiera empeñado en hacer mojigangas, seguramente aún estaría vivo. Al sargento mayor Santander le temblaba la voz cuando trataba de explicar la manera tan estúpida en que el marqués de Torrealta encontró su fin. Rara, la muerte, había sido. Nadie le creyó cuando encontraron al noble ensartado en su propia espada.

Asomado por la borda del galeón *Gran Capitán* daba vueltas en su memoria, una y otra vez, a los disparatados acontecimientos que dos semanas antes le habían impuesto la cuerda necesidad de engrosar las filas castrenses de los nuevos territorios de ultramar:

El duque de Lerma, valido del nuevo rey Felipe III, ofrecería un gran baile de celebración por la resonada victoria en la batalla de las Dunas, batalla memorable en la que el archiduque Alberto había expulsado a las fuerzas de Mauricio de Orange de los territorios de Nieuport. Y justo la noche anterior al baile, el sargento y la esposa del marqués de Torrealta mantuvieron un encuentro furtivo, como tantos otros en las últimas semanas, arropados por los frondosos jardines del palacete familiar de los marqueses, próximo a la calle de Segovia. Madrid cobijaba los primeros calores del verano, atizando los efluvios del escaso río Manzanares. A pesar del riesgo, Francisco Santander prefería ir ataviado con el uniforme militar, al que atribuía dones atrayentes si no magnéticos o afrodisíacos, para lucirlo delante de las damas de la villa y corte. Los amantes habían acordado, arriesgándose en la fantasía de los juegos que gustaban saborear, cómo ella asistiría al baile sin ropa interior, ocultando su secreto en las amplias y festivas cavidades del miriñaque y los espaciosos andamios del traje de época. A la marquesa se le hizo caprichosa la exigencia, pero sólo de imaginarla se le habían humedecido las intenciones. «Yo estaré allí, mirándote, fantaseando.»

El Alcázar Real vestía sus mejores galas a la luz de las antorchas. Por encima de las torres todavía se vislumbraban las últimas nubes violetas del atardecer madrileño, del paso hacia la oscuridad, que sólo Madrid sabe teñirlo de ínclito morado. Las recepciones oficiales adolecían de la pomposidad y el refinamiento que tendrían en años posteriores. El marqués de Torrealta, cercano a los ochenta abriles, apenas podía soportar en su brazo la hermosura comprada de su treintañera esposa, por demás, anhelada y repartida en las más nobles yacijas palaciegas. Cada vez que el vetusto marido inclinaba la cabeza para besar la mano de alguna conocida, unos cuantos guiños, besos y alzada de cejas volaban hacia el moreno rostro de la marquesa.

Ella buscó al soldado por el salón; intuía su presencia desde algún enclave estratégico.

Con poca fuerza y menos empeño de habilidad, la joven pudo conducir al abuelete hasta la puerta entreabierta que el día anterior le había indicado el sargento para averiguar el curso del erótico entretenimiento que se traían entre manos, o, mejor dicho, entre faldas. La desnudez oculta bajo los brocados proveía sus ojos de una elevada dosis de pícara lujuria, no disimulada a las miradas frenteras de los hombres, favorecidos o no, que atestaban el salón de los espejos.

Las primeras notas de los músicos captaron la atención de los concurrentes, que irrumpieron en refinados, ridículos, aplausos. En ese instante, la marquesa, de espaldas a la puerta, sintió cómo su falda era levantada con disimulo. Siguió aplaudiendo. Unas manos se aferraron a sus rodillas, bajaron despacio hasta posarse en los tobillos, y con suma delicadeza, le alzaron los talones, primero de un pie, luego del otro, para despojarla de los zapatos. Sintió contrastar el frío mármol en sus plantas con el calor húmedo que le bajaba por los muslos. Conoció el bigote bien recortado del sargento subirle en escalofrío desde la parte trasera de las rodillas hasta las nalgas. Los dedos finos jugaban por todas partes.

—¿La marquesa me concede este baile?

Un gemido apagado escapó de su garganta. Sudaba. Carraspeó, justificante.

—No..., gracias. Estoy un poco sofocada. Debe de ser el calor. —Se abanicó, el aire excesivamente perfumado.

Francisco esgrimió una sonrisa para recompensa de sí mismo, tratando de separar un poco las piernas de la prieta, preciada, pretendida, preocupada, premiada, prestada, prevenida, y en todos los sentidos apurada, amante.

Los gemiditos empezaban a inquietar a su esposo, inundándola de reojazos. Atacada por el inevitable grito cimero, acallado venturosamente por los estruendosos acordes de un allegro musical, no tuvo otra alternativa que solicitar permiso para retirarse a la habitación contigua a tomar un poco el fresco. Como pudo, tropezando con el bajofaldero cuerpo del sargento, alcanzó el pomo de la puerta. Cerró. Tras cerciorarse de su soledad, estaba en la biblioteca, dio aviso a su amante para que abandonara los faldones. Despeinados los cabellos azabaches, otrora marcialmente ajustados con grasa, el sargento trató de culminar la faena con una serie de besos desaforados que la marquesa recibió con temeroso gusto, sin perder de vista la puerta. Concluido el lance de besos al natural, Santander descendió por el cuerpo de la marquesa hasta ponerse de rodillas a sus pies. Besó cada uno de sus dedos y metió la lengua en las cavidades que los separaban. Y justamente, cuando trataba de hacer lo más fácil, lo más ingenuo y menos peligroso, calzarla, Torrealta irrumpió en la estancia reclamando a su mujer.

—Se me rompió una hebilla del zapato y este joven guardia trata de componerla —intentó exculparse.

Pero los arremolinados cabellos del sargento, el armador desabrochado y, sobre todo, el colorete rojo que le desdibujaba la boca, incitaron al marido a desenfundar el acero. Francisco Santander, hábil espadachín, tanteando los oxidados espadazos de su contrincante, se limitó a esquivarlo y a torear un rato su anquilosada esgrima, esperanzado en que sus fuerzas tuvieran menos resistencia que su ira. Para divertirse y no ofender al atacante, sólo le tocó con la punta de la espada: un botón arrancado por aquí, un descosido por allá, un pinchazo benigno, sin herir, en una pierna o un brazo. «Ay, ay, ay...», y saltos. El marqués agotaba sus energías cuando sobrevino la tragedia. En el último ataque, quizá el único peligroso de toda la justa, tras un quite del sargento, el anciano tropezó con la esquina levantada de la alfombra, con tan mala fortuna, que soltó la espada para intentar parar la caída con las manos, y el acero, amangualándose con la gravedad, quedó sostenido de punta el tiempo necesario para que el de Torrealta se desplomara sobre él, atravesándose el pecho de lado a lado.

El estrépito convocó a los invitados. Ninguno creyó la versión del sargento mayor: había dejado su arma en el suelo para socorrer al herido. La lógica dictaba que la espada homicida pertenecía al soldado, y que la del marqués reposaba sobre los mármoles de Carrara. Nadie podía imaginar alguien tan idiota como para acabar ensartado en su propio estoque. Sólo el empecinamiento de la marquesa logró salvar a Francisco Santander Rivamonte de ser ejecutado allí mismo.

Su gran amigo, el capitán Gonzalo Sarrazola de Vera, consiguió su traslado inmediato a tierras del nuevo mundo, antes de que los partidarios del finado se cobraran venganza en algún antro de la calle Toledo. En menos de siete días había preparado sus escasas pertenencias y había corrido a Sevilla, justo a tiempo de abordar los navíos de la Carrera de Indias del noveno mes del año de mil seiscientos.

Aquellos mares tropicales que surcaba el *Gran Capitán*, en medio de una flota de cuarenta embarcaciones, no se parecían en nada a los de su tierra natal. Frías, encrespadas, oscuras, las aguas del Cantábrico habían mojado sus primeros años de existencia, sus primeros, críticos, desgraciados, hambrientos e incomprendidos años de miseria. Las guerras de España, empeñadas en sostener y agrandar un imperio en decadencia, habían procurado batallones de huérfanos. Francisco fue uno más de ellos, incógnito, olvidado, miserable, destetado por la vida (la primera teta vino a verla a los once años, y no era de su madre, a la que no conoció, sino de una puta cincuentona de Burgos que le hizo el favor de enseñarle por primera vez los placeres del sexo y la rasquiña de una suave gonorrea que pronto curó).

Se crió en el orfelinato de Santillana del Mar, donde lo dejaron abandonado a los pocos meses de nacer, no se sabe quién ni por qué motivo. Así que cualquier supuesto sobre sus antecedentes serán también baldías conjeturas. Las monjas lo acogieron, obligadas, como a muchos otros, y lo alimentaron y cuidaron como malamente pudieron. Desnutrido, pero guapo, Paquito salió adelante gracias a la picaresca cursada junto a sus compañeros de infortunio. Los estudios no vinieron a él, ni él fue a los estudios. Apenas aprendió a medioleer y nadaescribir.

A los diez años tomó el petate y se largó a la corte, sin despedirse de nadie, porque de nadie se había encariñado, ni siquiera de la monja que le regalaba mendrugos de pan mientras le acariciaba el trasero. «Sois un sol, y a fe que os convertiréis en el hombre más galano del imperio.» «Vive Dios, hermana, pero dadme el pan y dejad de tocarme el culo.»

Hizo el camino a pie. Tardó cuatro meses en llegar a Madrid: un viaje que le enseñó grandes cosas de la vida. Las más grandes, las de la burgalesa.

Sobrevivió en el fango de la capital, ya es mucho decir.

A los quince años un inclusero tenía tres opciones: morirse, tomar los hábitos o vestir el uniforme militar. Lo primero no estaba en los planes de Paquito. De las otras dos alternativas eligió la última, más acorde con su buena pinta, aunque reconocía que era más fácil remangarse una sotana que desabrocharse las presillas de los marciales calzones.

A la hora del reclutamiento cayó en cuenta que su nombre era como era, y se llamaba como se llamaba, porque las monjas le habían bautizado el día de San Francisco, y que sus apellidos eran Santander, porque Santillana del Mar pertenecía a esta región, y Rivamonte, porque el orfanato estaba situado en la rivera de un monte. Así de simple. Debía darse por contento de haber corrido mejor suerte que Pedro Singarrala, quien recibiese tan extraordinario apellido porque de pequeño, en mitad de una cena en la inclusa, metió el dedo en el pico de una botella y al sostenerla en el aire tuvo la ocurrencia de gritar: «Mirad, sin garrala y no se cae».

No luchó en ninguna guerra. No conoció el fragor de la batalla. Su cuerpo no fue condecorado con el honor de las cicatrices. No ganó títulos nobiliarios por destacarse como héroe. «¡Gracias, Señor, por haberme librado de estas glorias!»

—¡Tierra, tierra...!

Ya se escuchaban las chirimías en el puerto. La flota penetraba en las calmadas aguas de la Bahía de las Ánimas. El sargento mayor se miró los codos del armador, raídos de tanto apoyarlos en las barras de los mesones, y a sus veintidós años se sintió víctima de una disparatada y tragicómica pirueta del destino.

El teniente Rufino Quiñones llamó a formar, y la tropa se cuadró en cubierta, lista para el desembarque.

La paranoica desconfianza a los esclavos había encerrado al tío Luis a cal y canto en sus aposentos, a pesar de que siete meses atrás el último negro procurase su libertad en un arcabuco. Sin embargo, el abate los sentía acechando, rascando la puerta, conjurando, conspirando, y hasta volando.

Margarita daba largas a la muerte por el solo hecho de permanecer un poco más al lado de su entenada, al menos lo suficiente para verla encarrilada con un buen hombre: blanco. Si en horas de oscuridad la visitaba La Mojana, se las ingeniaba para enredarle las intenciones o convocaba a los loas para que intercedieran por ella, y a cambio de un pedacito de vida, estirar la agonía unas semanas. Si la cosa se ponía difícil, se incorporaba y la enfrentaba con cara de perro. La muerte sonreía y, a la media vuelta, se iba al acecho del presbítero.

Las ruinas gobernaban la casa. Las guacamayas habían sido sustituidas por los gallinazos, en festivo banquete por los animales fallecidos. Permanecían posados sobre la techumbre medio derruida del barracón de las esclavas, donde seguían durmiendo Lorenza, la mulata y una de las cuatro mandingas, Catalina de los Ángeles, quien no partió con los demás por fidelidad a su amiga blanca. Entre las dos cuidaban a Margarita y al tío Luis. Eran inseparables, y de alguna forma, aquella amistad había paliado en Lorenza el hueco que le habían abierto los fantasmas.

—Mi niña, no dejen de ir a recibir a la flota. Buenos mozos llegan en los navíos, y ya va siendo hora de que te arrimes a alguno, no sea que me lleve la parca y cometas la estupidez de enamorarte de un negro.

Haciendo caso a la mulatona, acudieron al puerto cuando repicaron las campanas de las iglesias.

Nunca habían visto tal cantidad de barcos. ¡Cuántas velas, cuántos colores, cuánto ruido, cuántos hombres!

Centraron la atención en el desembarque militar, el más esperado, el de mayor envergadura en muchos años. Ballesteros, piqueros, alabarderos, arqueros, lanceros de a pie y de a caballo, la arcabucería, las lombardas arrastradas por mulas. La flamante soldadesca alineada en la plaza del puerto, deslumbrando con los reflejos del sol en las moharras, las corazas y los morriones. La flamante soldadesca derritiéndose a cuarenta grados bajo el esplendor de la pulida latonería.

Lorenza, aquella semana, se había calzado por primera vez. Pateaba involuntariamente el empedrado, provocándose indignación. Esos cueros carcelarios, atentado contra la coquetería impuesto por su aya, no sólo la privaban de belleza y libertad, sino que la obligaban a moverse con el garbo de los patos. Acabó quitándoselos y cargándolos en las manos.

Al grito de «rompan filas», los soldados se dispersaron en pequeños grupos festejantes de su arribo. Lorenza, trepada con su compañera en unos escalones, quedó petrificada cuando lo distinguió entre la caterva. Ni siquiera las golondrinas, que rozaban en el vuelo su cara con la punta de las alas, lograron sacarla del aturdimiento. Delgado, alto, gallardo, con el bigotillo bien perfilado y el cabello negro peinado hacia atrás, ojos negros, el sable en una mano y el morrión en la otra, de alegres modales, no importa si refinados o no, pasó por delante y cruzaron una mirada fortuita; ella trató de aquietar el corazón, soltó uno de los zapatos y apretó el brazo de Catalina de los Ángeles: «¡Ay papito!».

El sargento se aproximó, recogió el zapato y con una ligera venia lo entregó a la turbada Lorenza. Rescatando un penoso desparpajo del fondo de su estómago, le dio las gracias y esbozó una sonrisa delatadora. El soldado se despidió retrocediendo, con la cabeza inclinada, pensando si ese calzado iba a devolverle todo lo que el de la marquesa le había quitado.

—¡Respire, niña Lorenza, que va a ahogarse todita! Parece que hubiera visto al diablo.

—No te preocupes, Catalina, que a ése ya le he visto y no me ha causado tanta impresión. —Suspiró inocente.

Singular novedad constituía la tarima montada para representar una obra de teatro. Bueno, más que una obra completa, algunos pasos de Lope de Rueda. En Calamarí no había compañías de comedia estables ni profesionales, así que unos cuantos aficionados pretendían entretener aquella tarde a los ilusos recién llegados, que miraban en todas direcciones tratando de atisbar el brillo del oro prometido. Un improvisado patio de butacas, butacas en todo el sentido de la palabra, rústicas e incómodas, albergaba el chirriante gallinero de damas y maritornes y, mutando los cánones que marca la tradición en los corrales, los hombres, en pie, pendientes de las hembras más que de los actores.

¡Oh!, bendito sea Dios que me ha dejado escabullir un rato de aqueste importuno de Valiano, mi señor, que no paresce sino que todo el día está pensando en otro, sino en cosas que fuera de propósito se encaminen.

El paso se titulaba de *Polo* y *Eulalla negra*, un diálogo entre el lacayo Polo y su pretendida, una negra querendona que había teñido de rubio sus cabellos y no se atrevía a asomarse a la calle. Además, el amo de la negra quería casarla con otro, y el pobre Polo sufría ante tamaña desventura. El actor era un hombre joven, bajito y regordete, maquillado en exceso y mal instruido en las artes escénicas. Ella, a pesar del sobrenúmero de morenas en la ciudad, estaba representada por una blanca pintada de negro.

¡Ay, amarga se vea la madre que le pariós! —exclamaba Eulalla, mientras Lorenza, rememorando sus tiznadas danzas ante el espejo, volvió a tropezarse con la mirada berroqueña, esta vez sostenida, del sargento mayor.

Mi reina, ¿pues aquesto me dices? No te podría yo dejar, que primero no dejase la vida.

El bochorno caía a pedradas. Los afeites de los comediantes chorreaban por su rostro confundiendo los órganos de la cara y, antecediendo muchos siglos al surrealismo, dibujaban en las ropas y en el aire impresionantes figuras tornasoladas que divertían a los sofocados espectadores, atentos a esquivar las gotas multicolor que volaban entre las carcajadas.

—*Señor Polo, tráigame para mañana un poquito de mozaza, y un poquito de trementina, de la que yaman de puta.*

—*De veta querrás decir. ¿Y para qué quieres todo eso, señora?*

—*Para facer una muda para las manos y los cabellos.*

—*Que con esa color me contento yo, señora; no has menester ponerte nada.*

—*Así la verdad. Aunque tengo la cara na morenicas, la cuerpo tengo como un terciopelo dobles.*

—*A ser más blanca, no valías nada. Adiós, que así te quiero para hacer reales.*

—*Guíate la Celestinas, que guiaba la toro enamorados.*

La gente aplaudió el final del paso.

El sargento seguía mirando.

—Niña Lorenza, ¿ése no es el soldado que os recogió el

zapato antes, y que os hizo poner como un tomate? —incordió Catalina.

—El mismo que viste y calza —nunca mejor dicho—, pero calla, parece que tiene intención de acercarse. —Lorenza guardó las pupilas.

—Perdonad mi intromisión —interrumpió el militar—. La diosa Fortuna ha querido premiarme con otro grato encuentro de vuestra persona. Veo que seguís haciendo ascos a los zapatos. Disculpad si os miré fijamente; pero no soy ajeno ni puedo despreciar el encanto brindado por vuestra hermosura. Y excusad mi atrevimiento de venir a importunaros: acudí al llamado de vuestros ojos.

—Yo no he llamado a nadie.

—Sí lo habéis hecho. Como lo hacen las reinas, con el alma asomándose a los ojos.

Lorenza, sorprendida por la incomodidad que produce la seducción, lo miró con descaro.

—Me llamo Francisco Santander Rivamonte, sargento mayor del ejército español, a vuestro servicio.

—A mi servicio... ¿el ejército, o tú? —Le divertía su marcial forma de acuartelar el idioma.

—Depende a quién descubráis vuestro nombre, si a mí, o a todo el ejército.

—Mi nombre es Lorenza de Acereto, y no estoy para serviros ni a ti ni al ejército —respondió a la fanfarronada con insolencia.

—Ni falta que hace, su merced. Sólo con dejar que os mire, me doy por servido.

Las voces de los compañeros de Francisco lo reclamaban desde el otro lado de la plaza.

—Señorita, el deber me llama —se despidió dando un toquecito con los dedos en el morrión.

—¿Podré verte de nuevo? —preguntó Lorenza casi inconscientemente.

El soldado se detuvo unos instantes, pensativo, y al fin contestó:

—No os preocupéis, os avisará el fuego.

Se alejó con tranco largo, entre la alteración de Lorenza y la risita puntiaguda de Catalina de los Ángeles. ¿Por qué emerges desde el fondo de mi alma, como si allí hubieras estado durmiendo desde hace una eternidad?

Te llevas mi corazón paseándolo con malicia por calles de incertidumbre... Mejor dicho, te doy mi corazón, lo entrego en un descuido, traicionando mis íntimas severidades de forma incongruente, bailando en el tiempo con la idílica miel de una tarde en las candilejas del absurdo.

No te pongas los zapatos. No dejes interponer el repujado cuero de los hombres entre el color de la hierba y tus plantas aladas. ¡Cuánto hubiera dado por calmar tus pies desnudos! Cuánto por haberlos acariciado con la palma de las manos, con los dedos, con los labios, con la memoria.

Remonto la figura de tu cuerpo eterno. Eterno porque quiero inmortalizarte, aquí y ahora, con una pluma a traición enamorada.

El fuego, el melancólico y entrañable fuego, marque la distancia que nos aleja y nos une.

He cruzado el mar para caer preso de una realidad etérea.

¡Cuánto hubiera dado por cubrir tus pies con algodón!

—Ahí tienes por fin a tu antepasado: Francisco Santander Rivamonte, conociendo a nuestra Lorenza, convertida ya en una atractiva mujercita de catorce años —me dijo el padre Ferrer a la sombra de la ceiba del parque de la Plaza de Bolívar.

Me acordé del abuelo, pero, sobre todo, experimenté una sensación de angustiosa proximidad al escuchar a mi mentor narrando la historia del sargento, al que de inmediato me identifiqué por la cercanía de algunos pensamientos. Estaba deseando volver al hotel para comparar ciertas expresiones de Francisco con otras que yo había anotado en mis cuadernos días atrás.

También percibí, por el tono envolvente del sacerdote, que acababa de situarme en el primer nudo de la historia.

Y los dos formábamos parte de aquel atado: sogas apretándose.

—Me hubiera encantado disfrutar este momento con el abuelo.

Imaginé la grandiosidad con que hubiéramos asaltado la nevera. El descubrimiento merecía el mejor de los vinos y, soñando, brindé con el viejo.

—No te preocupes, a lo mejor Gustavo ya conoce en persona a Francisco, y quizá a Lorenza.

—¿Estarán en el cielo, en el infierno... al menos en el mismo lugar?

—Sinceramente, no lo sé. Sólo puedo decirte que todos están muertos, y con la muerte, terminan las distancias en el tiempo. Si están o no en el mismo sitio, sólo Dios sabe.

No recuerdo bien si era martes o miércoles cuando volví a encontrarme con el padre Ferrer. Caminamos desde temprano por las calles dormidas y, al llegar bajo la ceiba, nos sentamos en un banco a seguir escarbando en el pasado.

Margarita empeoraba por días. Se iba opacando despacio, calmada, dejándose arrastrar a pedacitos hasta la tumba. Las carnes fofas ya no tenían dónde agarrarse, se desparramaban por el suelo al lado del esqueleto. Lorenza no se atrevía a confesarle su encuentro y arrebato por el soldado, sabiendo que esa confidencia era lo único que esperaba para morir en paz.

¿Cuál fuego habré de atravesar para llegar a él? ¿Cómo hará para encontrarme? La impaciencia, transcurridas unas semanas, se convirtió en desesperanza. Se había enamorado con la fuerza que sólo proporcionan la ausencia o la distancia. Porque en estos casos, el amor se enreda en un ideal: como la hiedra.

Lorenza tomó asiento en el patio para escuchar a las estrellas. Las voces del tío Luis repeliendo espíritus ya se habían callado. La casa dormía sobre sus piedras deslomadas. Repentinamente, el aldabón golpeó la puerta principal. Como estaba absorta en el camino de los astros no lo escuchó. Volvieron a golpear. Ahora sí. Intrigada se dirigió al zaguán. Abrió el portón. No había nadie en la calle. Miró en todas direcciones, hasta fijar la vista en el macadán. Dos hileras de velas prendidas formaban un sendero que se perdía tras el recodo de la esquina. ¡Me avisaría el fuego!

Entornó cautelosa el portón para no despertar a nadie y se adentró en la senda de espermas. Fue apagándolas una por una, solicitando deseos, prendiendo ilusiones. Dobló la calle. El río de candelas moría al final de la cuadra a los pies de una carroza azul marino tirada por dos caballos blancos. Un cochero esperaba paciente. Ella se acercó muy despacio, saboreando su consagración, soplando cada llamita con aire travieso. El cochero, con la capa embozada, abrió la portezuela y con un movimiento gentil de mano la invitó a subir. Al arrancar, vio los hilos de humo que trepaban por las sombras hasta la Luna.

Cruzaron toda la ciudad, atravesaron el puerto, y cuando el carruaje hirió la orilla del mar, el cochero hizo restallar el látigo. Liberada la ansiedad de los corceles, corrieron a todo galope por el espumadero de las olas. Lorenza asomó la cara por la ventanilla en busca del viento y las salpicaduras del agua. La capa del cochero se extendía por encima de la carroza, cobijando sus pálpitos.

Los caballos aminoraron la velocidad hasta detenerse en la Punta del Judío, donde terminaba la playa y comenzaban los infinitos jardines de Neptuno. El cochero bajó del pescante, alcanzó una mano a la pasajera y la ayudó a posarse sobre el agua, tibia y penetrante en la madrugada.

—Menos mal que no habéis traído los escarpines —apuntó él.

—Sobre el amor no se puede pisar calzada.

Lorenza había reconocido sin dificultad a Francisco bajo el embozo.

—Puedes quitarte la capa. Tampoco deben ocultarse los buenos sentimientos.

—¿Quién te ha dicho que mis sentimientos son buenos?

—Las estrellas...

—¿Las estrellas...? Traidor correo.

—Tanto como vuestra sonrisa.

—Tanto como vuestros ojos.

Francisco dejó caer la capa sobre las olas, abrazó a Lorenza y se ataron en un beso incalculable.

Ella se apartó suavemente. Caminó de espaldas sobre la arena mientras se iba despojando de la blusa con parsimonia. La melena dorada se descolgó por los hombros desnudos. Permaneció un rato así, distraída en los remolinos que la brisa le moldeaba sobre el pecho. Francisco no perdía detalle de aquel cuerpo perfecto, ineludible, tan acogedor como el terciopelo de un trono, tan radiante como la aurora de un pensamiento, tan sutil como la lógica de las azucenas. La falda se desprendió de las caderas. Ella dio media vuelta y retornó a sus brazos con la misma cadencia, midiendo los espacios del enamoramiento, orgullosa de su desnudez y de su entrega, rodeada de un halo de palabras entrelazadas: cariño, pasión, sensualidad, sinfonía, deseo, caricia, corazón, danza, alas, fuego, luz, alma, ternura, blanco, negro, mujer, amor... muchas incluso desconocidas.

Fue suya con la intensidad que sólo otorga una dama: por siempre y para siempre, sin límite.

Fue suyo más allá del cuerpo: en la inmensidad que concede el espíritu y delimitan los calendarios y las imposiciones.

Sin medir distancias.

—Es posible, aunque no conste, que hubieran tenido algún otro encuentro anterior a la noche de la playa —me dijo el padre Ferrer absorto en el raspao de tamarindo que acabábamos de comprar.

«Es seguro —pensé—, Lorenza no se hubiera entregado con tanta facilidad.»

—¿Qué le preocupa? —traté de sonsacarle.

—Nada grave. Vagos recuerdos del pasado, evocaciones traicioneras.

—¿Algo íntimo?

—Bastante, aunque no tanto como para no contártelo. —Hundió la mirada en el hielo. Por su expresión, adiviné que se engañaba, que me iba a poner en conocimiento de algo que yo no tenía por qué saber. ¿O acaso habíamos entrado ya en un espacio tan apretado, que sin darme cuenta resultaba merecedor de confidencias extremas?—. El amor y la muerte, Álvaro, son ingredientes que cuando se mezclan hay que manejarlos como si fueran explosivos. —Respiró hondo—. Tuve que permanecer algunos días en un campamento guerrillero, por unas negociaciones con el ELN. Desde mi tienda de campaña, en medio de la selva, escuchaba las últimas órdenes que aquel cura descarriado, jefe de la guerrilla colombiana, impartía a sus huestes adormecidas alrededor de la hoguera. Era mi segundo día allí, encargado de escuchar las solicitudes de los alzados en armas para transmitirlas al Vaticano. El cura pretendía que sus antiguos compañeros en Cristo, cuando aún no le había puesto cartucheras al Señor, le avalásemos unas posibles conversaciones de paz con el gobierno nacional en México, país que se había ofrecido como garante del encuentro. Por las mañanas, el cura reunía a su ejército en torno a un altar. Arrancaban la jornada con una misa, muy a su manera, y terminada la ceremonia, recogían los instrumentos litúrgicos y sobre el mismo altar desplegaban los mapas militares y señalaban los pueblos que serían tomados en las próximas horas, o planeaban secuestros para mantener llenas las arcas. Luego se iban los que tenían alguna misión que cumplir y el resto se ejercitaba en las armas, incluidos niños y niñas de siete años en adelante; chiquillos nacidos en el seno de la guerrilla, para los que disparar un fusil era más importante que los estudios. Gente ruda, Álvaro. Los guerrilleros esperaban a la noche con la simple impaciencia de contar los muertos. «Esos hijoeputas hoy se han bajado a tres.» Mientras los escuchaba, entre orden y orden, alcanzaba a percibir leves gemidos... amantes muertos, novios o novias desaparecidos o capturados por los grupos contraguerrilleros. Una sombra vino directamente hacia mi tienda por el frente. Corrió la lona. Al principio creí que se trataba de un muchacho portador de algún mensaje. Entró sin pedir permiso y me ordenó apagar la lámpara de gas. A oscuras, con los escasos reflejos de la fogata, vislumbré un pecho abultado y unas caderas curvilíneas escondidas bajo el pantalón de camuflaje. «Tengo permiso de mi comandante —fue su presentación—, así que desnúdese, cura de mierda, y hágame el favor de portarse a la altura. Hace rato que tengo ganas de tirarme a un curraca.» Antes de que pudiera reaccionar, tenía clavado en la frente el cañón de un fusil.

—¿Iba usted vestido de sacerdote? —pregunté.

—¡No, qué va! Pero no le sería difícil averiguar mi condición. Allí todos sabían todo. Tenían un increíble sistema de comunicación soterrada. Tú decías algo en un extremo del campamento, y aunque lo cruzaras corriendo, llegaba el mensaje al otro extremo antes que tú. Es como si los árboles de la selva también hablaran.

—En cualquier caso, el presunto muchacho resultó ser una chica... —retomé el hilo.

—«No me mire con esa cara, padre... como se llame, que, aunque lleve el pelo corto, tengo puchecas y cuca... y bien grandes.»

—¿Por qué le dijo que tenía permiso de su comandante? —Me interesó la peculiar forma de ejercicio de poder.

—«No me saque la piedra, hermano. O se quita ya mismo la ropa o le meto una bala en el cerebro. Le repito que tengo autorización de mi comandante, y eso significa que si se niega a obedecerme puedo matarlo cuando me provoque.»

»—¿Tanto dependes de tu comandante, que hasta para hacer el amor tienes que pedirle permiso?

»—Aquí todo pasa por mi comandante. Si uno quiere ennoviarse, hay que contar con la aprobación de mi comandante. Si uno quiere tirar, hay que preguntarle a mi comandante. Si uno quiere jugar, hay que decirle a mi comandante. Si uno pretende tener un hijo, hay que notificarlo a mi comandante. Si uno quiere leer, pasear, comer o mear, tiene que ser con la aprobación de mi comandante.

»—Para morir ¿también le preguntas a tu comandante?

»—Sí. Por si quiere matarme él mismo o que me mate el enemigo.

»—¿Y serías capaz de morir voluntariamente?

»—Claro —respondió sin titubear—. Hoy, sin ir más lejos, me he presentado para atentar contra un congresista... una bomba pegada al cuerpo. No sé si me elijan.

»—¿Por qué no habrían de hacerlo?

»—A mi comandante le gusta tirar conmigo.

El padre Ferrer continuaba con la vista perdida en el congelado dulzor del tamarindo.

—Sentí la presión del fusil entre las cejas. Me fui quitando la ropa despacio. ¡No con ánimo seductor, no vayas a creer! Aterrado. Estaba aterrado... y no era por el arma.

»—No me digas que eres un curraca virgen. ¡Qué chévere!

»—Temo no poder ofrecerte mi virginidad... como te llames...

»—Me llamo Laura.

»—Pues, Laura, te pido disculpas si en mi juventud gocé de los placeres terrenales propios de esa edad, cosa que no sé si tú habrás podido disfrutar con la libertad, esplendor, comodidad y amor con que yo lo hice.

Se pasó el vaso de raspao por la frente, bien para congelar el sudor, bien para refrescar la memoria.

—Creo que le toqué la fibra sensible. Sentí un ligero temblor en la punta del cañón aún entre mis ojos. No alcanzó a desabrocharse toda la camisa, a mí ya me tenía en calzoncillos. Trató por última vez de hacerse la dura.

»—No me saque la piedra y empelótese, ¡carajo!

»—¿Me deseas como un trofeo, como botín de guerra, como premio de una apuesta o simplemente como remiendo de algún roto en tu interior?

»—A mí no se me ha roto nada. —Pero ya le escurría un lagrimón, casi de hombre.

»Con la palma de la mano secó sus mejillas, se sonó los mocos y se limpió en el pantalón. Apartó unos centímetros el fusil, y yo, sacando provecho de la debilidad, lo aparté definitivamente. Y luego, Álvaro, la tortilla se volteó. Puso el fusil en mis manos y se introdujo el cañón en la boca.

»—Dispare —rogó la guerrillera.

»—¿No deberías antes pedir permiso a tu comandante, por si quiere hacerlo él?

»—¡Dispare! Puta vida...

El padre Ferrer llevó el dedo al gatillo.

—¿La mató?

—No, Álvaro. Por supuesto que no. Pero la acerqué al borde del abismo, y al comprobar que no cerraba los ojos, sino que los abría con pavor, supe que no deseaba morir, tan sólo fugarse del infierno en el que el amor y la muerte no se distinguen.

»—Hace dos meses tomamos un pueblo, no importa el nombre... ni lo recuerdo. Entré con mis compañeros en una casa. Los piscos veían la televisión tranquilamente. Ni siquiera se habían escondido al oír el estruendo cuando volamos la bóveda de la Caja Agraria. «Estamos acostumbrados a que vengan a jodernos. Tomen lo que quieran.» Ya habíamos pasado al papayo a los policías, así que la cosa no iba con ellos. Nunca había visto la televisión... bueno, había visto algunos noticieros grabados que nos ponen en el campamento. Me fijé un rato en las imágenes, porque estaban hablando de las conversaciones de paz y de que el presidente estaba indeciso porque un comando guerrillero había emboscado una patrulla del ejército en Cáqueza. Ese ataque lo dirigía Usarmy, mi novio.

»—¿Usarmy? Bonito nombre.

»—Es que a su padre, que vivía en un barrio de invasión en Bogotá, le gustó cuando lo vio pintado en un helicóptero americano de antinarcóticos que aterrizó cerca de su casa. Quedó impresionado por el aparato, y cuando leyó las siglas, pensó que ése era el nombre que debía poner a su futuro hijo. Luego lo mataron los de la DEA. Ya ve usted...

»—¿Y qué pasó con las imágenes de la televisión?

»—Cuando mostraron a los guerrilleros que habían

matado, allí estaba Usarmy con el pecho acribillado a balazos y el tiro de gracia en la sien.

»—¿Y por eso querías vengarte de mí? ¿Violándome, avergonzándome por ser parte de otro mundo que supuestamente es tu contrario? ¿Escondiendo tu impotencia tras un fusil? ¿Cargando en mí tu enfado y tu miseria?

—¿Todavía sostenía usted el fusil en las manos?

—Lo sostenía, y continuaba apuntándole a la cara. Ni sabía cómo funcionaba ese trasto. —Esbozó una sonrisa desvalida—. Poco a poco, Laura se me hizo más nítida en las tinieblas.

»—No me lo dijeron. Nadie me avisó. Tuve que enterarme por el maldito televisor. —Volvía a llorar—. Mi comandante, en vez de darme la noticia, me obligó a bajarme los pantalones en el río y a dejarle que se viniera sobre mí. Por eso quería matarlo. Sé que su misión es intervenir en favor de las conversaciones de paz. Quería matarlo para que todos se jodieran y este país termine de irse al chorizo, a ver si de una puta vez hay alguien que gane o alguien que pierda y salimos de esta embarrada de tantos años. —Intentó componerse—. Ya hemos contado demasiados muertos en esta guerra eterna.

»—No entiendo todavía por qué pretendías hacer el amor conmigo. Sabías que era imposible.

»—No quería tirármelo. Ya le he dicho que quería matarlo. No contaba con que usted iba a ser tan berraco. Creí que como cualquier curraca se iba a negar en redondo... y con ese pretexto me lo iba a bajar. Pero cuando empezó a empelotarse y a hablarme, me di cuenta de que usted era cuento y aparte... Me entró un culillo tremendo.

»—No tenías permiso de tu comandante, ¿verdad?

»—¡Coma mierda...!

Cogió su fusil y salió pitando. Las últimas voces se apagaron con el fuego.

—Me hubiera gustado ayudarla. Estaba vuelta una nada. Permanecí dos días más en el campamento, pero no volví a verla. Es difícil conocer los complicados vericuetos a los que llevan el amor y la muerte cuando van de la mano.

—Es difícil... Tanto como separar el alma de Calamarí y el de la Colombia actual. —Miré el vaso con el hielo granizado, y en las últimas gotas de tamarindo, intensas, traslúcidas, estaban los ojos de Lorenza. Me vinieron a la mente unos versos que aprendí en un pequeño libro escolar de mi madre con manidas páginas de papel biblia, el autor, Gutierre de Cetina, y su título, escueto, *Madrigal*: «Ojos claros, serenos...».

La relación entre Francisco y Lorenza, durante más de dos años, se llevó a cabo con nocturnidad y alevosía, con la misma profundidad que los crímenes pasionales. La costa, desde Calamarí hasta la Guajira, era vergel suficiente para regarlo de amores. Cada noche se produjo el encuentro entre los amantes. Cada noche coincidieron en horas furtivas. Cada noche se milimetraron la piel. Cada noche el sargento, ascendido a rangos principescos, acudió en su caballo a liberar a la mujer —no creo que evocara el término «princesa»— secuestrada por el dragón. Cada noche... menos los viernes. Los viernes el dragón despertaba, y la princesa, convertida en una de sus discípulas, lo complacía con sus danzas y rituales mágicos.

Pocas veces se vieron a la luz del día. No porque tuvieran intención de ocultar su relación, más bien los quehaceres diarios no les permitieron acordar citas diurnas. Si alguna vez lo hicieron, se sonrojaron al verse.

Cuando Francisco tuvo conocimiento, fortuitamente, de que Lorenza sabía leer y escribir, sólo dejó escapar una trémula mueca de indiferencia. «¿Servirá eso de algo?» Ella le dejó saber lo que debía, y ocultó herméticamente los demás secretos: el pergamino y las veladas rociadas de sangre de gallo. Él nunca la interrogó. Estaba bien que una vez a la semana la mujer se entregara a sus cultos religiosos, sin sospechar de qué tipo, y que el hombre recorriera las tabernas del puerto haciendo honor al uniforme, narrando batallas inexistentes a las boquiabiertas pelanduscas, quienes fingían sorpresa a cambio de alguna moneda y un trago de fantasías.

Como los pinos que nacen torcidos y en algún momento se juntan para buscar la verticalidad, Francisco y Lorenza lograron darse el apoyo necesario en aquel bosque de incertidumbres luctuosas.

Catalina de los Ángeles había sugerido a la niña Lorenza trasladar a Margarita al interior de la casa. Entre las dos arrastraron el desfallecido cuerpo de la mulatona hasta la habitación que antaño ocuparan las mestizas.

—No me escondan mucho, a lo mejor no me encuentra La Mojana —había bromeado la esclava.

Pero la muerte la encontró rápido, gracias al rastro marcado por Lorenza desde el chamizo derruido hasta el cuarto del patio interior.

—Tengo algo que confesarte —dijo a su aya.

—Dime, niña. Es lo único que ya puedo hacer por ti, escucharte.

—He conocido un hombre.

—¿Blanco?

—Blanco.

—¡Ay, mi amor, qué dicha tan grande! Cuánto siento no poder levantarme a abrazarte. Mi diosito, cual sea, te colme de bendiciones. Fíjate, ahora que soy libre y no tengo a quién servir, estoy esclava de mí misma, de estas carnes cansadas. En verdad me regalas una tranquilidad muy grande. —Se quedó mirando el reboque de las vigas, donde la humedad permitía florecer verdes lamparones de moho—. De haber vuelto, no sé si hubiera podido engañarla otra vez.

—¿A quién?

—A nadie, mi niña, a nadie... Pero ¿me vas a decir cómo es?

Y Lorenza le contó, y le contó, y le contó como sólo se atreve a contar una mujer enamorada. Poco después se oyeron los cuatro golpes en el aldabón, contraseña pactada para avisar la llegada de Francisco. Catalina de los Ángeles, cómplice devota, abrió el portón e indicó con la mano al soldado que entrase sin hacer ruido. Lo llevó ante la presencia de su amiga-ama, incorporada junto al camastro de Margarita, que se había dormido en la recámara iluminada por la Luna.

—¿Os sucede algo? —preguntó el soldado en voz baja.

—No. Sólo quería que conocieras a mi aya antes de su partida.

—Por el estado en que la veo, no creo que tenga intención de ir muy lejos.

—No son oportunas las burlas.

—Perdonad. ¿Qué me queréis decir entonces?

—Que se va para siempre. La muerte ya viene por ella.

—¿Cómo podéis saberlo?

—Yo misma la avisé esta tarde.

—No os comprendo.

—Ya lo sé. Es difícil de entender. Sólo quería que la vieras. Ha sido mi segunda madre, mi amiga y mi maestra.

—Suerte que tenéis. Habéis tenido dos madres, yo ninguna.

—Así tampoco tienes fantasmas.

—¿A qué os referís?

—A los vacíos que dejan cuando se marchan.

—¿Y si todo lo que tienes es un gran vacío?

—Habrá que hacer lo posible por llenarlo.

—¿Con qué?

—Quizá con estrellas. —Lorenza miró por el ventanuco a los pies de la cama—. ¡Mira cuántas! Me inquieta tanto lo que dicen.

—La primera vez que os vi, también las nombrasteis.

—Me dicen cosas.

—Cosas... ¿como cuáles?

—Cosas que pueden pasar. Como de ti y de mí.

—¿Y qué dicen de nosotros?

—Eso es precisamente lo que me azora. No son claras. Saltan. Saltan de un lado para otro, pero no concluyen nada. Habré de ser paciente.

—La paciencia es la madre de la ciencia.

—Anda, déjate de refranes y vamos fuera. —Lo empujó revoltosa.

Margarita entreabrió el rabillo del ojo y dejó en la boca un rictus de conformidad.

—¡Atrás, negros ladrones, hijos de Satanás! ¡Todo es mío, mío, y conmigo viajará a España, lejos de vuestras sucias manos! —gritaba el abate desde sus confines.

—No le hagas caso. —El sargento había echado mano a la empuñadura—, es el tío Luis. Ya te he contado que está medio loco. No ha vuelto a salir de su habitación, incluso tenemos que dejarle la comida en la puerta. Ni siquiera sale para hacer sus necesidades. Piensa que los esclavos entran en su recámara a robarle los tesoros. Pero los esclavos, como te das cuenta, se fueron hace tiempo. Ahora le ha dado por gritar que parte a España... Será el último de mis grandes fantasmas.

Antes de irse, Lorenza encargó a Catalina la vigilancia del canónigo y, sobre todo, el cuidado de la enferma.

—No se preocupe, niña Lorenza, la cuidaré bien. Vaya tranquila.

No quería presenciar la llegada de la muerte. Se lo prohibía el recuerdo del manto cubriendo a su madre en la orilla del mar. Cabalgaron al abrigo de la playa, y a lomos de un caballo tordo trataron de comunicarse en el silencio. Retardaron la vuelta lo más posible, hasta que se hizo inevitable.

—Niña Lorenza, se fue sonriendo, despacio, muy feliz —anunció Catalina de los Ángeles cuando regresaron al despuntar el alba—. No debe llorar, niña. Margarita me dijo que no lo hiciera, que nunca la dejase estar triste.

—¿Pudiste hablar con ella?

—Claro; la acompañé hasta el claro de la selva..., usted ya sabe dónde. Allí se despidió. Estaba rejuvenecida, como si la muerte le hubiera llenado el cuerpo de vida. La Mojana la envolvió con su manto y la metió en el tronco de la ceiba grande.

—Francisco —dijo Lorenza—, es mejor que te vayas. Debo subir a comunicarle al tío que ya no queda nadie.

Cuando se quedaron solas, Catalina sacó del bolsillo un collar de cuentas azules y naranjas, y se lo dio a su ama.

—Margarita me pidió que se lo entregara.

—Sus amuletos...

—Ahora son suyos, niña Lorenza, el poder de los loas, su herencia.

Se colgó los abalorios al cuello y atravesó la finca hasta el claro de la selva. Abrazó el tronco de la ceiba grande. Una intensa y cálida energía le recorrió el cuerpo. La madera se humedeció con su llanto, fue una con la manigua.

Al alejarse, el árbol también lloraba. Hilos de agua surcaban la corteza hasta esconderse bajo la tierra, donde se mezclaban con las lágrimas de Lorenza.

—Don Luis está muy inquieto. Ha tirado la bacinilla por la ventana y ha roto los vidrios. Amenaza encerrar a los esclavos en la casa y prenderla fuego con ellos dentro. Dice que así partirá tranquilo a España —advirtió asustada la mandinga al divisar a su ama en el patio nuevamente.

—Pues habrá que hacer de tripas corazón. No será el mejor momento, pero hay que avisarle tarde o temprano. Voy a subir... —dijo resignada mientras se limpiaba la cara.

Al escuchar el crujido de los escalones, el clérigo comenzó a gritar. Presentía el grupo de negros en otra intentona de asaltar su baluarte.

—¡Vade retro, maleantes! Si osáis tirar la puerta abajo, os ensartaré en esta espada de buen acero toledano, que así no tenga práctica en las lides de la esgrima, me bastará un poco de empeño para estocaros de parte a parte... ¡A mí la guardia del Señor! ¡Suenen las trompetas del Apocalipsis!

—Abra, tío. Soy su sobrina. —Golpeó con los nudillos.

—¿Qué sobrina? No tengo sobrina alguna. Sois ilusos si pensáis engañarme con tan pueriles añagazas.

—Soy Lorenzana. Abra, por favor. Tengo urgencia de hablarle. Algo grave ha sucedido.

—No conozco ninguna Lorenzana. Vaya con Dios, señora. A propósito, dígale a su marido que me debe tres odres de vino —desvarió.

—Don Luis, justamente vine con tal propósito —pensó rápido la argucia—. Aquí le traigo la plata.

—Entonces podéis seguir, el dinero nunca ha sido mal recibido en esta casa.

El abate corrió la tranca y sollozó tímida la puerta de doble hoja. Lorenza asomó la cabeza, prevenida. Se introdujo con un pasito corto, tratando de evitar sorpresas. El cura estaba de pie en un rincón junto a la cama, el colchón herido de muerte, rebosando lana por los cuatro costados. La sotana raída tenía más huecos que color, y el aspecto lacerado del doctrinero hacía parecer que verdaderamente se hubiera dedicado a las labores propias de su título. La muchacha tuvo que taparse la boca y la nariz con las manos, porque los efluvios pestilentes intentaban meterle los dedos por las fosas nasales y la garganta para vaciarle el estómago. Don Luis permanecía firme, empuñando un palo, el mismo que hacía un instante pasaba por distinguida espada con forja y sello toledanos.

—Lorenzana, ¿por qué no me dijiste que eras tú? —Sorprendentemente recobró algo de cordura.

—Venga, tío. Salga un momento.

—¡Por Dios, sobrina! Esos malandrines deben estar al acecho.

—No, tío, no. No hay malandrines, ni esclavos, ni ladrones... No hay nada más que ruinas. Ruinas por todas partes.

—¿Ruinas?

—Asómese al corredor.

Lorenza se apartó para dejar salir al abate. Se destapó la boca y la nariz cuando el hedor guardó las manos en los bolsillos. El desencajado esquizofrénico tardó un buen rato en pisar el balcón. Detrás de él salieron, con igual desconfianza, los ogros de su entendimiento. Examinó los restos de la casa con solemnidad. No interrogó a Lorenza. Se limitó a preguntar por Margarita.

—Murió anoche.

Dio un respingo, como si algo le hubiera pinchado dentro. Se giró, volvió al cuarto, y antes de cerrar dijo: «Me voy a España. Pero antes, te dejaré organizada». La frase sorprendió a la muchacha, pero hubo de ponerla en remojo.

El tío Luis no volvió a recluirse. Mandó subir una palangana con agua. Pasadas unas horas apareció en el patio de los esclavos, afeitado y con sotana limpia. Entonces se dieron cuenta de lo flaco que estaba, chupado, pero con el vientre abultado en exceso. Parecía el cura badajo de la sotana. Caminaba encogido, seguramente por causa de algún dolor intestinal.

—Volveré pronto. —Hizo un gesto de «hasta luego» con la mano y salió a la calle.

Francisco seguía golpeando el eslabón cuatro veces cada noche. Sin embargo, la tristeza se desparramó sobre la vida, y espesó con la noticia de un posible traslado del sargento mayor a la vecina población de Riohacha.

—Hoy te corté una flor en el camino. —El soldado la ofreció a Lorenza.

—Es una adelfa.

—No sé mucho de plantas.

—Esta flor se convierte en un fruto venenoso.

—No lo sabía. Disculpad si es considerada mala hierba. Me llamaron la atención sus colores.

—La has cortado a tiempo. Aún sigue siendo una bella flor.

—Cómo se van enredando los personajes por ahí dentro, ¿no le parece? —dije al padre Ferrer cuando volví a sentarme después de tirar el vaso del raspao en una caneca.

—Sí... Los va uno interiorizando, sin querer, haciéndolos propios, familiares.

—Me ha dejado usted hecho polvo con lo de la muerte de Margarita. Creo que le iba tomando cariño.

—¿Tanto como a Lorenza?

Me apabulló el interrogante. ¿Había demostrado en alguna oportunidad un síntoma incontrolado que desvelara mi inquietud por ella? Traté de rescatar uno, pero no lo encontré. Ni siquiera estaba celoso de mi antepasado. ¿Cómo podía estarlo, si todo aquello era una excavación de arqueología espiritual? Algo se movía en el subsuelo de sus palabras.

—A veces los pinos se cruzan. Tras la ayuda mutua, cada

cual sigue su ascenso hacia las nubes, con la misma dirección, aunque por rutas diferentes. —El sacerdote observaba por encima de mi hombro el Palacio de la Inquisición.

A los ocho días del mes de noviembre de mil y seiscientos y diez años, en la antigua Casa de la Inquisición, la misma donde Lorenza se encontraba años atrás con Domingo del Señor antes de ser ocupada por los hermanos del Santo Oficio, el negro Juan Lorenzo, «*hechicero, brujo, sortílego herético y cómplice de la dicha doña Torenjana de Acereto*», rendía declaración ante el Tribunal. El inquisidor general había bloqueado el sol de las cuatro de la tarde cerrando las contraventanas de la sala. Una fina raya de luz caía sobre sus manos y el resto de la mesa, partiéndola en dos. El reo sólo alcanzaba a vislumbrar en las tinieblas los ojos inescrutables del dominico. El escribano había comenzado a redactar el testimonio:

Dixo que por el año de mil y seiscientos y cuatro, tratando este deshonestamente con Juana de Hortensio, por otro nombre la Colorada, fue a verla y la halló vaylando en cassa de Elena de Vitoria una noche, y con ellas muchas negras y algunas blancas, y llamando a la dicha Juana de Hortensio, le preguntó qué vayle era aquel y la susodicha le respondió que se estava entreteniendo y, entendiéndolo la dicha Elena de Vitoria, y las demás que allí estaban, salió de entre todas y habló con éste y le dixo que en todo lo que hubiese lugar le avía de servir allí y viéndose éste otra noche con la dicha Juana de Hortensio y hablando acerca de los bayles que se hacían en cassa de Elena de Vitoria, le confesó la dicha Juana de Hortensio que todas cuantas allí acudían eran brujas. Y ella también lo era, de lo que éste se escandalizó y la riñó mucho y después, passados algunos días, llebado de la curiosidad de saver lo que después pasaba en aquellas juntas, le dixo a la dicha Juana de

Hortensio que le avisase en qué noche se juntaban para sus brujerías, que le avisase, que quería yr a verlas y la susodicha le manifestó que los viernes en la noche se hacían en los mançanillos de la ciénaga, xunto a la ceiba grande del claro y, avisado de esta forma se fué un viernes en la tarde a cassa de la dicha Elena de Vitoria y hallando a esta negra sola en el portal, le dixo que quería hallarse en una de las juntas de las que hacían y que venía para aquel effecto y la susodicha le respondió que se fuese acia los mançanillos de la ciénaga, lo cual hizo éste y llegaron casi todos y este rreo a un tiempo como a las nueve horas de la noche, poco más a su parecer, y, estando éste apartado, le llamó la dicha Elena de Vitoria y le dixo que llegase y éste llegó. Tomándole la mano la dicha Elena le llebó a una parte donde estaba un trono negro muy sumptuoso, debaxo del cual estaba Lucifer, muy feo y abominable, con forma de negro enorme aviado de vestiduras obispales. A su lado avía otras muxeres, entre ellas doña Lorençana de Acereto, que ví en primera vez y me turbó la mente su hermosura, y destacava sobre todas las negras que allá avía. La dicha Lorençana tenía gran poder entre todos. Sus vayles fueron muy alavados de los otros, y el diablo regocijose mucho en ello. Luego la dicha Elena de Vitoria le dixo a Lucifer: aquí te traygo un discípulo más que quiere ser tuyo y de su gremio, a que rrespondió el dicho Lucifer, con una voz ronca, como si pusiera la mano en la voca, que fuesse en hora buena, pero que para ser suyo avía de rrenegar de Dios y de sus sanctos y de la Virgen Nuestra Señora y del Bauptismo y chirsma que avía recibido y que le avía de reconocer por su Dios y Señor poderoso para salvarle y darle la gloria y muchos bienes en esta vida y éste, llebado de la codicia de lo que le avía prometido el diablo, creyó todo lo que le avía dicho y hizo el rreniego en la forma siguiente: Puesta a su lado la dicha Elena de Vitoria, como su madrina, y este rreo puso la mano yzquierda sobre la del diablo y dixo: Yo,

Juan de Lorenzo, reniego de Dios y de sus sanctos y de la Virgen María Nuestra Señora y del bauptismo y chirsma que he recibido y reconozco a tí, por mi Dios y Señor poderoso para salvarme y darme la gloria y muchos bienes en esta vida; con lo cual se apartó de la ley ebangélica de nuestro Redemptor y Salvador Jesuchirsto y se pasó a la maldita secta de los brujos, creyendo, como creyó, salvarse en ella y ser la buena para la salvación, no obstante que supo y entendió que la una era la contraria a la otra. Y acabado el dicho reniego, le dió por compañero a un diablo llamado Taravira, el qual estaba en figura de hombre enano, vestido como yndio, el cual le mandó hazer una cruz en el suelo con el pie yzquierdo y que la borrase con el trasero y éste se acussa lo hizo según que se lo mandó el dicho diablo. Luego el demonio llamó a su altar a la dicha Lorençana, y le dixo por qué era su idea de volar, a lo que dixo que su amado avía sido llevado al Rio de la Hacha, que era soldado, y el vuelo en escoba la llebaría a su lado. El diablo alavó que le servía bien, y para darle ese don devía conocerla carnalmente, a lo que la dicha Lorençana dixo no estar dispuesta y que su doncellez tenía amo, y luego el diablo la apartó en paz, y ella vayló desnuda del lado de la ceiba grande con los otros en forma distinta sin dejarse conocer de nadie. Con candelillas en las manos andubieron baylando al rededor de un cabrón, al qual le vesaban en el trasero y esto lo hiço el rreo al dar la buelta, como los demás y luego pussieron unas messas para cenar y cenaron y éste alcanzó un bocado de arroz sin sal y desabrido y, apagadas las candelillas se juntó éste con su diablo y lo tomó por el vaso trasero, conociéndole, una vez acabado lo cual se volvieron a sus cassas y declara que cuando se juntó con su diablo Taravira, y le conoció por detrás tubo mucho gusto en él, más que si estubiera con una muger.

—¡Cómo se lo pasaría el enano; y cómo sufriría la pobre cabra! Aquellos diablos querendones de Calamarí, definitivamente, eran muy divertidos. Auténticos compadres de don Cleofás, el Diablo Cojuelo, quien perfectamente hubiera podido husmear tras las esquinas de esta ciudad —exclamó el padre Ferrer—. A la larga, acababan ofreciendo sus favores por un plato de comida, un conocimiento carnal, y hasta por el simple orgullo de reclutar adeptos. No eran como los europeos, que de entrada exigían el alma. Pero fíjate cómo la doctrina católica desplazó a la africana, al principio mezcladas, y poco a poco venciendo una sobre otra. Los loas sucumbieron ante los diablos menores, las mambo ante las madrinas, la sangre de gallo ante el arroz sin sal. Los mismos curas, con sus ideas premeditadas sobre los ritos satánicos, a fuerza de machacar la conciencia de sus catecúmenos, terminaron causando el efecto contrario al pretendido. Los africanos, acompañados ya de muchos blancos, asumieron las formas del ritual demoníaco que tanto exaltaban y hacían temer a los doctrineros. Lorenza, a pesar de tener algo más de educación, no era menos ignorante que los demás, por eso asumió también las modas que iban imponiéndose en las juntas. Huyeron sus espíritus negros, sus ídolos indios, y dejaron el espacio libre a las supersticiones blancas, a las oraciones improbables, a los filtros inútiles... a la necesidad de calar en una sociedad absurda para alejar las soledades.

En pie, caminamos por la calle de los Santos de Piedra en dirección al Santa Clara, huyendo del bullicio de la Plaza de Bolívar. Al pasar frente a una oficina de Adpostal, el padre Ferrer paró y me dijo: «Mensajero. La palabra *nuntius* significa "mensajero"».

Aunque sabes leer, no creo que mis cartas puedan llegarte a las manos. Entre otras cosas, porque no tienen cuerpo. Yo diría que ni siquiera existen. Las palabras son palabras, extintas y poderosas, como los dioses de antaño. Por si acaso, escribo y leo en voz alta asomado a la ventana. Debemos obedecer al tiempo. ¿Quién eres, Lorenza, tan lejana y tan mía? Ahora tengo la oportunidad de adormilarme en el vuelo de las golondrinas, les ruego que te entreguen, si te encuentran, las pocas palabras que puedo colgar en sus alas. ¡Mis fieles mensajeros!

Extraño es el conjuro por el cual me dominas. No tengo motivos para haberte seguido hasta el pasado. No tengo disculpas por no haberte rodeado sin despeñarme en tu impalpable corazón. No entiendo el poder que me incita a enamorarme de mis propias creaciones, si no eres más que eso. Sé que existes, aunque no tengo claro si estás dentro de mí porque te imagino a mi manera y te me escapas, o vienes desde fuera y te atornillas en mi pensamiento como la única idea perfecta del amor. ¿Me estás llamando, o lo estoy haciendo yo?

Desde el traslado de Francisco, Lorenza sumergía la soledad en estratégicas incursiones a la alta sociedad cartagenera. Buscaba alternativas que la acercasen a la posibilidad de manejar el destino de su amado. Era fácil arrimar su mágica reputación a las aburridas españolas, hartas del misal y la mantilla, ávidas de adentrarse en esotéricas aventuras que las transportaran a la gloria, o simplemente lejos del marido, sin reparar en los medios empleados para conseguir el cometido. Además de beata, como imponían las iletradas novedades, había que ser bruja, o al menos, si la estrecha vigilancia del esposo lo permitía, hechicera. Y nada mejor que la proximidad de la famosa Lorenzana, educada, bañada en las mejores artes nigrománticas, según rezaban las malas lenguas, para ostentar ante el vecindario el preciado y oscuro calificativo. Una bruja blanca, como ellas.

La esclava de color Elena de Vitoria acaudillaba a todas las morenas de Calamarí; era reconocido su dominio sobre la legión de brujas negras. Bárbola de Esquivel, esposa del gobernador de turno y ama de la Vitoria, había conseguido iniciar en las prácticas de su fámula a un nutrido grupo de amigas, tan carcomidas por la incultura y los años como ella. «Tú no sabes, mijita, lo que es tener a los cincuenta un negrote de esos encima.» «Imagínate, desde que aprendí la Oración de la Estrella, el capitán de la guardia muere por mí.» El negro Juan Lorenzo no era el único hombre adepto a los ritos prohibidos. Sin embargo, blancos, varones, no había.

Lorenza, heredera de la mambo grande, Margarita, tenía el respeto de las negras y la admiración de las blancas. En ella el poder, la libertad, el miedo, la belleza, el modelo, la envidia, el fanatismo, el descanso, la fama, la magia, el sexo, el amor, las oraciones, el consuelo... el consuelo.

Antes de acudir a la cita programada con doña Bárbola, Lorenza leyó con dificultad una carta sellada en el cuartel de Riohacha. Por encargo del sargento mayor Santander, el cabo Pedro José Meneses, con borracha caligrafía, «tomaba atrevimiento de escribir al dictado de su superior». Aparte de las gastadas fórmulas amatorias que seguramente había reclutado de entre todos los compañeros, dos párrafos captaron su atención. Uno decía: «Respecto a vuestro encargo de averiguar el significado de la palabra *nuntius*, el cual no pude cumplir por mi presurosa salida de Cartagena, he de comunicaros que gracias a la benevolencia de mi buen amigo el padre Vanegas, capellán del acuartelamiento, la susodicha palabra se traduce al castellano por *mensajero*. Espero haberos servido en vuestros alocados deseos». El otro, en mano más alcoholizada y por tanto peor escrito, rezaba: «Acaba de acariciar nuestros oídos el inspirado vate, horror de musas y demás féminas, pero buen declamador, Diego López de Ortuño, con un madrigal que habla de ojos y, escuchándolo, me han sugerido los vuestros. Por ello he solicitado al cabo Meneses que lo copie para vuestro disfrute, y sentid, así yo lo quisiera, que os lo digo rendido ante vuestra persona:

> *Ojos claros, serenos,*
> *si de un dulce mirar sois alabados,*
> *¿por qué, si me miráis, miráis airados?*
> *Si cuando más piadosos*

más bellos parecéis a aquel que os mira,
no me miréis con ira,
porque no parezcáis menos hermosos.
¡Ay, tormentos rabiosos!
Ojos claros, serenos,
ya que así me miráis, miradme al menos.

—... ya que así me miráis, miradme al menos —yo mismo terminé de recitarle al padre Ferrer los versos del madrigal.

Otra vez el estupor se me había trepado al rostro. No podía creer que Francisco Santander, mi antepasado, enviara en su carta el mismo poema que yo acababa de recordar minutos antes en el color del tamarindo. ¿Por qué, entre los millones de poesías que campean por nuestras letras, la de Gutierre?

—Me alegra que lo conozcas —aplaudió el sacerdote—, es uno de los poemas más bellos que se han escrito. Su autor falleció en 1560, poco antes de que Lorenza viniera al mundo.

—¿Está seguro de que ése era el poema, justamente ése, y no otro?

—La carta está conservada en el Archivo Histórico Nacional de Madrid. Cayó en manos de la Inquisición y fue adjuntada al proceso. Conseguí una copia. Te la mostraré en mi despacho cuando tengamos ocasión.

Lorenza se escondió en el cañaveral para cotejar las formas de los versos de la carta con los del pergamino. Eran iguales. Lo del manuscrito, como dijo su madre, debía ser un poema, así estuviera escrito en latín. Y ya tenía la primera palabra: mensajero. Memorizó tres más para destaparlas a la primera oportunidad: *Cometes, coniuratio, sanguis.*

Cuando llegó a casa del gobernador, doña Bárbola esperaba abanicándose la egolatría, acompañada en la sala por doña Ana María de Olaneaga, órgano difusor por excelencia de los acontecimientos ocurridos tras las herméticas paredes de la ciudad, e invaluable canal para dar a conocer cuanto chisme interesase circular en las reuniones. Dicho de otra manera, una cotilla sin parangón, o quizá, la primera periodista social de Calamarí.

La jetona y descarada Elena de Vitoria merodeaba felina el perímetro del salón, temerosa de las artes de la bruja blanca. Tras un chorrero de banalidades, capoteadas por Lorenza con riguroso aburrimiento, la conversación dio un brinco al informar doña Ana María sobre la estupenda noticia que la jornada anterior había sorprendido a la distinguida sociedad cartagenera: «El escribano está dichoso, celebrando por las tabernas el acuerdo cerrado con don Luis».

—¡Estaréis contenta! No todos los días se pesca un mozo como Andrés del Campo, tan distinguido, tan galante y... tan rico —ironizó doña Bárbola.

—¿De qué me están hablando? —se asustó Lorenza.

—Mijita, no vengas a decirnos que no estás enterada de tu propia boda... —Arqueó las cejas doña Ana María, plegó el abanico y se ufanó al haber cumplido la tarea de informar a la desconcertada jovencita sobre el cambio ineludible que iba a producirse en su vida.

Las urracas colmaron a la invitada de felicitaciones. Secundadas por el interés de ganar su confianza, la esposa del mandatario le prometió como regalo «un vestido de gran señora, confeccionado en Barcelona con las mejores telas, para que puedas quemar esos andrajos de esclava y entres en la nobleza por la puerta grande. Ahora vas a ser una de las nuestras». «Aunque la mona se vista de seda, mona se queda», imaginó Elena de Vitoria. «¡Ja, eso quisierais vosotras!», pensó Lorenza.

—Acérquese, Elena —ordenó la anfitriona—. Díganos esa oración de la Estrella que usted sabe. No le vendrá mal a Lorencita aprenderla... aunque ella conoce muchas más. —Bajó la voz en confidencia y echó el cuerpo hacia delante—. Mijita, como ésta, ninguna para domesticar a los hombres —dijo colmada de rancia pillería.

—«Estrella luminosa, linda eres y bella, una merced y un don me has de otorgar, esas dos que a tu lado están, por compañeras te las doy; de la otra parte de la mar iréis; los cuchillos de las cachas negras llevaréis; en el monte Olibete entraréis, tres baritas de cedro negro cortaréis, en la piedra de Satanás las amolaréis, y en la paila de Barrabás les sancocharéis y al corazón de fulano o fulana se las pasaréis, para que se muera por mí, queriéndome bien.»

—No falla. Dile, Ana María, cómo traes a tu capitán... de cabeza, como lo oyes, de ca-be-za.

Lorenza se levantó, dio unas gracias someras arrastrando una excusa, y encaró furiosa la calle de los Estribos al encuentro de su patético tío. «Enloqueció del todo.» Ahora sabía qué estaba pensando cuando dijo aquello de «dejarla organizada». ¿Qué pretende ese cura chanchullero? La había ignorado toda la vida abandonándola a su suerte, relegándola a los confines del olvido. Y de pronto, seguro a cambio de un buen dinero, asume la tutoría embalsamada y la arroja en los brazos de algún cretino que tiene necesidad de comprar esposa. ¿Dónde iban a parar sus amores con Francisco? ¿Dónde la libertad que siempre había disfrutado? ¿Dónde su derecho a tomar las más importantes decisiones?

—Lo siento, Lorenzana. El trato está firmado.

—Y cobrado.

—¡No seas insolente!

—Es la educación que he recibido.

—No me interesan tus reproches ni tus monsergas. Soy oficialmente tu tutor, y por tanto, puedo disponer de todo lo que te convenga.

—¿Sin consultarme?

—Cuando cumplas veinticinco años tendré obligación de consultarte. Mientras, harás cuanto se te ordene. La boda será en diez días.

—Va usted a casarme con un desconocido al que no deseo.

—Tiempo tendrás de conocerlo... y de desearlo.

—Pero yo amo a otro hombre. Un hombre al que he

entregado mi amor. Un hombre por el que fui desdoncellada —se arriesgó.

—Eso tampoco es problema. La remiendavirgos puede componerlo. Se acabó la discusión. Tú te casas y yo me voy a España con viento fresco.

Una brisa gélida cruzó la estancia.

Nada pudo hacer Lorenza para impedir el matrimonio. Las leyes daban la razón al canónigo. Aprendía por momentos la necesidad de colarse por debajo de los códigos, de esconderse detrás de los manuales.

El regalo que le dio el abate fue la esclava Catalina de los Ángeles. «Para que te sirva.» «Ya... una esclava sirviendo a otra.»

La ceremonia se celebró en la catedral, «donde se casan los ricos». Previamente Lorenza había recurrido a las cautivas para averiguar sobre la integridad de su futuro cónyuge. Integridad hipotética, derrumbada con facilidad por el ariete informativo de las confidentes. Niñato de buena familia salmantina, apuesto, codicioso, acaudalado y aventurero, entre los mejores adjetivos. Rijoso, asaltacamas, borracho, fullero, tramposo y pendenciero, entre los peores. Hábil extorsionador de los incautos que por desgracia aparecían inculpados en alguno de los papeles que debía notariar en su calidad de escribano. Cizañero contrincante, mal enemigo, peor amigo. Se debía, por ser vos quien sois, a su fortuna, al vino, a las mujeres, y muy de vez en cuando, al trabajo. Trabajo que normalmente le resolvían los subalternos.

Si el opíparo estipendio recibido por la boda con la de Acereto era acompañado, como pregonaban, por la hermosura de la mercancía, nunca se vería igual de chispeante al escribano por haber firmado tan lucrativo negocio.

La novia, el día de la boda, vestía el traje obsequiado por doña Bárbola de Esquivel. La cacatúa, ufana, aireaba desde el primer banco las migajas de su inmodestia con el abanico. Lorenza buscaba desde el altar su coro de esclavos, sus amigos, sus fantasmas, algo que le fuera conocido, que le devolviera una pizca de cuerda realidad. Pero estaba sola, sola como siempre... sola como nunca.

Bajo las finas telas había escondido sus collares, de vez en cuando los acariciaba con disimulo. Se fijó en las miradas de los Cristos, vírgenes y santos, y observó que la observaban con misericordia, como no lo habían hecho antes. ¿Por qué el miedo se disfrazaba de ternura?

Por fin reparó en el novio, bajito, de buena planta, debía acercarse a la treintena. A simple vista el hombre parecía inocente; sin embargo, estaba prevenida por las bocas de sus negras. Cautivador, no era raro que se hubiera convertido en el niño mimado, el juguete, de aquellas momias enmantilladas que suspiraban celosas en las primeras filas.

El obispo Juan de Ladrada celebró el sacramento. La novia evadió los latinajos como pudo, luchando contra ellos con gratos recuerdos, con fuego. En mitad de la ceremonia el obispo le tocó el brazo para que dijera «sí». Dio un «sí» mecánico, carcelario, digno de la ocasión. El novio lanzó un «por supuesto» exorbitante. La belleza de la muchacha era más de lo que podía esperar. «¡Qué luna de miel me aguarda, vive Dios!» «Este imbécil va a pasar la noche a dos velas.»

Una pirausta sobrevoló la llama de un cirio y, persiguiendo su vuelo, ella se despidió de una juventud deshilvanada, próxima y a la vez remota. Don Juan de Ladrada les bendijo. «Puedes besar a la novia.» Lorenza apartó los labios, y tras recibir el beso en la mejilla, le susurró al oído: «Lejas casas de mí estás. Criados tienes y no me los envías, yo los tengo y quiérotelos enviar. Tres galgos corrientes, tres liebres prudentes, tres diablos patentes». Advertido quedaba. Un sudor frío le corrió a Andrés del Campo por la espalda. «¡Vaya con la hembrita! Ni en la casa del Señor guarda los conjuros. Pues bruja o hechicera, a ésta la domestico yo con la correa, así tenga que romperle trescientas en el lomo.»

Lorenza disimulaba a duras penas el dolor que le causaban los trabajos que la noche anterior le había realizado la remendera entre los muslos.

—Aguantará. Tu marido va a tener que meter los riñones para derribarlo. Si te duele un poco, sufre. Debe haber sangre para que no sospeche.

El tío Luis no estaba entre los invitados.

Catalina de los Ángeles lloró con la novia... de tristeza.

Andrés del Campo no permitió que su esposa llevara al nuevo hogar las túnicas de esclava ni sus antiguas pertenencias.

—Desde hoy te vestirás como una dama. Serás digna de portar mi apellido y de pertenecer a una de las familias de mayor tradición en las Españas. —Le arrancó los abalorios del cuello y los arrojó al suelo delante de todo el mundo.

Miles de cuentas llovieron por las escaleras del altar, ruidosas, perdidas. Ella congeló la impotencia en los dedos apretados contra la única cuenta que pudo retener.

Catalina de los Ángeles, alertada por la desaparición del canónigo, volvió a la casa antes del banquete. La puerta de la recámara estaba con el tranco corrido. Llamó varias veces sin obtener respuesta. Angustiada pidió ayuda a los vecinos, entre ellos, el médico Gaspar Nuño. Empujaron los batientes hasta que cedieron. Allí estaba don Luis, sentado en la bacinilla, tieso como la mojama e inflado como un balumbo. El último pliego de la capa de la muerte resbalaba hacia el exterior en el marco de la ventana abierta. Lo examinó el galeno. «Acaba de fallecer. Este hombre llevaba por lo menos tres meses sin cagar. Ha muerto envenenado en sus propios excrementos.»

—¿Francisco no hizo nada?

—Cuando Francisco recibió noticias de Lorenza, ya era la esposa del escribano.

—Supongo que montaría en cólera.

—No lo sé; estoy por afirmarte que lo dudo. Después de conocer los hechos, tu querido antecesor tardó bastante en volver a Cartagena.

La fachada del hotel truncó la conversación, pero no he podido olvidar el tono rabioso con que el padre Ferrer pronunció la última frase.

Nos despedimos. Subí a mi habitación inquieto. Antes de

coger mis cuadernos reparé en el teléfono. Caí en cuenta que aquel aparato podía conectarme con una existencia paralela. Hablé con mis padres. No les expliqué nada de mis incursiones en el pasado. Más bien me limité a comentarles las típicas turistadas del hijo que marcha de agradables vacaciones, así no comprendieran todavía qué interés podía imanarme en aquellas tierras de antepasados. «¿Qué narices habrá perdido allí Alvarito?» Los dejé tranquilos.

Tomé mis apuntes, ávido de encontrar en ellos una parte de Francisco Santander. Allí estaban, con mi letra, muchos de sus pensamientos. Ojos claros, serenos...

4

Tuvo la habilidad de embriagarle las intenciones al esposo. «¡Esposo... maldita sea mi sombra!» Unas cuantas triquiñuelas no exentas de forzada coquetería, y vino, mucho vino, habían sido suficientes para dormir las nupciales intenciones del escribano, deseoso de caer entre los muslos de su mujer, tal como lo expresara a los amigotes durante la celebración. Todos ellos estuvieron de acuerdo que la mujer debía ser una dama en la casa, una esclava en la cocina y una puta en la cama. Por ello brindaron. Por ello... y por las piernas de Lorenza.

Salvó la primera noche. De todas formas no pudo conciliar el sueño, acongojada por la angustia; triste, muy en el fondo, por la muerte del tío Luis; aterrada por la vertiginosa carrera que acababa de pegar su destino; incómoda por el cuerpo de un hombre sudoroso que roncaba a su lado en una cama con sábanas —novedad para ella—, sábanas ajenas, impuestas. «El cuerpo de Margarita olía a frutas. Siempre olía a frutas. El de Andrés del Campo a engaño.» Al amanecer se tumbó en el suelo, sobre la estera, y pudo descansar hasta que el señor despertó renegando contra el dolor de cabeza.

—¿Me porté bien anoche? —preguntó aún dormido.

—A la altura de las circunstancias —respondió Lorenza desde el piso.

Andrés se volteó y, sin determinar la ausencia de su mujer en el lecho, siguió dormitando hasta bien entrada la mañana.

Al desperezarse exigió a voces un caldo de costilla. Lorenza ya se había levantado para inspeccionar la casa. Ayudada por Catalina de los Ángeles conoció a la servidumbre. De las cuatro negras que atendían el hogar le llamó la atención Rufina Biáfora, mulata intrigante, chepuda, agazapada en el rincón de la cocina como un gato. Al principio pensó que era muy tímida. Luego descubriría que era muy peligrosa. Pero aquella mañana no tuvo tiempo de mayores indagaciones; el esposo demandaba el caldo de costilla, y antes de que le partiera la primera de las suyas, agarró la bandeja y corrió.

La casa era oscura y húmeda. De piedra, sin patio, lujosa, recargada de muebles gruesos, las paredes blancas, el techo con vigas de madera, las ventanas escuetas aunque numerosas. Los dos pisos estaban unidos por una escalera con pasamanos de piedra. Abajo la cocina, el comedor, la sala, los dormitorios del servicio y el despacho del escribano, todos rodeando un recibidor al que daba directamente la puerta de entrada. Por la cocina se accedía a un traspatio que igual servía para tertuliadero de esclavos, peladero de patatas o letrina comunal. Arriba un salón de lectura y un cuarto de huéspedes a un lado del pasillo, y al otro la extensa habitación que ahora acogía al matrimonio. Andrés del Campo pensó cambiar la cama, pero al ser de gran tamaño y buena madera se abstuvo de hacerlo (a pesar de los remordimientos de conciencia y del miedo que le producía el hecho de que el colchón alguna vez hablara). Limitó su impulso a quemar todas las sábanas viejas y encargar nuevas.

Según ascendía por la escalera, Lorenza percibió un aire frío; era el miedo acariciándola, el miedo que nunca antes había conocido, el miedo latente, subcutáneo, el que no se ahuyenta con una carcajada. Iba a entrar en la habitación... Pero se arrepintió, llamó a Catalina. La negra subió rápidamente y escuchó con asombro las instrucciones de su ama.

—¿Está segura, niña Lorenza?

—Hazme este favor y sabré recompensarte.

—Pero el señor me va a mandar azotar.

—Toma, esta joya pagará el dolor de los azotes.

—Pero, niña..., si éste es el broche que le regaló ayer la esposa del tesorero... todito de oro.

—Pago con gusto el favor que te pido.

—Ya supongo, niña, que lo está pasando muy mal con todos estos desórdenes; pero no se preocupe, saldremos adelante. Piense que no estamos solas.

«No estamos solas... Quisiera creerlo.» Catalina golpeó la puerta y entró en la recámara. Se acercó mirando el suelo, buscando la estera. Cuando la encontró, metió un pie debajo fingiendo un tropezón. El caldo de costilla, hirviendo, cayó justo en el objetivo. «Al menos tres noches más de esperanza.» A los gritos desaforados del escaldado acudió Lorenza. El escribano, agarrándose las partes nobles, saltaba en la cama alejando con los pies las sábanas chorreantes.

—¡Vive Dios, negra del demonio, que voy a despellejarte la espalda con un alambre de púas! —fue la amenaza más suave.

Y tan ofendido estaba en su orgullo, que esa misma noche, aún sin recuperarse de las quemaduras, en el patio trasero cumplió el castigo. «Ay niña Lorenza, por no dejarse quebrar el virgo cosido me han roto a mí la espalda y ahora también habrán de remendarme.»

Al día siguiente Rufina curó las heridas de la mandinga. Catalina explicaría más tarde a su ama la extraña suavidad con que la enjuta Rufina le había aliviado los dolores:

—Casi no sentía sus manos. Iban y venían sobre mi piel cerrando las heridas con los dedos untados de un emplasto de hierbas. A la vez rezaba a un montón de gente que nunca antes había escuchado. No me atrevo a decir que fueran santos del santoral, porque por los nombres más parecieran diablos. Cuando terminó, la espalda no me sangraba ni me dolía. Luego se marchó con sus hierbas sin escuchar mis agradecimientos y no la he vuelto a ver en todo el día. Aunque un africano vino esta tarde a traer una alquitara y me dijo que la Rufina es gran herbatera y que la tienen de correveidile las grandes brujas de Cartagena. Me dijo también conocer muchas oraciones y hechizos de gran provecho. A una de las negras, Potenciana, le trajo piedra de ara para amansar a su hombre, porque la pega y solivianta mucho.

—¿Quién es ese africano que sabe domesticar a los hombres? —preguntó Lorenza interesada.

—Se llama Juan Lorenzo. Habló de haberla visto bailar en las juntas. Y la admira mucho a usted por su hermosura y saberes.

—¿Y a quién sirve el tal Juan Lorenzo?

—A fray Antonio de Cisneros, del convento de San Francisco.

Lorenza tomó buena nota y le dio un codazo al miedo. Pero no tardó mucho éste en devolvérselo. El escribano salió de su despacho exigiendo la cena. Le dio una palmada a su mujer en el trasero y mandó a la esclava a la cocina, no quería volver a verla.

El matrimonio tomó asiento, cada cual en una cabecera de la mesa, a imitación de los nobles y pudientes que, por no poder, no podían ni sentarse juntos a comer. Lorenza no podía acostumbrarse a los vestidos amplios, tiesos, que debía lucir en presencia del escribano. Se rebullía en la butaca evitando las costuras: la incordiaban tanto como las miradas fijas y líquidas del funcionario. Mientras la esclava más gorda, Potenciana, servía las viandas, Rufina terminaba de colocar los cubiertos. Lorenza persiguió cada movimiento gatuno de la contrahecha, quien, al sentirse observada, colocó el último tenedor y la encaró desafiante. Andrés hablaba sin tregua, nadie le atendía. Lorenza sostuvo la mirada peguntosa de la mensajera de las brujas, hasta que la doblegó. «Estás marcada por el Destino. Alguien te proteja de Él», pareció decirle Rufina sin hablar. Metió el cuello en la chepa y volvió a la cocina.

Tres eran las grandes madrinas en Calamarí: Elena de Vitoria, superior de las brujas negras, así militasen algunas blancas en sus filas, como doña Bárbola de Esquivel o Ana María Olaneaga; Paula de Eguiluz, aunque negra, caudillo de las brujas blancas —nadie, salvo Rufina, podía acudir a sus juntas si no era de piel clara—; y Lucía Tasajo, madrina de las brujas del puerto, blancas o negras y hasta verdes si las hubiera. Todas estaban unidas por una ambición desmedida, unos malos amores, el libertinaje, la concupiscencia... y por Rufina, su postillón.

Andrés dio un golpe seco con la jarra sobre la mesa.

—¡Cuando yo hablo, se me atiende!

—Disculpa, estaba distraída... —Pensaba la mejor forma de intervenir el correo; tenía que ganarse a Rufina.

—El gobernador ofrecerá una fiesta en nuestro honor. Hasta entonces harás un esfuerzo para aprender a comportarte como Dios manda, porque de él dependen mis ascensos y mis estipendios.

¿Cómo ordenará Dios ir a las fiestas? Poco sabía Lorenza de Dios, y menos de fiestas.

Terminada la cena, Andrés la obligó a subir al cuarto. Se desvistió, examinó la zona siniestrada, chasqueó la lengua y se metió en la cama.

—Estúpida negra. Tenía que haberla matado —murmuró entre dientes antes de taparse—. Buenas noches.

Lorenza no respondió. «Me libré.» Dejó manosearse los senos. Él, inquieto, quedó mirando al techo un buen rato. «El caso es que no me acuerdo de nada. ¡Mira que habérmela tirado y no haberme dado ni cuenta!»

—Lorenzana, ayer estuviste estupenda. ¡Todo un acontecimiento! —felicitó a su esposa, intentando convencerse a sí mismo. Dio media vuelta y quedó dormido.

Ella esperó, y al primer ronquido, bajó a la estera.

A medianoche escuchó pasos menudos recorriendo la casa. Lorenza, todavía en vigilia, salió del cuarto sin hacer ruido. Descendió por la escalera. Persiguió los ruidos de las tablas hasta la sala. Desde la puerta, escondida, vio a Rufina cubrir con un trapo negro la estatua de la Virgen María, imagen de tamaño natural que presidía la estancia desde una esquina. Había cubierto con anterioridad un cuadro de San Cristóbal en el comedor. La esclava adivinó la presencia de su nueva ama y sin volver la cabeza dijo: «La noche no es para ellos». Pasó por delante de Lorenza, erguida, ágil, y saltó a su cuarto. ¿Rejuvenecida? Como si la noche le prestase los años perdidos.

Antes de volver a la estera, Lorenza entró en el salón de lectura (sin rango de biblioteca, porque al escribano no le gustaban mucho los libros), se paró frente al espejo, casi irreal a la luz de la luna, mirándose una y otra vez, intentando reconocer a la personita que danzaba pintada con carbón en la cámara del abate. Y le costó encontrarse.

Debería de andar cerca de los veinte años, pero aún sentía aquella niña cascabelera sonándole en el interior, asustada, escondida. «Lo que hace el miedo.» Se pasó la mano por la melena dorada, cada día más rubia, y se vio tan mujer, tan fuerte y tan débil, que no encontró término medio para animarse. ¿Por qué no aparecía Francisco? ¿Por qué la abandonaba su pasado? ¿Por qué tantos porqués?

Transcurrieron los días justos para que las quemaduras del caldo dejaran de hacer efecto. Y según lo previsto, llegó el momento en que el escribano, tras realizar la inspección nocturna de sus dolidos genitales, esbozó una sonrisa espumosa. Por más que ella tratara de refugiarse en las cobijas, la fuerza del hombre apartó los impedimentos hasta desnudar a su mujer y someterla. «Hoy corono, y además, consciente.» A Lorenza se le atragantaron todos los recursos, desde los loas hasta el recuerdo del sargento mayor. Sujeta por las muñecas y con el jayán encima, poca resistencia pudo ofrecer. Tampoco quiso armar escándalo, temía uno de los ataques de barbarie del esposo, que seguramente le provocarían más daños de los que en realidad iban a causarle aquellos amores conminados. El escribano, cegado en sus ímpetus, mitigado el dolor por el deseo, embistió sin misericordia la cerrada, zurcida, cavidad de Lorenza. Ella mordía la almohada mientras sentía romperse uno por uno los hilos de su falsa virginidad, de su impuesta inocencia.

Concluyó orgulloso el escribano la proeza. Al incorporarse vio las sábanas regadas de sangre. Se miró por si era suya y luego reparó en la fuente que brotaba entre los muslos de su mujer. Entonces cayó en cuenta de la chanza: «Estuviste a la altura de las circunstancias».

—¿Así que la noche de bodas... no pasó nada? —preguntó con todo el mal humor condensado en las venas de la frente.

—Ya no me acuerdo —respondió Lorenza sin hacerle caso, pendiente de sus heridas físicas y morales.

—Pues sirva este escarmiento para compensar la omisión. ¡Si no has quedado bien desvirgada, venga Dios y lo vea!

—Antes de que venga Dios a verlo, mejor un médico. —Lorenza se desvanecía.

El escribano, algo asustado, quizá conmovido por la sangre, corrió escaleras abajo y despertó a la servidumbre. Las cinco esclavas acudieron en tropel.

—Rufina, tú sabes de curaciones, sube a la recámara principal y atiende a la señora. Las demás sigan durmiendo.

Catalina no quiso regresar a la hamaca. La jorobada aceptó la ayuda de la mandinga. «Siempre en estos casos hay que calentar agua y cocer hierbas.»

—El señor espere fuera y tú, anda y prende los fogones. —Rufina extrajo los restos de costura. Abandonó la habitación y regresó al rato con una pequeña vasija de barro—. Esto va a escocerle, pero en pocos días habrá sanado. —Soltó una ininteligible jaculatoria mientras aplicaba una crema viscosa—. Al señorito le hubiera dado igual si su merced era o no doncella. —Se chupó el dedo cuando terminó—. En cualquier caso, hubiera sido más fácil guardar una bolsita con sangre de cordero en la mano que haberse dejado apañar por la remendera... Algunas veces, mejor coser otros labios. —Y volvió al silencio del que pocas veces salía.

En cuanto bajó el escribano a su despacho, a la mañana siguiente, Lorenza requirió a Catalina de los Ángeles.

—¿Puedes hacer venir a ese africano del que me hablaste?

—¿Juan Lorenzo?

—El que sabe domesticar a los hombres.

—Ahoritica mismo lo consigo.

—Pero cuida que al llegar no esté el señor en casa.

—Así será. Ya mismo voy a hablar con Potenciana, ella sabe cómo traerlo.

Después de almorzar, a la hora del calor, llegó Juan Lorenzo a casa del escribano en la calle del Candilejo, al lado del Colegio de los Jesuitas. La señora no había podido levantarse. Catalina y Potenciana acompañaron al negro hasta el piso de arriba. Mediana edad, alto, delgado, perdido en el ancho de la pantaloneta, casi provoca la risa de Lorenza cuando vio aquellos espárragos largos y corvos nadar en las bermudas. «Más carnes tiene un mosquito.»

—Dejadnos a solas —ordenó la señora—. Acércate, Juan Lorenzo, siéntate aquí —le ofreció el borde de la cama—. ¿De dónde eres?

—Soy etíope. —El esclavo hablaba bien castellano. Había sido capturado muy joven, aunque, por sus artes y desempeños, parecía nacido entre españoles.

—¿Y allí son todos igual de gordos?

—Parecidos, mi señora. En mi tierra corremos todo el tiempo. Corremos de un lado a otro sin parar. Nuestras piernas son el único medio de transporte. Mientras corremos nos alimentamos, hablamos, pensamos, cazamos y dormimos. Por eso estamos delgados.

—Entiendo, disculpa, era una broma. Vayamos al grano. Te he mandado llamar porque me han dicho que mucho conoces de oraciones y hechizos.

—Sí, señora. Conozco hartas cosas para todo lo que quiera, que es negocio de gran espacio.

—Necesito algo para apaciguar al que me impusieron como marido.

—Os enviaré hoy mismo un vidrio chico con un remedio.

—¿Qué remedio?

—Un aceite muy bueno y de gran provecho, óleo de romero, que traerá calma a don Andrés.

—¿Y qué he de hacer con el óleo?

—Debe tomar la señora una pluma, sin llegar al aceite con la mano, y untarse el rostro. Pero antes deberá conjurarlo con la oración de Santa Marta.

Marchó el negro y, efectivamente, llegó el frasquito de aceite antes que el marido. Lorenza siguió las instrucciones del hechicero: sola, frente al tocador, destapó el vidrio y rezó la oración:

Marta, Martilla, a la diabla, que no a la santa, suertes contigo quiero echar. Si tú me las ganares, yo te la daré. Uno para ti, uno para mí; dos para mí, dos para ti... Yo te gané a ti, tú me lo darás. A la caballeriza de Lucifer irás. Allí tres jáquimos colgados hallarás, y tres frenos colgados, y a Andrés del Campo hallarás. Allí me lo enjaquimarás, y enfrenarás y me lo espolearás, y me lo correrás, y por las puertas me lo entrarás manso y humilde sujeto a mi mandato.

Terminó de untarse el aceite con una pluma azul justo en el momento que escuchó al escribano subir por la escalera. Se apresuró a ocultar el frasco y a meterse en la cama. Andrés venía renegando de su mala suerte. «Esta noche en dique seco.» Pero comprendía que la faena del día anterior clamaba recuperación. Y como también hay que saber dar contentillo, subía con una flor en la mano.

Lorenza agradeció el detalle, un poco mustio, y cuando bajó a la estera llevaba en la boca cierto sabor a triunfo. ¡Cuán equivocada estaba!

Era jueves, éste sí lo recuerdo: el jueves anterior al sábado de ascensión... la del padre Ferrer en globo, por supuesto. Recogí temprano al sacerdote. El día, como todos, abrasador. Me saludó contento y nos dirigimos al Colegio de los jesuitas, cruzando la plaza. Timbramos. Abrió un cura de barba, joven, con el alzacuellos jugándole al aro en el pescuezo. Saludó en tono cordial, sumiso diría, y nos hizo seguirle por los corredores repletos de aulas simétricas. Al paso de cada puerta podían oírse a los profesores aderezando conocimientos.

—Nunca te fíes de los hombres con barba —me dijo el

padre Ferrer a espaldas del esmirriado sacerdote—, algo esconden.

No sé por qué, pero imaginaba al cura de igual contextura que Juan Lorenzo, en negativo, blanco en vez de negro. Quizá a éste también lo tenían corriendo todo el día. Nos detuvimos en el rellano de una escalera, ante la puerta abierta de una habitación. El largaruto se detuvo un momento para mostrarnos el cuarto de San Pedro Claver.

—Desde aquí veía entrar los barcos negreros en la bahía. Recogía frutas y mantas, y bajaba al puerto a bautizar a los esclavos.

La austeridad del habitáculo no coincidía con mis ricos conceptos, en el material sentido, sobre los jesuitas.

El atlético fray Fideo subió los escalones de dos en dos. Lo alcanzamos en el penúltimo resuello.

—No olvide usted que tengo setenta.

—Perdone, es que los peldaños me quedan cortos.

Frente al despacho del rector, el padre Ferrer indicó a nuestro guía que me acompañara a la biblioteca.

—Espérame allí, Álvaro. Arreglo unos asuntillos y de inmediato estoy contigo.

Me abandonó en aquella tranquilidad de suelos de mármol blanco y negro. Hasta la estancia rodeada de anaqueles con libros subía el indescifrable olor a colegio. Todos los colegios huelen igual. He llegado a concluir que el olor en los centros escolares no los produce la tiza, la tinta, el encerado, los textos, el sudor, ni el laboratorio de química; los colegios huelen a infancia, no diría que a pureza o a inocencia... a infancia; un tufillo agrio pero cordial.

Por la ventana podía divisarse el ala del colegio encabalgado a la muralla, y más abajo el puerto... el puerto de Calamarí.

Esos efluvios pueriles me hicieron acordar del primer día de universidad, justo cuando dejé de olerlos. Las rígidas normas de mis años escolares no permitían la enseñanza mixta, y los centros que habían decidido implantarla atravesaban dificultades por las críticas de los estrictos y dictatoriales progenitores. «Mi niña, mi pequeñita, con sólo quince años, expuesta a los peligros mundanos (léase sexuales) de todos esos gamberros.» «Tú ya sabes, hijo, a por ellas; pero ten cuidado que no te carguen ningún muerto (embarazo).» Cada cual juzga por su condición. La verdad, al menos a nosotros, no nos pasaban esas cosas por la cabeza... Y no pasaban porque apenas las conocíamos. Sólo eran rumores. Tratamos de descubrirlas en aventuradas excursiones a la puerta del colegio de la Divina Pastora (las Borregas), sin resultados satisfactorios. Y cuando averiguamos qué había que hacer, no sabíamos cómo hacerlo, por mucho que se nos endurecieran las intenciones. «Qué buenos son los padres escolapios, qué buenos son que nos llevan de excursión», cantábamos hasta los dieciséis nada menos. Y el primer día de universidad, aparentemente sin el temor de los progenitores, porque sus hijos ya eran «adultos», nos encontramos nueve hombretones hechos y derechos, aturdidos, en el último banco del aula, mientras una veintena de alborotadas mujeres reían tranquilamente y nos dirigían encubiertas miradas selectivas. Algo sonó dentro de mí, no sé si se me había quebrado el tarro de la idiotez, o se me había roto la infancia. En cualquier caso, desde aquel día tuve que agarrar el volante del destino, porque ya no podía dejarme llevar por él.

Esto le sucedería también a Lorenza. Siempre caminando de la mano de la Vida por un sendero plácido, con piedras, pero transitable. Ahora se daba cuenta de que la Vida era tan alta como ella, y en una encrucijada de caminos, su último gran fantasma, el tío Luis, las empujaba por un sendero escabroso. Para no tropezar con los obstáculos, Lorenza la agarraba de una oreja e intentaba llevarla por donde mejor le pareciera, así entre ellas, Vida y mujer, cambiaran, aparentemente, los papeles.

El padre Ferrer demoró apenas veinte minutos.

—Bonita vista. Ven, aprovechemos el fresquito, siéntate. Ha llegado el momento de resucitar a alguno de los sacerdotes enterrados en la iglesia. Olvídate de este colegio. No existía. El primer colegio estaba cerca de la Plaza Mayor, en una casona arrendada, justo al lado de la casa del escribano. No tenía mayor capacidad que para setenta alumnos; setenta muchachos de la élite criolla.

—Ustedes no han cambiado en quinientos años —interrumpí.

—¡Ni pienses que a estas alturas vayamos a hacerlo! —confirmó—. En 1605 llega, proveniente de Lima, el padre Alonso Sandoval. Un año antes ya habían arribado otros jesuitas con un permiso otorgado por Felipe III para abrir el colegio. Lo extraordinario del padre Sandoval es que se aparta pronto de la enseñanza para dedicarse a los esclavos y desvalidos.

—La excepción que confirma la regla —volví a interrumpir.

—Hoy estás muy sarcástico —apuntó algo molesto.

—Disculpe. A veces me paso de la raya... —Es cierto, ya me habían amonestado en repetidas ocasiones por mi toxicidad verbal. Aceptó las disculpas.

—La educación estaba fundamentada en las disposiciones de Trento y determinada por la ideología de la contrarreforma. Era una educación especulativa y religiosa, a imagen de la universidad española, decadente y aislada, con sus puertas cerradas a Europa. El padre Sandoval optó por otra docencia más práctica y menos enclaustrada. Fue el predecesor del padre Claver, quien no llegaría hasta algunos años después. Lorenza conoció al padre Sandoval gracias al provisor de la catedral, Bernardino de Almansa.

Desde que la obligara el marido, Lorenza asistía a confesión una vez por semana con el provisor Bernardino de Almansa, amigo de estudios de Andrés del Campo. La esposa del escribano se había negado en rotundo a arrodillarse en el confesionario. El padre Almansa, por no contrariar a su ex compañero de Salamanca y tratar de conectar con su penitente, accedió a darle el sacramento en circulares paseos por las naves catedralicias. Hasta el momento, todas las confesiones habían terminado de forma similar.

—Algún día, querida Lorenza, tendrás que confesarte de verdad. Ambos sabemos que los pecadillos que me cuentas son la mitad mentira y la otra mitad inventados. Tu fama no corresponde a las banalidades que confiesas.

—Crea fama y échate a dormir —protestaba Lorenza.

—Cuando el río suena, agua lleva —dictaminó el provisor—. Te veré dentro de siete días. No te daré la absolución sobre faltas no perpetradas. Vete en paz.

Una vez, al girarse para salir, apagó sin querer con las hopalandas las velas que iluminaban a san Judas. El padre Almansa le caía bien, mejor dicho, le infundía respeto, pero no un respeto temeroso, sino amable.

Lo único reconocido por Lorenza ante Bernardino de Almansa era que sabía leer; entre otras cosas, porque leer estaba mal visto en las mujeres, pero no constituía pecado ni falta grave, así que el confesor trató de sacarle cristiano partido a las osadas habilidades de la muchacha. La remitió al padre Sandoval, del vecino Colegio de los jesuitas, para que le permitiera entrar en la biblioteca y le siguiera dando instrucción, por supuesto, religiosa. Al padre Sandoval no le costó entablar buenas relaciones con ella. Desde el primer día la dejó sola en la biblioteca con un catecismo en las manos. Y también desde el primer día, Lorenza encontró el *Malleus Maleficarum*, el mismo libro que ya conocía gracias al Delfín Verde. En cuanto el sacerdote desaparecía por la puerta cambiaba los textos. Leyó con detenimiento los capítulos dedicados a hechizos y conjuros para amansar, y los sortilegios para atraer personas lejanas. A escondidas llevaba papel, pluma y tintero, para copiar cuanto encontraba de interés.

Tampoco desaprovechó la oportunidad para preguntarle al padre Sandoval el significado de las palabras en latín que había memorizado del manuscrito.

—Curiosas inquietudes las tuyas, Lorenzana.

—Encontré las palabras en un texto y me llamaron la atención.

—Pues, déjame decirte que no parecieran sacadas de un texto eclesiástico.

—No, padre, son de unos libros que hay en casa.

—¡Ah, bueno! Porque ¿no estarás cogiendo en la biblioteca libros distintos a los que te indico?

—¡Padre, cómo se le ocurre!

—Siendo así, no tengo inconveniente en traducírtelas. *Cometes* quiere decir cometa, esas grandes bolas de fuego que surcan los cielos. *Coniuratio* significa conjuración o conjuro, lo que utilizan las hechiceras para activar sus pócimas... —El padre la miró acusatoriamente y Lorenza arqueó las cejas como disculpándose—. Y *sanguis*, es sangre.

El padre Sandoval sabía que Lorenza tomaba libros distintos al catecismo, pero nunca sospechó que el más consultado fuera el *Martillo del Diablo*, aunque, por haber servido al Concilio de Trento, no estaba tildado de peligroso ni prohibido. También sabía, por las salpicaduras de tinta sobre la parte de la mesa que habitualmente ocupaba, que andaba tomando notas. No obstante, librepensador y confiado, dos atributos que suelen ir de la mano, permitió que Lorenza encontrase respiro y libertad en la biblioteca. Allí, dándole vueltas y vueltas, montando y desmontando palabras, adivinó el sentido de algunas frases de su pergamino, ayudada, no sólo por los tres vocablos traducidos por el padre Sandoval, más el que ya conocía, sino por el diccionario de latín encontrado en uno de los anaqueles pegados al piso. Como no era docta en la lengua latina, ni siquiera en la castellana, apenas pudo amasijar un engrudo de palabras. Cuidadosamente las iba copiando en un papel en el mismo orden que aparecían en el manuscrito. El desconocimiento de las declinaciones, la ortografía y la gramática, y, sobre todo, el galimatías de la composición de las oraciones, evitó que descifrara el contenido exacto del documento.

—Ya se lo había pronosticado Jean Aimé. —El padre Ferrer abrió las manos y las dejó caer sobre la mesa—. Sin embargo, Álvaro, algunas frases nos han llegado. Muy pocas, ya que, como bien sabes, ella guardó celosamente el secreto de su pergamino. Pero tuvo pequeños deslices con una persona de mucha confianza, y esas pequeñas confidencias serían su perdición.

El padre se levantó y se acercó a una de las ventanas con las manos metidas en los bolsillos. Dándome la espalda, mirando las nubes, siguió hablando.

—El cometa, Álvaro, el cometa...

Ya me había anticipado que el mayor de los conocidos había pasado cerca de la Tierra cuando nació Lorenza. También sabía que ahora el Hale-Bopp estaba cerca. Y sabía que un cura aparentemente cuerdo, casi perfecto me atrevería a afirmar, estaba empeñado en estudiar el fenómeno subido en un globo.

—Tiene que existir alguna relación... En fin, el sábado lo sabremos. —Volvió a sentarse frente a mí. Estuvimos un rato en silencio—. ¿Sabes?, el pergamino nunca apareció. Y estoy seguro de que Lorenza lo guardó en algún sitio. No está en el proceso de la Inquisición, ni entre los objetos que el Santo Oficio guardó de ella, ni en los lugares por los que pasó... Sin embargo, tengo una corazonada... —Se interrumpió, como adivinando un peligro—. Te la diré en su momento...

—¿Con qué frases o palabras contamos? —pregunté un poco harto de tanto misterio.

—Frases concretas o con algún sentido... pocas. —Sacó una libreta del bolsillo trasero del pantalón—. Una posible: *El mensajero llevará*... aquí falta algo... luego aparece la palabra *pergamino*... y acaba diciendo... *con el conjuro de las puertas*.

—¿Ha averiguado si existe o existía algún conjuro con ese nombre?

—He preguntado a estudiosos, he consultado el *Malleus*, he visitado brujos y curanderos... pero nadie ha oído nunca de él.

—Puede que no sea un conjuro conocido.

—Eso está claro. Quien escribiera el manuscrito lo inventó, o lo tomó de otra cultura, o de otra religión.

—¿Por qué lo dice?

—Más tarde, Lorenza haría un comentario sobre unas palabras que tampoco estaban en latín, sino en «lenguas raras». ¡Vete a saber en qué idioma!

—Quedan descartadas las lenguas indígenas, supongo. Jean Aimé trajo el pergamino de Europa.

—Es posible, aunque yo no descartaría ninguna opción. —El padre Ferrer devolvió la libreta a su bolsillo—. Centrémonos en la frase que te dije: en primer lugar, establece la existencia de un mensajero; una persona que entregará el pergamino a otra. Por medio, hay un conjuro, el de las puertas, que seguramente al ser pronunciado causaría un efecto. Por otro lado, es posible que la aparición de cometas en aquel tiempo, y en éste, signifique que lo que deba suceder, sucederá en estos días. Y sobre la sangre, si quiere decir que se va a derramar, no es nada halagüeño...

Lorenza volvía de la biblioteca jesuita, entró en casa alborotada, feliz, no sin ligero desconcierto, por sus avances sobre el manuscrito. En el recibidor se topó con Rufina.

—¿Tú has visto alguna vez una aparición, como la Madremonte, la Patasola o el Cura sin Cabeza? —preguntó a la esclava.

—Varias veces, pero hace tiempo, antes de que los echasen del cerro, cuando bajaban por las noches...

—Pues algún día volverán los endriagos al monte —dijo, alegre por su amigo Cacanegra..., impalpable recuerdo.

—¿Cómo puede saberlo?

—Hoy lo supe. —Le brilló la miel de los ojos y subió las escaleras protegiendo el pergamino y los objetos de escribanía.

Rufina quedó perpleja. «Mucho sabe ésta.»

Le resultaba fácil ocultar sus secretos entre los pliegues de los ampulosos vestidos. Requirió la presencia de Catalina desde el salón de lectura y le dijo que mandara llamar a Juan Lorenzo. La propia Catalina, escalando a Potenciana, se personó en el convento de San Francisco en busca del hechicero. Al rato estaban de vuelta. El famélico etíope siempre acudía a la llamada del dinero, y doña Lorenzana, ahora, tenía bastante. Lo recibió en la sala, el viento entraba por las ventanas formando una agradable corriente que mitigaba el ardor del sol.

—Tengo una amiga —comenzó engañando Lorenza— que necesita traer de lejos a una persona que marchó de su lado.

—¿Ya no la quiere...? —trató de averiguar el conjurador.

—Sí la quiere; pero está en otra ciudad.

—¡Ah, ya...! —Entendió con las entendederas que otorgan los chismes: se dio cuenta de que hablaba del sargento mayor, comidilla popular en Calamarí antes y después de la boda con el escribano: «Pobrecita, debe de tener mal de amores», decían unas. «¡De menudo sinvergüenza se ha librado! ¡Bien compuesta quedó con el arreglo del tío!», decían otras.

El estirado brujo analizó mentalmente su repertorio de fórmulas.

—Le tengo un sortilegio que ha de servir mucho. Dígale a su amiga... —lo expresó con guasa, incomodó a la señora— que no hay mejor suerte que la de los papelillos trenzados en el pelo. Pero deberá conseguir, para echarla como es debido, una camisa de varón, mejor si es del ausente, si no, cualquiera otra. Y tendrá que fumar un tabaco de sabor negro mientras conjura.

Esa misma tarde estaba Lorenza encerrada en la habitación con una camisa del escribano, por no tener ninguna de Francisco, cogiéndose el cabello y prendiendo de la trenza seis papelillos blancos con la oración que el negro le había dictado. El puro se lo consiguió Catalina. «¡Ay, niña, cuidado con lo que hace!»

Abrió la ventana para evacuar la peste del tabaco. En mitad del cuarto recitó la oración antes de aspirar la primera bocanada:

Señor de la calle, señor de la calle,
señor compadre, señor cojuelo,
que hagáis que Francisco Santander
se abrase por mí,
y que me quiera y que me quiera
y si es verdad que me ha de querer
venga a mi lado,
y ladre como un perro, rebuzne como asno,
o cante como gallo.

Y se tragó el humo. Como nunca lo había hecho antes, el ataque de tos casi la ahoga. Tropezó con el tocador y cayeron los cepillos de plata al suelo. Acudieron Potenciana, Catalina, otra de las esclavas y, desafortunadamente, Andrés del Campo (había llegado pronto, cansado después de tomar testimonio a la señorita Melchora, vecina incorregible, que por quinta vez en la semana le hacía «tomar testimonio» con ella sentada en las rodillas). Furibundo, mandó desocupar la estancia. Cuando estuvieron solos, él de pie sobre Lorenza tendida en el piso, echó mano de la correa.

—Te advertí que no quería brujerías en mi casa. Pero ya veo que no entiendes por las buenas. Veamos si como a las esclavas, el cuero te domeña.

Y descargó el cinturón una, dos, tres, cuatro... veinte veces sobre el cuerpo de Lorenza, que sólo pudo acurrucarse y cubrirse la cara con los brazos para no quedar marcada.

De nuevo Rufina intervino, como siempre *a posteriori*, pero la salvó de mayores tormentos y le deparó una sanación oportuna.

Desde su convalecencia, otra vez en cama, repasó con ira los apuntes tomados en la biblioteca del colegio. Algún embrujo «especial» debía existir. Al menos, si no destacado por su eficacia, por su sacrificada realización eligió el de las avellanas, muy «recomendado para esclavizar»:

Hay que tomar sangre del mes a tercero día y cinco abellanas, las que han de tragarse sin mascar y han de ir con cáscara; y, bueltas a hechar por abajo, las tiene que limpiar y partirlas muy sutilmente, por medio de la endidura, sin que se quiebre el grano de dentro, y picándose el dedo del coraçón, con el dedo hacer una cruz en cada partidura de abellana y hechar una gota de sangre del mes en cada una y tornarlas a juntar, de manera que bolviendo a ser enteras las abellanas no salga fuera dellas gota ninguna de sangre y, hecho esto, atallas y emboluerlas en un trapico y ponerlas al lado del corazón, entre la camisa y la carne, y han de sudarse allí nueve días, y al fin *de esto se han de moler las abellanas y hechárselo en el caldo o bevida a quien se desea esclaviçar*

Tuvo que esperar a que le viniera la regla, tomar sangre del tercer día, procurarse las avellanas, tragárselas enteras y acallar la asfixia que casi le producen, soportar la indigestión con estoicismo, expulsarlas con dolor irreductible, limpiarlas, pincharse el dedo, hacer la señal de la cruz, volver a juntar los frutos secos (ya no tanto), atarlos, envolverlos y guardarlos en el pecho.

Aún portaba las avellanas junto al corazón cuando asistió con el escribano a la fiesta ofrecida por el gobernador, señor de la Vega.

Los homenajeados entraron entre los aplausos de la concurrencia. El mandatario y su esposa, doña Bárbola, les recibieron en la entrada de la Casa de la Gobernación. Después tuvieron que saludar a todos los otros aspirantes a conformar la nobleza criolla. A la mayoría de las damas Lorenza ya las distinguía, merced a luciferinas reuniones, pero todas la saludaron como si aquélla fuera la primera vez que se encontraban. «Te queda estupendo ese vestido rojo y oro.» Brindaron, comieron, chistearon, cotillearon y llenaron el hacinado aposento de olor a jactancia. Martirizada por las avellanas en el busto y el resquemor de los correazos, trató de escaparse un rato del pestilente bochorno. «No entiendo cómo pueden aguantar los hedores.» Buscando la salida se encontró con el gobernador en una esquina. El señor de la Vega estaba solo, concentrado en atrapar una aceituna con el dedo metido en la copa.

—Disculpe, señor gobernador —interrumpió Lorenza.

El pobre hombre se pegó un susto de muerte. Sacó rápidamente el dedo del vino y lo limpió en una manga.

—Ah... perdón, es que me encantan las aceitunas, pero esta condenada no se deja atrapar...

—Excúseme si le aparto un instante de su cacería. ¿Podrá usted indicarme algún sitio para tomar el fresco?

Como Lorenza se llevó una mano bajo el pecho para

desplazar un poco el envuelto de las avellanas, el vejete supuso que le hacía una proposición indecorosa. «Ya me habían advertido que ésta era de mucho cuidado. ¡Y no estoy yo para rechazar semejante yegua!»

—Venid, seguidme, enseguida os indico un lugar seguro. —Y le guiñó un ojo.

El anciano caminaba como una mirla, dando saltitos. «¿Qué habrá pensado el vejestorio? ¿Dónde me lleva?» El gobernante esquivó unos cuantos invitados y la condujo hacia las escaleras. «¡Si este pobre hombre ya no puede ni con los gregüescos!» «No sé yo si con lo oxidado que tengo el mecanismo voy a poder levar anclas..., por intentarlo que no quede.» Lorenza llamó disimuladamente, la mano pegada al vestido, a Rafaela de Adviento, una de las esclavas de la casa, bien conocida también en las juntas.

—Síguenos hasta donde me lleve el gobernador. Quédate detrás de la puerta por la que entremos, y cuando escuches dos golpes en ella, entra como un torbellino.

—¿Y si está cerrada?

—Estará abierta, yo me ocuparé. No me falles...

La advertencia, en boca de una mujer tan poderosa (y no lo pensaba porque fuera la esposa del escribano) era una amenaza, así que mejor cumplir. La negra se apostó tras la puerta de la sala de estar.

—¿No va usted a dejarme sola? —preguntó Lorenza.

—¡Ni lo soñéis, querida! ¡Acepto el reto! —exclamó el gobernador mientras giraba la tranquilla.

—¿A cuál reto se refiere? —Ella lo empujó levemente y se colocó delante de la cerradura para evitar que quitase la llave y la guardara.

—Veo que os gusta jugar.

«Pues vista la situación, habrá que sacarle partido al señor gobernador.»

—Si en realidad me gustase jugar..., ¿qué pagaríais por participar en alguno de mis juegos?

—Lo que me pidierais..., siempre que sea razonable, claro. No podré daros la mitad de mi reino, porque no lo tengo; ni mi alma, que ya se la debe de haber vendido mi mujer al diablo; ni riquezas, porque con tantos gastos, pocas he podido atesorar.

—¿Y si os pidiera un pequeño favor?

—¿Qué tan pequeño?

—Minúsculo.

—Decidme pues. —El gobernador la perseguía despacio alrededor de la mesa ovalada.

Ella se movía continuamente hacia el lado opuesto.

—¿Podríais conseguir el traslado de un soldado?

—Si está dentro de mi jurisdicción, no hay problema.

—Está en Riohacha, pero lo quiero aquí.

—Decidme el nombre.

—El sargento mayor Francisco Santander Rivamonte.

—¡Ajá..., luego no eran falsos los rumores!

—¿Qué rumores?

—Los que tantas veces he oído en los conciliábulos de mi esposa, acerca de vuestros... amoríos.

—Eso no es de su incumbencia. —Seguían dando vueltas a la mesa—. Si queréis que me detenga, prometedme el traslado del sargento.

—Sea pues como decís. Tendréis a vuestro sargento.

Ella se detuvo y con gesto atrevido se desabrochó un botón. «O me suelto el botón, o las dichosas avellanas me atraviesan el costillar.» La atrapó el dignatario cerca de la puerta. Con gran habilidad le desabrochó los gregüescos, dejándole al descubierto unos ridículos calzones morados. Le acarició la calva alargando el brazo, en tanto giraba la llave con el otro. Luego corrió al lado opuesto de la sala y rodeó nuevamente la mesa. El gobernador, bajito, gordito y barrigón, corría tras la jaca como un pingüino, con los gregüescos en los tobillos. Lorenza pasó junto a la puerta y dio dos golpes con los nudillos. Rafaela, atenta, abrió. Al entrar encontró a su amo en paños menores persiguiendo a la esposa del escribano. Se llevó la mano a la boca para contener la sorpresa... la risa. El gobernador, estupefacto, se tapó como pudo. «Juraría que cerré la puerta con llave.»

—Señor gobernador, debe ser usted más cuidadoso con las cerraduras —recriminó Lorenza.

Al pasar junto a él para retirase, le susurró al oído: «Espero ver pronto al sargento, si no quiere que se lea este incidente en los humos del tabaco». Abandonó la estancia y, al salir, dio las gracias a la esclava y le advirtió:

—Rafaela, de esto ni palabra.

—Como una tumba, mi señora. —Se santiguó los labios.

En adelante, siempre que se cruzaba con su amo se llevaba una mano a la boca. El gobernador nunca supo si lo hacía por vergüenza o por amargarle la existencia.

Una semana después Lorenza molió las avellanas y las espolvoreó en la sopa del marido.

A los catorce días del mes de noviembre de mil y seiscientos y diez años, el inquisidor había mandado subir a la sala de interrogatorios a Potenciana Bioho, «*esclava negra, hechicera, sortílega, heretical, al servicio de Andrés del Campo*». Pocos días antes había interrogado al negro Juan Lorenzo en relación con el mismo proceso. Potenciana declaró durante más de seis horas, todas de pie, todas temblando, todas en la penumbra impuesta por el inquisidor, con el rayo de luz cayendo sobre la mesa. Ya había relatado varios episodios: el del caldo de costilla, el trabajo de la remiendavirgos, las visitas de Juan Lorenzo a la casa, la trenza con los papelillos y los correazos... cuando narró el posible envenenamiento de Andrés del Campo. El escribano del tribunal seguía tomando nota, a su modo, de cuanto escuchaba:

«... y luego de cenar fue hallado don Andrés por esta rrea en el corredor de arriba con gran calentura, diciendo mil disparates, fuera de sí, y que auía venido admirado y le dixo a esta declarante que no podía ser sino que eran hechiços. Luego la dicha doña Lorençana, puesto don Andrés en yacija, habló para sí de unas avellanas. Los otros días siguientes se le veía que siempre y en todas partes estava durmiendo y que el recaudo le abía entorpecido el entendimiento. Y dixo que no encontrando la quietud de su marido, la dicha Lorençana le administró en las viandas una hierba traída por el negro Juan Lorenzo, berengenas de plaia, en las que abía puesto unos polvos que abía embiado doña Bernavela, mujer de Villalpando, amiga de la esposa del señor gobernador, y que esas viandas fueron también catadas por el official mayor de don Andrés, Sebastián Pacheco, que probolas por invitación del dicho don Andrés que lo abía llebado a comer: Ambos los dos tubieron una semana de males del intestino, sin poder travajar ni alçarse de la cama. El dicho Sebastián Pacheco, lebantado del mal, acudió donde doña Lorençana y por las iras que traía adentro sacó la espada y la puso al cuello de la dicha doña Lorençana. Visto ésto por don Andrés, sacó la espada y se batieron. Y salieron del despacho de don Andrés otros officiales, Jerónimo de Samaniego y Pedro de Alarcón y pussieron fin a la disputa. Dixo la declarante que el dicho Sebastián Pacheco abía sido mandado desterrar de Cartagena por el oidor del rreino. Luego de ésto conffesó la rea que muchas mugeres acudían a casa del escribano a ber a la dicha Lorençana, con mucha fama de hechiçera y bruja. Y que la dicha Lorençana se abía ganado a la esclava Rufina Biáfora, que era bruja hereje apóstata, y que saliendo una noche a beber agua, vido a la dicha Rufina en çapatillas, arrastrando la saya y se metió en un apossento que está a mano yzquierda y a cavo de rrato oyó ésta dar azotes, al rruido de los cuales se puso la rrea a la puerta de tal apossento. Vido a la dicha Rufina con la luna que hacía, que era bien clara y vido que tenía un Christo en la mano, como de media vara, poco más, con su cruz, al que azotaba estando en pie y dando un azote decía, dos fragatas, ya está aquí, ya está allí, y todo es embuste... y esto continuando en azotar al Christo, y aviendo visto semejante maldad se volvió ésta al aposento. Y que luego la dicha Rufina salió a la calle, y la rrea la siguió con cautela, y que la dicha Rufina iba convidando en todas las cassas conocidas a las mugeres y barones a la xunta del viernes, y que luego dexó la muralla y fue a cassa de Paula de Eguiluz, y que allí la rrea vido un bulto y que llegó a él y quera la dicha Paula de Eguiluz y que la mitad del cuerpo, de la sintura para abajo, estaba en figura de baca y de la sintura arriva, su misma figura con una gran cornamenta ensima de la caveza, y la dicha Rufina le abía dicho que su ama doña Lorençana la mandaba llamar con grande apremio porque las aojadoras de la villa de Tolú iban a ojear la ciudad de Cartagena. Y enllegando de nuevo a cassa del escribano no estaba la dicha Rufina, y que a cavo de rato vino un morsiélago bolando y se entró dentro del apossento, y a rato vino la dicha Rufina desde la sala, persuadiéndose la crea que la dicha Rufina era el morsiélago porque aún tenía membranas entre los dedos de las manos.»

«¡Mira que son pesadas!» Por fin marcharon doña Isabel de Carvajal y Teresa Sánchez, asiduas clientas, compradoras de quiméricas mansedumbres perdidas hacía mucho tiempo, empedernidas consumidoras de filtros amorosos para conquistar jóvenes capitanes (de ese grado para arriba) del ejército español. «Está bien mientras sueñen.» Pero no eran las únicas soñadoras que a diario acudían a casa de la mujer del escribano, «quien da los mejores recaudos». Un buen grupo de mujeres, las blancas por la puerta principal y las negras por la de servicio, solicitaban los favores de la hija del pirata. «Con sus antecedentes, bruja más poderosa que ésta no debe de haberla.» Lorenza debía manejar con sumo cuidado los horarios de «consulta», o se exponía a los berrinches y maltratos del escribano. Agradeció que las últimas parroquianas se largaran, porque tenía necesidad de hablar con Juan Lorenzo. No entendía por qué los conjuros y sortilegios recientemente empleados no causaban efecto; no sólo los aplicados al marido, que en vez de amansarlo casi lo matan, sino también los de atraer, esclavizar o enamorar.

El negro llegó bufando como un caballo a la sala de lectura en el piso superior.

—¿No corrían tanto en África?

—Señora, vengo acosado desde la Punta del Judío para no encontrarme con don Andrés.

Refrescado con un vaso de agua de coco, escuchó las inquietudes de doña Lorenza. «Mal asunto es que no funcionen los conjuros.» Para averiguar el motivo, optó por la suerte del pan, la única que servía, y dicen que todavía sirve, para conocer si a alguien le han echado mal de ojo.

—Puede mi señora que alguno la revolviese con su marido, porque mis hechizos son todos positivos. Mande usted subir un pan de a real, un cuchillo y un clavo de especia, y enseguida averiguamos.

Reunidos los instrumentos por Catalina, ambos se sentaron en el suelo. Juan Lorenzo bendijo el pan con varias cruces en nombre de la Santísima Trinidad, metió el clavo en el centro del pan redondo dejando la cabeza fuera. Luego puso el cuchillo en equilibrio sobre el clavo, e indicó que cada uno sostuviera con las dos manos la hogaza por su lado.

—Si el cuchillo gira hacia usted, alguien está aojando. Si gira hacia mí, otro será el motivo.

Fijaron la vista en el cuchillo. Comenzó a moverse hacia el africano, pero en un cambio brusco de dirección tornó hacia Lorenza. Después comenzó a dar vueltas como un trompo sobre el clavo hasta salir despedido contra la pared.

—¡El cielo nos asista! —gritó el negro, pálido (si cabe).

—¿Qué significa esto?

—Cuando el cuchillo da muchas vueltas en redondo quiere decir que somos varios los aojados, o vamos a estarlo muy pronto... Será cierto entonces lo que andan diciendo por los mentideros sobre las de Tolú: que pretenden echar mal de ojo a Calamarí.

—¿Podemos hacer algo nosotros?

—Atajarlas, mi señora. Correrlas como a chulos... Tendrá que ser en las afueras, sobre la ciénaga, antes de que vuelen por encima de nuestros tejados.

Lorenza, esa misma noche, ordenó a Rufina convocar a las tres madrinas. Como existía gran enemistad entre ellas y pugna acérrima por la adhesión de las discípulas o cofrades (entonces era como pertenecer a un club o a otro), le indicó que las citara al atardecer del siguiente día en la ceiba del claro de la selva, lugar común para todas, con cierto espacio de tiempo entre una y otra para tenerlas mansas. «Del escribano no se preocupe, mañana irá temprano a dormir.» Rufina salió, cobijada por la oscuridad, a citar a las brujas. Desde esa noche, Lorenza no supo por qué Potenciana nunca volvió a arrimarse a la jorobada.

—¡Logró unificar a las tres madrinas! Utilizó como excusa el posible ataque de las brujas de Tolú para convencerlas. En adelante, manejó los hilos tras bambalinas con habilidad —me dijo el padre Ferrer mientras subíamos a su auto.

—No le sería fácil escurrírsele al marido. —Qué le voy a hacer, le había cogido manía al escribano.

—Supongo que no. Pero fue ingeniosa. Movió las fichas a través de terceros: Rufina, Catalina, Potenciana, Juan Lorenzo, Bárbola de Esquivel, Ana María Olaneaga, etc... toda una organización. Además se aprovechó del gobernador, del provisor de la catedral, de algunos curas... de cuanto medio estuvo a su alcance.

—No pongo en duda que lo hizo, pero todo ello ¿con qué fin?

—Ya hemos hablado acerca de su lucha enconada contra las circunstancias que la rodeaban. No obstante, creo que todavía no lo hemos descubierto en su totalidad.

—¿Hemos?

—Hemos.

—¿Nosotros?

—¿Quién más si no...?

Tomamos la Avenida Santander hacia Tolú, aquella misma tarde del jueves. El padre Ferrer quería entrevistarse con una especie de pitonisa, expendedora del famoso Bálsamo de Tolú, al que desde épocas del pirata Drake, y hasta nuestros días, se le atribuyen dones milagrosos (otro síntoma de lo poco que han cambiado algunas cosas desde entonces).

Fue la primera vez que pude acompañarle a un sitio donde teníamos algo para descubrir juntos. O eso creía.

El aire acondicionado y la radio acortaron el trayecto.

—Santiago de Tolú... —dijo al vislumbrar las primeras casas.

Buscamos la antigua calle del Campanario; curiosamente, no estaba cerca de la torre de la iglesia, sino en una de las salidas del pueblo hacia Coveñas, en la parte occidental.

—Preguntando se llega a Roma —exclamó el padre al doblar la esquina de la calle.

—Poco nos ha faltado —asentí.

Aparcamos frente a una casa de fachada blanca, simple. El sacerdote corrió la tela de colorines en la entrada y gritó el consabido saludo: «¿Hay alguien en casa?». No respondió nadie, pero enseguida se escucharon pasos lentos acercándose. Tuve tiempo para detallar la estancia: un cuchitril de paredes gruesas, frescas, sin mucha ventilación, techo de paja desmelenada y armazón de bahareque visible en los desconchones que herían el estucado por aquí y por allá. Un ventilador como los pasos, cansado, parecía aspirar el aire en vez de soplarlo. El suelo, ecológico, de arena barrida. La mesa, los cojines de las sillas, las cortinas de las ventanas... todo tenía flecos de color rojo. La luz, natural: velas (todavía apagadas).

¡Apareció la diosa del chicharrón!, una morena inmensa, como los supuestos efectos del bálsamo. Sonrió y sus labios estirados me inspiraron calidez (no digo confianza). Las pestañas, de grandes, le tapaban las patas de gallo. Una negra exagerada. Toda ella era exagerada: los ojos exageradamente grandes y amarillos, la boca exageradamente carnosa y roja, los senos exageradamente abultados, las carnes exageradamente escurridas, los pies exageradamente hinchados, los dedos también exagerados, como morcillas, y sus gestos, exagerados. Rebosaba amabilidad en iguales proporciones. Su nombre, creo recordar, Ana de Mena. Antes de entrar en materia, el padre Ferrer la tanteó un poco para ver por dónde le rompía las defensas: el calor, el verano, los turistas... ya saben.

Según me había explicado en el camino, nadie como ella contaba la historia de la Guerra de la Piedra del Uebo. Historia aprendida de su madre, abuela, bisabuela y demás mujeres, línea descendiente de una de las brujas tolueñas que participaron en la batalla.

Nos invitó a seguir al otro habitáculo, pegado al descrito. Guardaba idénticos cánones decorativos, a excepción de una estantería repleta de frasquitos verdes, todos marcados con una etiqueta amarilla: «Bálsamo de Tolú».

—Yo misma lo preparo —me aclaró cuando tomé uno para intentar olerlo. Supuso que debía conocerlo, por lo que no me dio mayores explicaciones.

Nos sentamos en unas sillas de madera, almohadones rojos con flecos, en torno a una mesa circular. Salvando el hiriente mantel colorado..., la mesa predilecta del padre Ferrer.

Agucé el oído por si escuchaba a alguien más en la casa. Aparentemente vivía sola.

—Soy viuda. Por mucho que traté al pobre Jacinto con bálsamo y hierbas, nunca salió de aquel mal catarro. —Se llevó una mano al pecho, con sentimiento, como entonando un vallenato—. Sólo tengo un hijo que marchó a trabajar a Bogotá hace más de cuatro años —aclaró. Miré una foto sobre la cómoda, una cara gordísima que no cabía completa en el marco—. Ese del retrato es precisamente mi Pochito. ¡Hace tanto que no lo veo!

Luego fue a la cocina y regresó con jugo de limón.

—Aquí les traigo limonadita para la calor.

—Gracias, muy amable.

Se puso a fumar.

—Ustedes vienen de Cartagena, ¿no?

—Sí, señora —dijo el padre Ferrer—. La telefoneé la

semana pasada, no sé si recuerda… Queríamos que nos contara lo de la Piedra del Uebo, las brujas y todo eso…

—Ya, ya, si ya me acuerdo…, tengo memoria de elefante.

Reprimí las estúpidas ganas de reírme. Para entretener las malas ideas busqué el teléfono. No podía imaginar aquel cuchitril tan avanzado en comunicaciones. No lo encontré, pero supuse que también estaría adornado con sus flecos correspondientes.

—No les pude atender antes porque he tenido mucho trabajo. Estos días el pueblo está lleno de canadienses, de los que pagan con dólares.

Acomodó su cojín. Terminó el cigarrillo y pidió otro al padre Ferrer. Se algodonó la atmósfera. Sólo entonces comenzó su relato, bajo mi leve sospecha, por el tono empleado, de que ya había adelantado al jesuita parte de la historia por teléfono.

—Serían las diez, noche cerrada de marzo, cuando salieron de Tolú cien brujas blancas volando en sus escobas tras Elena de la Cruz, nuestra gran bruja madre, acompañada del diablo Mantelicos. A las afueras de Calamarí esperaban cien brujas negras, que tras Elena de Vitoria, Paula de Eguiluz y Lucía Tasajo, levantaron el vuelo al divisar a las nuestras. Las brujas negras estaban dirigidas por una blanca: Lorenza de Acereto.

—¿Lorenza no volaba? —me preocupé, intentando elevar su honor.

—Lorenza se quedó en tierra, sobre la yegua *Cambalache*, la montura del diablo. Un animal bravo, de piel negra, veloz como el rayo. Igual que los mariscales de campo, dirigió la batalla desde la retaguardia. ¡Tan bella!

Mi repentina preocupación por Lorenza no me hizo olvidar lo de «las noches de marzo». Negro o no, como el de las brujas, había gato encerrado.

—Se encontraron sobre el paraje de la Piedra del Uebo. Surcaron los aires toda clase de conjuros, hechizos, insultos, acosos, derribos… Al rato unas volaban convertidas en cerdo, o medio cuerpo de burro, de sapo o de lechuza. Otras tenían cuernos de ciervo, orejas de asno o rabo de toro. Las que perdían la escoba caían al fango. Los demonios de uno y otro bando recogían las escobas que seguían volando solas y bajaban al lodazal para devolvérselas a sus dueñas. Remontaban el vuelo, y otra vez a la pelea... Así hasta el amanecer. —Tosió por una mala bocanada y concluyó entre gallos—: ¡Imaginen ustedes, la primera batalla aérea de la historia se dio aquí, en Colombia!

—¿Y al final quién ganó? —El padre Ferrer estaba inquieto, como si del resultado de la batalla pendiera una apuesta.

—Las de Calamarí —lo dijo con desgano, tristeza y un enfadillo incierto.

—¿No murió nadie? —En tan encarnizada batalla, pensé, lo lógico era que algo de sangre hubiera salpicado.

—No se echó en falta a ninguna, ni en Tolú ni en Calamarí.

—¿Y después de la victoria...?

—Nada memorable. Sólo algunos afirmaron haber visto a Lorenza de Acereto y algunas otras brujas atravesar la Plaza Mayor al despuntar el alba con el torso desnudo y una pañoleta blanca en la cabeza. Las de Tolú regresaron a su casa con el rabo entre las piernas.

—¿Y qué pasó con el marido de Lorenza? —Yo seguía erre que erre con el escribano. Como decía un maestro en mi colegio, don Juan Queiruga: «Leña al mono hasta que se aprenda el catecismo».

—Puede que no consiguiera amansarlo, pero sí dormirlo cuando le vino en gana. ¡Menuda era ella! —Hizo una sardineta en el aire con los dedos.

Respondió otras cuestiones intrascendentes. Cuando Ana de Mena se levantó para despedirnos, atisbé un bulto debajo de la goma que le ceñía la falda, como si intentara asomar un rabo de cerdo. El padre Ferrer se había adelantado hacia la puerta, no lo vio. Al no tenerlas todas conmigo, evité comentarios posteriores.

Nos despedimos dejando atrás la nube de humo. La calle estaba un poco embarrada y nos sacudimos los zapatos antes de subir al coche. No habíamos recorrido cien metros cuando ya le estaba preguntando por la curiosa coincidencia de «las noches de marzo».

—No es casualidad. —Lo sentí incómodo—. Varias veces he dicho que parecen conjuntarse algunos elementos, apuntando marcadas coincidencias temporales.

—Hablando en cristiano quiere decir...

—Quiere decir que el cometa, el mes de marzo, el día exacto... —Se cortó—. En fin, Álvaro, hay datos que me hacen sospechar la cercanía de algún suceso que tiene que ver con Lorenza, con el pergamino, con Calamarí y, como te dije antes, con nosotros tal vez. No me pidas explicaciones científicas, no las tengo; pero intuyo algo... —Movió la cabeza negativamente.

Podía dudar de cualquier cosa, menos de su intuición. Era una cualidad en el padre Ferrer ampliamente avalada por su carrera, al menos por la ínfima parte que de ella conocía.

—¿Dónde estará la clave? —pregunté, o me pregunté a mí mismo.

—Sigo creyendo que en el mensajero —contestó pensando en alto.

—¿Sospecha de alguien?

—Podría sospechar de muchos. Pero no tengo bases para señalar a nadie. En adelante deberemos estar muy atentos.

El padre encendió un cigarrillo.

Ana de Mena se me antojó abastera de fantasías, como Sacabuches, como el padre Ferrer y, seguramente, como yo. Otra vez estaba a mi derecha ese dios-sol.

Lorenza no se planteó si el traslado de Francisco nuevamente a Cartagena obedeció a la efectividad de sus conjuros, el cumplimiento de la palabra del gobernador, los propios méritos y solicitudes del soldado, o la confluencia de todos los supuestos. El caso es que había vuelto. Y el único asombrado por su regreso fue Andrés del Campo. «El comandante Velasco me juró por la santísima Virgen que nunca más le permitiría volver acá.» Al principio estuvo a la expectativa, dándole cuerda al beneficio de la duda, hasta que el coro de viejas chismosas, presidido por Ana María Olaneaga, le informó acerca de los furtivos encuentros de su esposa con el amante. Encuentros furtivos en la playa, de noche, como los de antes, y ahora, además de furtivos, prohibidos. Decepcionado, colérico y burlado por los amigos, el escribano buscó al sargento mayor por cada taberna de la ciudad con la espada desenfundada. ¿Por qué narices el último en saber que le están poniendo los cuernos es el propio astado? ¡Se entera todo el pueblo antes que uno! Y sólo al final, cuando se descubre el pastel, los conocidos le dicen aquello de: «No, si yo ya lo sabía. Lo que ha pasado se veía venir...».

Lo halló en la cantina de Tobías Aranguren, cerca del puerto. El sargento brindaba por el reencuentro con viejos compañeros y el funcionario entró como un tifón, ciego, violando las leyes caballerosas de la esgrima. Lanzó el primer ataque por la espalda. Si no es porque Santander se agacha, advertido oportunamente por el cabo Crespillo, le hubiera dado una estocada en la parte trasera del corazón.

—Gracias, cabo, le debo una —dijo Francisco mientras se incorporaba con rapidez.

—A mandar, sargento, para eso están los amigos. —Le cedió su espada, porque la de Santander estaba colgada de un perchero en la pared.

Del Campo atacó poniendo la furia en la hoja del acero. Santander no se limitó a defenderse. Había suficiente rabia en los metales como para desearse la muerte. Se batieron sin proporciones, sobre las sillas, arriba de las mesas, en la boca del horno, en un escenario que perdieron de vista, más allá de sus sentidos. La paridad, sostenida por la ira, no por la técnica, alargó el trance hasta el ribete de la tarde. Nadie osó intervenir. Se congregaron muchos espectadores en la puerta del local, divididos en dos grupos: los puristas y ricos, partidarios del escribano, y los pobres, trotamundos, marineros, gentes de oficio plebeyo, animadores del soldado. Entre todos no estaba La Mojana. No habría muerto. Las noticias sobre la pelea volaban de boca en boca. El sargento, más preparado en el arte de la charrasca, logró herir al corneado en el brazo derecho, quien viéndose imposibilitado para seguir manejando la espada, aplazó el duelo para más adelante. Santander lo aceptó levantando su arma en posición vertical, la empuñadura a la altura del rostro, burlón y caballero.

Aún le quedaba al escribano otro lance por librar: el que mantendría con su esposa al llegar a casa. Lorenza ya había sido informada por sus negras sobre la contienda. Rezaba, no sabemos a quién, pero rezaba, tal vez por Francisco, cuando oyó abrirse la puerta de la calle. «Mierda, Andrés.» No le dio tiempo a ponerse en pie. Un golpe en la cara con la fusta la devolvió al suelo, de rodillas. Vio en las tablas de madera gotear la sangre del brazo herido del escribano.

—No me pegues, por favor te lo ruego —suplicó.

—¿Qué merece entonces una adúltera, sino castigo? —Tenía de nuevo la fusta en alto.

—Sabías que yo le pertenecía.

—¿Acaso tu palabra ante Dios no vale nada?

—Mi palabra fue comprada.

Descargó el fustazo. Cayó en la espalda. A Lorenza, a pesar del esfuerzo, se le descontroló el llanto.

—Juré en el altar que haría de ti una mujer decente aunque tuviera que molerte a palos.

—Así no vas a conseguirlo. —Alzó la cara enjugada en lágrimas de aguapanela.

—Así es como han aprendido siempre las mujeres.

—¿Por qué no podría hacer yo lo mismo cuando has llegado con las busconas hasta la puerta de la casa? ¿O acaso crees que soy ciega a tus aficiones?

—Eso es distinto. —Trató de zafarse.

—¿Cuál es la diferencia? —Lorenza sabía que el escribano era incapaz de darle la respuesta más fácil: el amor. La hubiera desarmado.

—Un hombre es un hombre, ¡carajo! —Tiró la fusta contra la cama y salió del cuarto. En el rellano de la escalera lo frenó Rufina y lo agarró para curarle la herida; para salvar a Lorenza.

Con el brazo envuelto en tela, asomaban algunas hierbas, reclamó de nuevo a su mujer en el salón de lectura. Continuaba en guardia.

—¿Qué vaina es ésa de que acudes a tus citas —remarcó la palabra «citas» refiriéndose a los escaqueos amorosos— montada en una jaca negra, de nombre *Cambalache*, que dicen te la ofreció el demonio para burlarme?

—Supersticiones.

—¿Y toda esa gente que habla maravillas de tus pócimas? ¿No te prohibí las prácticas hechiceras?

—Con eso me crié, y no veo en ello la maldad que le atribuyen.

—Ignorancia. ¡Santa ignorancia!

—Disculpad si no pude estudiar en universidad alguna. Pero en Calamarí la única universidad que tenemos es la vida.

—¡Menuda vida!

—Tan buena como cada cual pueda dársela.

—¿Qué tan buena la puede darla el diablo?

—No lo sé. Nunca negocié con él.

—¡Ah!, entonces ¿todavía tienes alma?

—Siempre la tuve.

—Me refiero a que aún sea tuya.

—Tan mía como mi cuerpo, así hayas pagado mucho dinero por él.

Andrés hizo ademán de volver a emplear la violencia, pero se contuvo. Estaba agotado.

—¿Podría saber qué bebedizo me diste para dormir?

—Un extracto de la planta de la amapola.

—¡Opio! Caramba, inteligencia no puedo negarte. —Se puso en pie y dio varias vueltas por la estancia—. Desde hoy no abandonarás tu cuarto ni tendrás contacto con nadie. Yo mismo te atenderé y te llevaré la comida.

Esa misma noche el escribano se despertó al escuchar los cascos de un equino acercarse a la puerta de la casa. Al asomarse a la ventana le pareció ver un caballo negro, sin jinete, desaparecer calle abajo. Tropezó con el cuerpo de Lorenza y confirmó que dormía sobre la estera.

Desde lejos vimos encenderse las luces anaranjadas que iluminan las murallas. El padre Ferrer miró el reloj digital del coche.

—Todavía podemos cenar. La cocinera tendrá algo preparado en la parroquia. —Era la primera vez que le apuraba el tiempo, como si le faltase.

La cena fue rápida: unos bocadillos de atún en su despacho. Todavía con la mesa llena de migas, se incorporó para sacar unos papeles del cajón.

—Mira, ésta es la copia de la carta de Francisco; la del verso.

La leí con la misma incredulidad con la que había escuchado el episodio.

—Si quieres puedes quedártela.

Por supuesto, acepté. Hasta el momento era lo más palpable, además de las historias y sensaciones, que tenía de Lorenza y de mi antepasado.

No puedo precisar si la leí siete o diez veces. El padre Ferrer me dejó hacerlo con tranquilidad. Seguramente intuía el chorro de emociones que me produjo aquel documento. Estaba tan concentrado en los renglones torcidos, borrachos, que no me fijé que el sacerdote había tomado un libro y extraía de él algunas anotaciones.

—Cuando puedas, quiero mostrarte algo —me dijo al verme levantar la cabeza después de estar diez o quince minutos repasando la carta. Me acercó un tomo viejo—. Es una edición de 1887 de la *Historia Civil y Eclesiástica de la Nueva Granada*, de José Manuel Groot. Ya hemos usado algunos apartes para otras referencias. Es uno de los pocos sitios donde he encontrado datos sobre Bernardino de Almansa:

Encontró Juan de Ladrada en el Coro de la Catedral de su iglesia a Bernardino de Almansa, que era dignidad de Tesorero, y conociendo su gran mérito en virtud y letras, lo hizo su Provisor y Vicario general, cargo que desempeñó hasta la muerte del Prelado. Reedificó la iglesia catedral; hizo fundación para el pago de cuatro Capellanes de coro y monacillos y dejó fundada una renta para que todas las veces que saliese el Santísimo a visitar enfermos llevasen la vara de palio sacerdotes con sobrepelliz, y otros individuos con incensarios y música. Dejó también dotada la fiesta de la conmemoración de los difuntos; y finalmente, hizo más célebre su obra con haber fomentado la fundación del colegio de la Compañía de Jesús. Fomentó también la fundación de los recoletos de San Diego. En diecisiete años que gobernó el Obispo de Cartagena lo visitó repetidas veces haciendo confirmaciones y enseñando por sí mismo la doctrina cristiana.

Andrés del Campo sólo permitía salir de la habitación a Lorenza para la confesión semanal. La acompañaba hasta el confesionario, donde ya esperaba paciente el padre Bernardino de Almansa, albergando la esperanza de que la testaruda esposa del escribano reconociese sus pecados verdaderos. Sería de esperar la vigilancia del marido como causa de haber terminado los paseos por las naves del templo. En realidad, el mismo provisor, hombre apegado a la ley, anclado en los preceptos, exigió a su penitente arrodillarse de una vez por todas en el cubículo de madera, máxime ahora, que conocía por boca del esposo los detalles de sus fechorías. Lorenza tenía el ánimo minado por el encierro.

Comenzaba el sacramento con la fórmula del catecismo de *Sanctis*, según las disposiciones del Concilio, que ella había aprendido en las lecturas dirigidas por el padre Sandoval.

—¿Cuántos son los enemigos del alma? —preguntó el confesor.

—Tres principales —contestó Lorenza de carrerilla.

—¿Qué pretenden?

—Derribar el alma de la gracia de Dios y detenerla en el pecado.

—Ruin oficio es ése. ¿Cuáles son?

—El demonio, que nos tienta en todos los vicios, y el mundo que persigue todo lo virtuoso y nos convida a nuestra propia carne, que desea deleites y todo lo malo para su contento.

—¿Cómo se vencen esos crueles enemigos?

—Con el socorro de Dios, resistiendo al demonio con el escudo de la fe y con la espada de la Palabra de Dios, y no amando el mundo y sus vanidades, y castigando nuestra carne con sus malos vicios y malos deseos por disciplinas y ayunos.

—Tú sabes, Lorenzo, que muchas personas, especialmente mujeres, fáciles y dadas a la superstición, con grave ofensa a Nuestro Señor, no dudan en dar cierta adoración al demonio, con el fin de saber de las cosas que desean, ofreciéndole sacrificios, encendiendo candelas y quemando incienso y otros olores y perfumes. Y usando de ciertas unciones en sus cuerpos le invocan y adoran con el nombre de Ángel de Luz, y esperan de él las respuestas o imágenes y representaciones aparentes de lo que pretenden.

—No las desconozco.

—No sólo son de tu conocimiento, sino que eres una de ellas. —El clérigo la acusó directamente, provocándola.

—Nunca he negado compartir bailes de candil con negras africanas. Pero jamás he sacrificado nada para obtener riquezas, favores, o conocer el futuro.

—Sin embargo, mucha es la gente que afirma haber conocido su destino por tus adivinaciones.

—Para ellas no necesito del diablo.

—Entonces, ¿cómo lo haces?

—Lo veo en las... —Recordó bruscamente las advertencias de Jean Aimé—. Lo veo en las hojas de las hierbas, el humo del tabaco, la cera de las velas, cosas por el estilo.

—¡Mi niña, ésas son las tretas que utiliza Satanás para intervenir tu mente! ¿O acaso piensas que es el Señor quien te otorga poderes de adivinación, bienes terrenales o dotes amatorios?

—Las cosas no son, padre Bernardino, como usted quiere verlas. Créame que nunca he tenido tratos con el Ángel de Luz. —Empezaban a picarle las rodillas.

—Pero ¿lo has visto?

—¿Ha visto usted a Dios?

—¡No trates de enredarme! Dios no anda apareciéndose por todas partes recaudando cofrades.

—Quizá tampoco el demonio.

—Confieso a diario mucha gente que asegura haberlo visto, tocado y tratado. Incluso se arrepienten de haberlo conocido carnalmente...

—... Se arrepienten... hasta la junta siguiente.

—Luego, me das la razón.

—Mire, padre, usted ve la imagen del Cristo en la Cruz y cree en él. Los brujos ven un macho cabrío y creen en un dios de la libertad. Vuelvo y le repito, si yo puedo tener algún don, no me lo ha dado el diablo. Tampoco Dios.

—¿Quién entonces?

—No lo sé. Tal vez dioses desconocidos... Pudieran ser dioses africanos.

—¡Mal hizo don Luis dejándote al cuidado de las esclavas! Piensas como ellas.

—Soy una de ellas.

Pero en el fondo ya sabía que sus loas se habían marchado para siempre, famélicos, desnutridos, apedreados por las creencias de Juan Lorenzo, el *Malleus*, los conjuros y sortilegios de la magia de los blancos. Sólo permanecían inmóviles sus conversaciones con las estrellas y las virtudes de las plantas. La saya de las esclavas iba olvidándose bajo los aterciopelados vestidos de gran señora. El mundo de Margarita agonizaba en casa del escribano.

—No existe otro dios que Nuestro Señor.

—Lo que usted diga, padre. —Le dolían las piernas.

—Lo que yo diga... ¿Acaso vas a creer sin más «lo que yo te diga»?

—No, pero va usted a quedarse más tranquilo.

—Eres imposible. En fin, vayamos con cuestiones más mundanas. Si el arte de adivinar, según tú, no es terreno de la brujería, ¿qué me dices de intentar matar a tu marido con pócimas, hierbajos, oraciones o lo que hayas empleado?

—¡En la vida intenté yo matar a Andrés del Campo!

—Pero todo el mundo sabe en Cartagena que casi acabas con él.

—No, padre. Lo que sucedió es que le sentaron mal unas berenjenas de playa.

—Claro, seguramente aderezadas con unas avellanas malamente conjuradas.

—No toda la magia depende de los conjuros. Hay otra clase de encantamientos... —Lorenza volvió a frenarse. No quería mostrar más de la cuenta. Cambió el tema antes de que el confesor escarbase. La verdad es que, durante la enfermedad del escribano, a ratos le daba pena y se arrepentía, y a ratos deseaba su muerte—. Andrés del Campo no es buena persona. El dinero podrá comprar muchas conciencias, pero no la mía, ni mi cuerpo.

—Por eso buscas amor en otro hombre, el sargento Francisco Santander.

—De nuevo le digo, padre, que se equivoca. Francisco es mi amado desde hace mucho tiempo. Si lo mirásemos con justeza, Andrés del Campo es quien se interpuso en mi camino y me apartó del verdadero amor.

—Difíciles los caminos del corazón.

—Más cuando hay dinero por medio.

—Mal consejo podría darte al respecto. No puedo aprobar tus amoríos fuera del matrimonio, ni los intentos vanos de amansar a tu esposo, así quiera entenderlos y buscarles razón.

Entre tiras y aflojas, malabares de palabras, Lorenza contó algo más de lo que hubiera deseado y el padre Almansa estuvo satisfecho con lo obtenido.

—Mi querida Lorenza, si ya estuviera aquí la Inquisición, tendrías muchas posibilidades de acabar en la hoguera. Como por ahora soy yo el máximo encargado de administrar los temas de fe, voy a ponerte una severa penitencia que, de momento, y conste que me gustaría fuese de otra manera, podrás pagar sin dificultad con los fondos de tu marido. Pero eso mandan las leyes, así está escrito en nuestros libros. Por estar tú y tu esposo calificados como gente principal, y con el fin de no causar escándalo, fin que ojalá también tú persiguieras, te condeno al pago de quince libras de cera labrada que serán repartidas en los monumentos de la catedral.

Le dio la absolución, pero cuando se iba a levantar, acelerada por el dolor en las rodillas, el confesor la retuvo.

—Aguanta un poco más y te daré una buena solución a tus problemas, al menos transitoriamente. Puedo conseguirte el ingreso en el convento de las Carmelitas. Tendrás menos pesares entre los espaciosos muros de la clausura que entre las cerradas paredes de tu habitación. Podrás meditar y ahondar en tus sentimientos, con la guía espiritual de las hermanas. A la vez estarás a salvo de las furias de tu marido, y a él también le servirá tu retiro para reflexionar. Confesarías con el padre que asiste a las carmelitas, fray Andrés Sánchez y, por descontado, te alejarás de las prácticas hechiceriles y heréticas.

Lorenza no tardó mucho en dar una respuesta afirmativa. Las monjas no le caían mal. Resultaban tan supersticiosas o más que las brujas; a su entender, aunque no volaban, también lo eran. Las tapias frenarían al escribano, pero no a Francisco. Habría espacio suficiente para mirar al cielo.

—¿Cómo hará para convencerle?

—Le diré que te lo he impuesto como penitencia. No se negará.

—¿Cuánto tiempo estaré en el claustro?

—Tanto como desees.

Al incorporarse crujió el pergamino bajo la falda y recordó las últimas palabras que había encadenado, aunque no las comprendiera: «*la orden de memoria y fuego caerá sobre ellos desde las estrellas*».

Tres días después Lorenza se acercó temprano, antes de salir el sol, hasta la escalinata de la catedral a comprar la cera.

El escribano la dejó sola para el cumplimiento de la penitencia. La neblina no se había levantado. Una mujer vestida de negro, con un pañolón en la cabeza que le cubría parte del rostro, era la única vendedora bajo el pórtico. Pidió las quince libras de cera y la mujer metió la mano en el talego donde guardaba las velas. Sacó treinta de media libra cada una, todas negras. Lorenza las fue tomando de cinco en cinco e introduciéndolas en la iglesia. Las colocó a los pies de los santos y las prendió. Cuando el padre Almansa entró en la catedral para dirigirse al coro, encontró las velas negras ardiendo.

Serían cerca de las doce de la noche cuando salí de San Pedro Claver. Pensaba en la frase con la cual me despidió el padre después de haber estado charlando sobre los motivos de Lorenza para ser como era: «El erotismo del poder perturba el sentido de la realidad». Yo no coincidía en que Lorenza actuase guiada sólo por las ansias de poder. En absoluto. Aunque no discutía que lo emplease para conseguir sus fines, si es que los tenía. Más se trataba de una cuestión de supervivencia, él mismo lo había descrito así la primera vez que nos vimos, no tenía por qué cambiar de parecer.

A lo lejos se escuchaban los cascos de los caballos que tiraban de los coches. Llegué al Santa Clara y fui directamente a la recepción. En el patio de los bronces había bastante gente reunida, bebiendo güisqui, charlando.

—Espero que no le moleste el ruido —me dijo el conserje—. Están dando la bienvenida al nuevo gerente del hotel.

—¿Quién es? —curioseé.

—El señor moreno del liqui-liqui. ¡Por fin un cartagenero! —El saliente era francés.

—¿Cómo se llama?

—Ramiro Biáfora.

Al escuchar el apellido me encogí. Pero mi perplejidad tocó los extremos cuando atisbé en su espalda la pequeña carga de una incipiente joroba. No sólo tenía el apellido de la esclava Rufina, además le ornaba el mismo defecto. Desde entonces se apoderó de mí una desmesurada obsesión por la búsqueda del mensajero. Mis primeras sospechas, por lógica, recayeron sobre el nuevo gerente.

Disculpas por la lírica y la pedantería. Ya pregonaba el abuelo que los hombres, ante el amor, nos ponemos de un poético, o patético mejor dicho, incontrolable; del más burdo al más refinado, cada cual con su poética particular, unos a golpe de arpa y otros a golpe de puño; pero a golpes. Nos adornamos como pavos, sirvan de muestra mis cartas anteriores, y cuando estamos inflados y con el arsenal desplegado no sabemos qué hacer, o simplemente nos sentimos ridículos. Por si opinas lo contrario, trataré de no generalizar.

Anoche regresaron a la playa los chicos del vallenato. Les mandé un saludo desde la terraza. No bajé. No es que no tuviera ganas, sino que estaba enfrascado en mis cuadernos, intentando averiguar por qué te distingo con tanta claridad y exactitud. Preferí no interrumpirme. Con la música de fondo traté de cambiarte las facciones. En mi mente te oscurecí el pelo, te alargué la nariz, te acorté las piernas, te azulé los ojos... y entonces te difuminabas. Ya no eras Lorenza. Por eso llegué a la conclusión de que tú eras la que ya estabas dentro de mí. Tu idea vivía en mi inconsciente, porque no te puedo imaginar de otra manera, sólo de la que tú quieres.

5

Derruido sobre el picaporte de la puerta de su casa, Andrés del Campo no distinguía si estaba borracho porque venía de celebrar la inminente clausura de su mujer, o porque tenía la necesidad de ahogar la congoja por no volver a verla. La única que escuchó sus encharcados reclamos fue Potenciana, quien temerosa de atravesar el recibidor si tropezaba con Rufina, corrió con los ojos cerrados a socorrer a su amo. Lo dejó en el primer escalón, pues el cartulario, malhumorado, no permitió que la esclava lo ayudara a subir las escaleras. «¡Santo Dios, este hombre se va a partir la crisma!» Y por poco se la parte. El beodo trastabilló en dos o tres ocasiones, y a punto estuvo de perder el equilibrio y caer por el otro lado de la baranda. «Pareciera que el diablo lo sostiene», pensó la negra y se retiró a sus aposentos, segura, por desgracia para su señora y por suerte para ella, que don Andrés no besaría el suelo.

Lorenza había tardado en conseguir el reposo, inquieta, alentada con la idea de la reclusión al día siguiente en el convento de las Carmelitas. Ya dormía, como los últimos meses, sin la necesidad de esperar al funcionario. Igual le daba si venía ebrio que sobrio, tarde o temprano, solo o acompañado. Rogaba, antes de relajarse, que llegara con los apetitos carnales satisfechos, porque las náuseas producidas por las ansias jeringosas del escribano ya no lograba reducirlas tapándose la cara ni mordiendo las sábanas.

Pero cuando las cortas piernas de Andrés tropezaron con

los tobillos de Lorenza, se le alborotaron los enturbiados anhelos de poseerla, quizá por última vez en mucho tiempo. Las rameras del puerto no le habían enfriado suficientemente la libido, es más, ninguna mujer lo hacía como Lorenza. Sin conciencia, provocaba en él calientes deseos, deseos incontrolados y engrandecidos al convertirse en reto, refrescados posteriormente bajo la fusta, el látigo y la dominación y posesión de su cuerpo. Al sentir el embate, ella se plegó sobre el baleo. Intentó con rapidez zafarse de las manos correosas, demasiado grandes, que la asían por cualquier parte. Como siempre, la pataleta fue inútil. Las desmedidas fuerzas, anárquicas, del borracho, la apercollaron contra un baúl y, faltándole el aire, Lorenza se resignó, con mayor repulsa que nunca, a que el escribano la penetrara rebozándose en la infamia, sin honra, tantas veces como pudo, hasta que se durmió encima del arcón... encima de su odio.

Lorenza ya no volvió a dormirse. Pasó el resto de la noche terminando el equipaje..., balbuceando, maldiciendo.

Estuve desvelado parte de la madrugada, cavilando acerca del asunto del señor Biáfora y tomando apuntes destinados a mi futura memoria. El sueño me venció tarde.

Bajé a desayunar pasadas las nueve. Hacía un calor insoportable. Encontré asiento en una mesa al borde de la piscina y pedí para el desayuno algo poco habitual en mí: una tortilla y cerveza. El sofoco no me aconsejaba café.

—¿Limpio, maestro?

Observando unos turistas de aplumados modales, no me enteré que un lustrabotas se había sentado delante de mis mocasines. No me dio tiempo a responderle. Cuando bajé la vista ya echaba mano del instrumental, y antes de darle los buenos días, untaba un trapo sucio con betún marrón.

—No los mire tanto, patrón, luego vienen a invitarle a tomar algo. —Rió con malicia, mientras mis zapatos agradecían los primeros agasajos de su vida—. ¡Menuda vaina con esas locas! Viera usted la que se organizó ayer cuando llegó el barco. ¡Todito un transatlántico repleto de maricas! Esas vainas sólo se le pueden ocurrir a los gringos.

—¿Son estadounidenses?

—Canadienses. ¿Usted vio alguna vez en la televisión eso del Barco del Amor?

—Sí, claro...

—Pues éstos han hecho lo mismo, pero con homosexuales. ¡Yo no me subía en ese barco ni con un tapón en el jopo...! Claro, que a mí me da lo mismo, porque ésos no utilizan zapatos..., llevan sandalias; algunos hasta con tacones. —Hizo un simpático requiebro de muñeca, lo alcanzó a pillar un fornido grandullón de pelo canoso que desfilaba por delante de mi mesa.

Para disimular, recriminé al limpiabotas por su gesto provocativo.

—*Sssstupid* —dijo ofendido el canadiense. A mí me guiñó un ojo y siguió su camino.

—Yo que usted me andaba con cuidado. No hay nada más cansón que un marica agradecido.

—Veo que no les tiene mucho aprecio.

—Ay, amigo, si supiera lo que sucedió en Cartagena por culpa de unos indios a los que les gustaba atacar por la retaguardia...

—Los machanaes.

—¿Cómo lo sabe usted?

—Un amigo me contó la anécdota.

—¡Nada de anécdota! Eso fue real. ¡Tan real como la vida misma! Seguramente se lo contaron mal.

No me importó volver a escuchar la historia de los machanaes en Calamarí. El negrito, mientras embetunaba, narró la anécdota de los calamarunos (supongo que éste debía ser el gentilicio) con tanta gracia y exactitud como supongo lo haría Sacabuches al padre Ferrer.

El mesero llegó con la tortilla y la jarra de cerveza.

—¿Le apetece una cervecita? —convidé al limpiabotas.

—¡Huy hermano, chévere!

Casi derramo la bebida cuando el negrito levantó la mirada para agradecerme la invitación. Prometo que aún no había probado la cerveza: algo se movió en sus ojos. Creí divisar unas figuritas que retozaban por sus pupilas. «No puede ser. Me está afectando el calor.» Metió la cabeza entre los hombros para seguir lustrando. Continuó con el relato de los machanaes. Luego volvió a mirarme aprovechando el cambio de pie, y remarcó una parte de la historia: «Como no había hombres disponibles, los esclavos y los indios aprovecharon la arrechera de las hembras». Esta vez lo vi con mayor nitidez: la diminuta cara, maliciosa, de un indio sonriente asomaba por el párpado inferior del ojo derecho. Desapareció unos instantes. Apareció nuevamente, ahora, por el lacrimal del ojo izquierdo. Me sacó la lengua justo antes de que el negrito volviera a concentrarse en mis mocasines.

—¡Listo, maestro! —Concluyó al tiempo la tarea, el relato y la cerveza: prodigio de sincronismo—. Y créame, por aquí, desde entonces, no miramos con buenos ojos a esa gente.

Al despedirse con el típico «a la orden», otro indígena, diferente al anterior, me dijo adiós con la mano desde el centro de la pupila derecha. El limpiabotas marchó agradeciendo la propina, contoneando las caderas a espaldas de dos canadienses agarrados de la mano.

A la última sonrisa por las burlas del negrito se encadenó una rubia que salía del agua.

—Es la señorita Colombia del año pasado —me explicó el mesero al retirar de la mesa los platos vacíos. No me dio tiempo a reflexionar sobre los indios en los ojos del embolador.

Siempre he preferido las rubias. Me pregunto, en el caso de que Lorenza hubiera sido morena, si habrían cambiado mis inclinaciones hacia ella. No lo sé. Tampoco creía mucho en la carnalidad de aquella escultura que salía de la piscina. Al ver los concursos de belleza en televisión, pienso que una vez terminado el evento desinflan a las candidatas y las guardan en un armario hasta nuevas oportunidades. Estaba claro, la señorita Colombia era de carne y hueso, pero así, en vivo, ya no me parecía de concurso. No era muy diferente a otras mujeres que llaman la atención en las aceras de cualquier lugar. Sin embargo, antes de que la desinflaran, la seguí con la vista.

Se acercaba la hora de encontrarme con el padre Ferrer. La cerveza había espabilado mi espíritu aventurero, normalmente activo en el tiempo dedicado a los libros, y escasamente pródigo cuando se trata de correr aventuras de verdad (digo «de verdad» refiriéndome a las sentidas en carne propia, ya que considero igualmente verídicas las aprehendidas en las letras, con la ventaja de no tener que sufrir las calamidades físicas que en ocasiones padecen algunos protagonistas). Les aseguro, para que no piensen que me contradigo, que el espíritu aventurero no está unido, como dictaría la lógica, al espíritu rebelde, insignia y marca de mi familia. El padre Ferrer me había sumergido en las entrañas de Calamarí, y de no haber sido por el influjo de Lorenza, con el simple descubrimiento de mi antecesor me hubiera contentado, estaría, con seguridad, recorriendo otros contornos de la geografía colombiana. Es decir, me hubiera rebelado contra la aventura, si la aventura, en sí, no hubiera sido la propia Lorenza. Allí seguía, firme al encantamiento de la hechicera.

Salí a la calle conforme de no haber sido diana de los coqueteos de ningún machanae-canadiense. Serenado el pensamiento, me centré en la idea de la visita al convento de las Carmelitas. Decidí explicarle al padre Ferrer, nada más verlo, las coincidencias referidas al nuevo gerente del hotel. ¿Serían los indios reflejos del sol?

Andrés del Campo, extraordinario dormidor de monas, fue incapaz de levantarse a despedir a su esposa. «Mejor.» Los criados acomodaron en el techo de la carroza los bártulos de la señora y de su esclava.

Tan sólo a siete cuadras, en la plazuela de los Jagüeyes, se hacían esfuerzos ímprobos para terminar de construir los muros del convento de las Carmelitas y evitar así las posibles fugas de las novicias-por-obligación. La del escribano iba a ser la primera señora de alcurnia refugiada en sus celdas. Hasta entonces, sólo dos vejestorios asilados por sus maridos componían el beaterio.

La hermana Coronación, superiora del convento, salió para recibir a su nueva huésped: doña Lorenza de Acereto. Se apresuró a tomar la bolsa que contenía los dineros adjudicados a su mantenimiento, y luego la acompañó hasta sus aposentos. «Suficientes son estos tejuelos para nuestro tesoro y para limpiar a esta impía de pecados.» Si Lorenza conociera los antecedentes de la abadesa no caminaría tan contenta. Decían en Calamarí que antes de ser monja, cuando usaba su nombre de bautismo, Dionisia Chumillas, aprendió de su padre, verdugo del pueblo gallego de Betanzos, el arte de torturar y purificar en la hoguera a brujas y herejes condenados por el Santo Oficio. Y a la postre, no pudiendo heredar el cargo a la muerte del señor Chumillas, decidió vestirse los hábitos del Carmelo para continuar sirviendo a Dios, a ser posible, con la misma eficacia de su progenitor. Optó por el nombre de Coronación por el agradable, y a la par doloroso, recuerdo de su significado.

Aunque el carruaje se detuvo en la puerta del torno, hubiera podido entrar hasta el claustro por los boquetes. Las monjas, preocupadas por las deserciones, habían solicitado al gobernador un servicio de guardia para ayudarlas a mantener tras el cinturón de piedra a las posibles fugitivas. Y allí estaban los pobres soldados, tiesos, aguantando un calor que les derretía hasta las malas intenciones.

—Usted, mi señora, se instalará en la habitación destinada a los invitados de honor —le indicó la hermana Coronación, con halagos falsos como una moneda de cuero.

Subieron a la segunda planta, donde puerta tras puerta, todas iguales, se habían construido exactos los dormitorios de las monjas. Las tres alcobas finales, un poco más amplias, estaban destinadas a los encierros voluntarios, y un último espacio, en el que acomodaron a Lorenza, era la habitación de huéspedes. Aunque no debía, por ley, ocuparla la nueva inquilina, bien justificado quedaba el favor por el peso de la bolsa que la superiora ocultó en la manga. En el nivel inferior estaban los recintos comunales, las bodegas y la cocina.

El aspecto del convento era bastante rudimentario. Los arquitectos, bien fueron de baratos conocimientos, bien de económico presupuesto. Lo cierto es que no se rompieron la mollera para agraciar un poco la sobriedad que, por su carácter, debía tener el edificio. Pero una cosa es la sobriedad y otra distinta la pobreza. Pobreza de conceptos y pobreza de materiales. Pareciera que uno de los primeros chanchulleros, luego dedicado a la política en Colombia, hubiera sido el encargado de administrar la obra. Pero las monjas estaban dichosas. «¡Ya está a punto de concluirse nuestro convento!» La iglesia ya estaba completamente finalizada. Las escasas pretensiones de los diseñadores no la habían dotado de torres. Chaparrita, la campana colgaba de un arco sobre la puerta. El resto de la construcción estaba conformada por un patio grande (eso sí, el claustro era enorme, un potrero) rodeado por dos alas edificadas en dos alturas y dos muros altos que lo cerraban. El pozo de la mitad era falso; no habían alcanzado los fondos para excavarlo. Quedaron media docena de árboles a la deriva, ornamento del pedregal. Las monjas se encargarían de buscarles utilidad, porque estaban tan mal colocados que, por no dar, no daban ni sombra. Ésta podía encontrarse únicamente en los soportales del primer y segundo piso. Algo tenía de bueno: el fresquito dejado por el viento en las alas de piedra coralina, sin empañetar. Sólo habían enlucido los interiores de los dormitorios con cal blanca.

Ningún cuarto, aunque daban todos al exterior, tenía comunicación hacia fuera. Una oquedad en el techo constituía todo el sistema de ventilación. Por las noches, la luz se proveía con teas racionadas. Durante el día, las puertas abiertas dotaban la claridad.

Un dúo de hermanas revoloteaban como moscas, conste que lo parecían, de un lado a otro tendiendo la cama con las sábanas traídas por la señora en sus baúles. Catalina de los Ángeles daba las instrucciones para tensarlas, aunque sabía que su ama no iba a hacer uso de ellas, salvo si las empleaba como alfombra, porque en el suelo no había esteras.

—Tú, negra, dormirás en esa habitación de al lado, para servir a tu señora en lo que fuera menester. —La hermana Coronación empezaba a mostrar el cobre.

Adosada, había una camareta pequeña, ridícula, donde apenas cabía un colchón de paja.

—No se preocupe, niña Lorenza. Hay espacio de sobra para mi hamaca. —Tranquilizó los reclamos de su ama y metió a empujones, con la pierna, sus cachivaches en la ratonera.

Al tiempo de quedar solas analizaron el lugar.

—No me desagrada. Por lo menos, todo es nuevo —dijo Lorenza.

—Pues el patio me parece un cementerio. Nuevo, pero un cementerio... —consideró Catalina.

—No te angusties, todas éstas ya estaban muertas antes de ser enterradas aquí.

—¿Y nosotras, también nos pudriremos entre estas tapias?

—¡Ni lo sueñes! Medios habrá para sedar el encierro. Por ahora, sepamos de su vida y averigüemos la mejor forma de acomodarnos. Después... ya veremos.

Refrescáronse en el aguamanil y caminaron con intención de entender los pesares y virtudes de las catorce monjas, siete novicias y dos beatas, que habían comenzado a pudrirse dentro de los muros.

El único requisito indispensable para ingresar en un convento era demostrar que la ignorancia constituía la mejor cualidad de la aspirante, condición cumplida a cabalidad por la mayor parte. Más que ninguna, la hermana Azadón, encargada de la pequeña huerta esparcida en diminutos cuadriláteros por el patio del claustro: aquí lechugas, allá tomates, a lo lejos maíz, cilantro y papas; ingredientes vitales para un sancocho, siempre que al puchero se le añadiera una de las gallinas que correteaban cacareando con las alas abiertas, aterradas, huyendo de los gallinazos gigantes que las perseguían. Las encargadas de estofar las aves eran, por lo general, la hermana Cucharón y la hermana Semilla. La última, de cuando en cuando, abandonaba sus labores de pinche agrícola para ayudar en la cocina; nunca le floreció un sembrado derecho ni consiguió que sus compañeras digiriesen totalmente un plato en el cual hubiera intervenido su sapiencia culinaria. La novicia Guiomar de Anaya, autora de los apodos, dudó al principio entre el de hermana Calamidad o hermana Semilla. Se inclinó por el mote benévolo, aunque si la hubiera conocido un poco más, sin duda, le habría colocado el otro. Pronto Lorenza intimó con la joven Guiomar, alegre, tímida, no comprendía cómo, a pesar de sus largas entendederas, la habían confinado en el cenobio. Según explicaciones propias, su madre, Luisa de Tiemple, con el fin de expiar graves pecados cometidos contra la fe de la Iglesia (sorprendida, como tantas, en actos de brujería), había sacrificado la vida de su hija menor al servicio de Dios, para que intercediera por ella y pudiese, a cambio de la ofrenda, alcanzar la Gloria el día de su muerte. Pero la hipótesis popular, más acorde con la realidad, achacaba el enclaustramiento de Guiomar al color de su piel, café con leche, por la vergüenza que le causaba a su padre, Segundo de Anaya, el aceptar que la menor de sus herederas fuese tan distinta de los hermanos y, como le chanceaban las amistades, más bien pareciera fruto de orgía de aquelarre. «Mis hijos han de ser criollos; pero claros.» No podría saberse si tal aseveración la hacía don Segundo refiriéndose a la blancura de la epidermis o a la transparencia de su origen. En cualquier caso, Guiomar ya no podía hacer nada para rebelarse contra el Destino. Aún llevaba el hábito de las novicias, el pelo a la cintura, moreno y liso. En menos de veinte días se lo cortarían a cepillo, media pulgada de largo, y así lo habría de mantener el resto de su vida, escondido bajo la toca negra.

—Mi mayor ilusión era casarme con un buen mozo, tener hijos, criarlos, vivir por ellos y para ellos. Nunca contemplé la posibilidad de vivir sólo para mí, o para Dios. No creo valer para esto. Me aburro. Me aburro como esa piedra en la solana, inmóvil, a expensas de la brutalidad de sor Azadón; cualquier día la tritura a golpes —dijo a Lorenza señalando una roca en el sembrado de lechugas amarillas.

—¿Qué esperanza albergas?

—Que se rompa.

—¿La piedra?

—No... el azadón. —Y demostraba llevar en la sangre el anhelo de libertad de algún esclavo.

Escondía su tristeza en actos de jocosidad. Jocosidad encubierta, ya que, temerosa del castigo, o simple retraimiento, inventaba disparatadas ocurrencias y las ponía en boca de las novicias menores. La abadesa no averiguó nunca quién motejó a las hermanas. Nadie, ni ella misma en ocasiones, las reclamaba por su verdadero nombre.

La hermana Coronación rondaba los cincuenta años. Las demás monjas estaban entre los veinticinco y los cuarenta. Las novicias entre los doce, la menor, y Guiomar, la más adulta, diecisiete.

Las jornadas no estaban exentas de monotonía. Se respetaban los rezos de las horas canónicas. A la hora prima, antes del amanecer, Lorenza asistía a misa y, oculta tras la celosía, cubierta con un velo negro de encaje, se dedicaba a reconocer caras entre los asistentes: misión difícil por la escasa iluminación. Cada vez que las hermanas del coro dejaban de cantar, se oía, interminable, el comején taladrando las vigas (anodino divertimento). Sentábase atrás, con las novicias, para quienes se había convertido en una hermana mayor, una amiga o una madre. A excepción de Guiomar: ella había tomado a Lorenza como su confidente, su modelo, y por ella iba creciendo un revoltoso cariño.

Terminadas las oraciones de la hora tercia, se dirigían en fila al refectorio. Las hermanas comían en una dependencia aparte, separadas por una tosca división de piedra. Aspirantes, beatas, huésped y esclava compartían un espacio amplio, fresco, alrededor de una mesa de maltrechos tablones sin pulir. «¡Ya se me ha enganchado otra vez la basquiña en el maldito clavo!» Prohibido hablar durante la comida. La hermana

San Mateo, bautizada así porque este evangelista era su preferido (como su amor platónico), leía durante el almuerzo bajo el vano que separaba los habitáculos. De vez en cuando se atascaba, tartamudeaba un poco, y entonces las novicias, con el apoyo de Lorenza, orquestaban una rechifla atronadora que solía terminar severamente reprendida por la hermana Barrotes, guardiana del convento.

Lorenza miraba luego salir a las monjas en riguroso orden y percibía que no estaban faltas de amor, como imaginara tiempo atrás, sino que estaban amargadas, triste y rotundamente amargadas. Le pasó por la cabeza en más de una ocasión la idea de volver a purgarlas.

No existían momentos de ocio. Entre padrenuestros, salves y avemarías, todas, menos las beatas sumidas en plegarias, se dedicaban a labores de locería, tejidos, repostería, limpieza o cualquier otro menester que contribuyera al sostenimiento de la comunidad.

El Carmelo era un monumento a las prohibiciones: estaba prohibido hablar la mayor parte del tiempo; estaba prohibido cantar, bailar, reírse, saltar, tocarse, correr, llorar, estar a solas en el locutorio, ir al baño a deshora, jugar, reñir, quitarse la toca fuera del dormitorio, desear y, de momento, hasta morirse. Tampoco se permitía leer ni escribir, salvo la superiora, quien debía llevar los diarios y las cuentas, la hermana lectora y la misma Lorenza, con permiso del padre Almansa. Las demás, de todas formas, eran analfabetas.

Después de la queda, cada cual debía recogerse en su aposento. Nadie podía abandonar sus habitaciones hasta el siguiente amanecer. Pero Lorenza y Catalina nunca acataron la orden. Ni ésa, ni muchas otras. Apagados los ruidos, en la agonía de las teas, ambas salían con cuidado y bajaban al patio. Durante la noche los árboles sí daban sombra, y acogidas a su refugio, charlaban en voz disminuida.

—Las hermanas me preguntan mucho por usted, niña Lorenza. —Catalina de los Ángeles, por defecto, se había convertido en la esclava de toda la congregación—. Me piden que interceda por ellas para solicitarle favores; que mucha es su fama y necesitan de sus recaudos.

—En este encierro poco podría ayudarlas.

—La tornera, sin más, sufre de grandes penas, porque un cura que viene con frecuencia, amparándose en la confesión, la persigue y solicita en amores. ¿No podría decirle una oración para espantarlo? Mire, niña, la hermana tornera siempre nos ha favorecido, y su vigilancia en la puerta serviría nuestros intereses.

—¡Ya veo que no has perdido el tiempo!

—No es por malicia, mi señora, en verdad las hermanas me causan pena. Ni las ampara Dios, porque no habría uno tan perverso que las deseara esta reclusión, ni las ampara el Ángel de Luz, porque la mayoría no conoce sus patrocinios.

—Quisiera poder negarte la razón...

—Díjome la hermana tornera que un dominico, fray Luis de Saavedra, quien no es confesor habitual, aprovecha su fama de adivinador para convencer a las mujeres que lo dejen observar. A ella, fray Luis le toma la mano y le mira las rayas, y le pronostica muchas cosas. Y luego le dice que se destape y quite el velo para ver las señales que tiene en el rostro, y le mira los dientes diciendo que por allí entiende sus condiciones. Y le pide también que se eche en la cama para verle los lunares que tiene en el cuerpo, que ha de ser venturosa, y que estando en la cama siempre quiere remangarla. Como la hermana se niega, le pregunta si al acostarse se toca los pechos o alguna otra cosa. Y en tanto, fray Luis se esconde las manos bajo la sotana y se acaricia, en medio de suspiros, hasta que deja una mancha en el suelo. Y luego la manda ponerse en pie y guardar secreto de todo aquello.

—Dile a la tornera que muela piedra de ara y la mezcle con pelos de gato prieto y hojas de ortiga. Con el recaudo ha de impregnar un paño y guardarlo con disimulo, cuidando de no rozarse la piel. Y a la llegada de fray Luis, se muestre solícita a acariciarle el miembro. Cuando lo haga, mande por delante el paño y se lo envuelva bien anudado. Mientras grite, debe conjurar al señor de la calle. Si a pesar del escarmiento continúa empeñado, dé aviso a la hermana Azadón, que ella, sin necesidad de fórmulas, dará buena cuenta del fraile. Y si los escozores o los coscorrones no le calman, comunique los hechos al padre Bernardino de Almansa.

Disipado el miedo cultivado por la hermana Coronación contra la bruja (habían de sacarle el diablo del cuerpo), las enclaustradas, conscientes que su vida se apagaba por segundos, fueron acercándose a ella. «Pues no es muy distinta de nosotras.» Pero mantuvieron el respeto. Cada monja tenía sus particulares angustias, a través de las cuales, Lorenza, por mediación de Catalina de los Ángeles, las fue arracimando. A todas, menos la abadesa.

—Quien más indaga es la superiora —continuó la esclava—. En todo momento trata de sonsacarme cosas suyas. Hoy mismo me preguntó si usted echaba sal en las comidas, porque dice que las brujas no la prueban. Incluso, delante de mí, ordenó a la hermana Cucharón que salara su estofado para ver si su merced lo escupía. Luego, todito el almuerzo, lo pasó fisgando tras el muro para comprobar si expulsaba la comida, pues afirma que últimamente la ha visto con muchos desmayos y vómitos.

—¿Y tú qué le dijiste?

—Que mi señora come sal como cualquier cristiano. Y sin conformidad por lo que le contesté, siguió con otros muchos interrogantes acerca de su persona y del señor Andrés. Pero no se preocupe, cuanto salió de mis labios no fue sino para confundirla y atormentarla.

—No te fíes, Catalina, esa mujer no tiene buena sangre. Y dile, de paso, que los desmayos y vómitos no me los produce la sal, sino una violación de Andrés del Campo.

—¿Está preñada, niña Lorenza?

—Lo estoy, Catalina. Lo estoy...

Lorenza miró sus estrellas buscando respuestas, buscando a Francisco, con la angustia de ser rechazada por el amante cuando su estado se hiciera público. ¿Qué decían las estrellas? Estaban mudas. Y eso la inquietaba aún más, porque sabía perfectamente cómo callaban cuando querían ocultarle malos designios. Sólo escuchaba leves murmullos de sequía, sonidos de un trigal abatido por una brisa calcinante, las espigas de su propia vida secas por el hastío. ¿Por qué había desaparecido su mar, su selva, el verdor de la manigua, el tacto de la arena de la playa, el bullicio del puerto, la fuente de su albedrío? «Mayor libertad sentí cuando vivía entre los esclavos.» Y añoró los turbantes blancos, las sayas de fámula, los pies descalzos.

La rutina cubrió el convento como una losa. Pocas circunstancias sacaban a Lorenza del tedio imperante: los dolores, el malestar, la visita del médico, las temibles confesiones dominicales, los paseos nocturnos o las conversaciones con Guiomar. Los mamotretos de la biblioteca poco contribuían al divertimento. Sólo hablaban de Dios y de Dios y de Dios y de anatemas y de castigos y de un Cielo inalcanzable... «¡Estoy aquí, en este encierro aflictivo del que no me atrevo a salir! ¿Os habéis olvidado todos de mí...? Si es que alguien debiera recordarme.»

Aunque inicialmente no sintiera especial alegría por su embarazo, a medida que pasó el tiempo se dio cuenta de que su hijo, aunque fuera producto de la viscosidad del funcionario, se había convertido en el mejor consuelo, motivo de persistencia, compañero en la soledad y desdoblamiento de sí misma. «¡Será una niña!»

La hermana Coronación, siempre que podía, dejaba patente el odio generado contra Lorenza.

—Nada bueno puede salir de sus entrañas. Si esa criatura nace con algún rasgo humano, será únicamente por la intervención de don Andrés. Si por ella fuese, pariría al mismísimo hijo de Satán. ¡Menos mal que nacerá en tierra bendita! —aleccionaba la superiora a sus discípulas.

Como ruin adversaria, nunca la encaró. Guardaba las distancias, aunque Lorenza no tuviera mayor interés en perjudicar a la abadesa; pero tampoco estaba dispuesta a dejarse avasallar. Quizá, el hecho de no agredirse abiertamente, obedecía a un secreto que una guardaba de la otra. Un secreto convertido en el elástico que amortiguó la tensa relación entre la supuesta reina de las brujas y su escogido verdugo.

De vuelta al cuarto, una noche que había permanecido varias horas sentada al pie de una de las acacias del patio, solitaria, cuestionando su devenir, Lorenza escuchó los golpes secos de un cilicio en el dormitorio de la hermana Coronación. Espió a través de una ranura abierta entre las mal cuadradas puertas de doble hoja. La rectora flagelaba su espalda a ritmo acompasado. Su cuerpo sin sustancia, escurrido, mostraba en toda la piel antiguas y recientes marcas impresas por diversos instrumentos de penitencia. La mísera llama de una palmatoria permitió que Lorenza observase su lomo descarnado, sangrante, lacerado tantas veces que había perdido las proporciones. De repente, se detuvo. Bajó el cilicio y lo tomó por los cueros. Se tumbó en la cama, y ante los ojos incrédulos y mareados de Lorenza, introdujo el mango de madera entre las piernas. Se colocó la almohada en la boca para ahogar los gemidos. Lloró y rió en medio de frenéticos movimientos. Terminó. Se levantó después de saborear el éxtasis y volvió a la carga sobre su cuerpo, ahora, azotándose las nalgas por uno y otro costado. No era posible diferenciar si las muecas del rostro las producía el dolor o el placer. No pidió perdón a Dios ni una sola vez, ni rezó. Lorenza no pudo contener una arcada, y el accidental sonido la delató. La hermana abrió la puerta y sorprendió a la bruja con la mano en la boca intentando retener la náusea. Nada se dijeron; pero ambas demostraron la furia con la mirada.

Al día siguiente, al salir de la misa del alba, un montón de golondrinas sobrevolaban el claustro.

—Desde tu llegada, esos pajarracos no han dejado de anidar en el convento. Pareciera que nos vigilan... —dijo la superiora con leve tono acusatorio, suficiente para que Lorenza se diera por aludida.

—Yo que usted me andaba con cuidado, hermana Coronación —dijo Lorenza—. Recuerde, las golondrinas le quitaron a Cristo la corona de espinas.

Bufó y se arqueó como un gato atacado por un perro. Sin embargo, pronto encontraría la oportunidad para desquitarse y nivelar la balanza.

Según transcurrían las semanas, a Lorenza le costaba caminar. La barriga crecía, como crecía la incomodidad, la indisposición y el temor al parto, del que todas opinaban y sobre el que ninguna tenía la más remota idea. «Mi madre dice que es como cagar un ladrillo.» «Rezando los salmos, se quitan los dolores.» «¿Cómo nace un niño?» «Lo trae la partera.» «Yo sólo he visto parir a las esclavas en el cobertizo; pero los blancos no nacemos igual, ¿verdad?» Catalina estaba muy ocupada negociando recaudos con las monjas. Guiomar se preocupó por atender a Lorenza, pendiente de ella en todo momento. Y la embarazada notó que la joven novicia le daba un cariño responsable, desinteresado; un cariño más propio de un marido que de una amiga.

—Me agradan y confortan mucho tus atenciones.

—¿Qué puedo hacer aquí, sino cuidarte?

Una tarde, Lorenza contó a Guiomar el respiro que encontraba en sus paseos a la luz de la luna, y la invitó a compartir el frescor de aquel oasis. «Estate preparada. Golpearé tu puerta al filo de la media noche, cuando me asegure de que todas duermen. No lleves calzado, la guardiana tiene el sueño ligero.»

Guiomar ayudó a Lorenza a bajar las escaleras con sigilo. Buscaron asiento sobre las raíces de uno de los árboles. Los camisones, livianos, no les privaban de los halagos del viento.

—Ya no puedo con esta tripa. He engordado mucho... y eso que la hermana Cucharón no es pródiga en las raciones.

—Pronto nacerá tu hijo y hallarás alivio. —Se acomodaron una junto a la otra.

—Estoy indecisa. No sé si llamarla María o Margarita. Tal vez le ponga los dos nombres: María Margarita.

—¿Y si es varón?

—Es una niña.

—Si tú lo dices, así será. ¿Pero en el nombre no debería intervenir el padre?

—Por desgracia él le dará el apellido, así que yo le pondré el nombre.

—Me comentó la hermana Cancela que te negaste en varias ocasiones a ver a tu esposo en el locutorio.

—Si estoy aquí, es para huir de él. No quiero molestias, al menos durante el tiempo que pueda evitarlo.

—¿Has pensado qué harás cuando nazca tu hija? —preguntó Guiomar poniéndole la mano en el vientre.

—Quisiera saberlo; pero no tengo la menor idea.

—¿Nada anuncian tus agüeros?

—Últimamente callan. O hablan de muchas personas... salvo de mí. Volvió a escudriñar el firmamento.

—¿Qué ves en las estrellas?

—Depende del lugar que ocupan en un determinado momento. A veces sólo escucho. Cuando me concentro en ellas, oigo voces.

—¿Y qué te dicen?

—Me hablan de amor, de gente conocida, murmuran intimidades, imitan ruidos, me previenen de algo, cantan o ríen si están alegres.

—¿Y si están tristes?

—Callan. No dicen nada para no preocuparme. Y se esconden, cambian a propósito de lugar para distraerme. Si me concentro mucho, las oigo llorar.

Guiomar apoyó la cabeza en el hombro de su amiga y siguió frotándole la barriga. Lorenza pensó en la poca gente, la más cercana, que había compartido con ella el misterio de las estrellas.

—¿Qué te cuentan sobre el amor?

—Tantas cosas... Me han confundido.

Guiomar acercó el oído al vientre de Lorenza.

—¿La sientes?

—Se mueve mucho, y, a su manera, trata de decirme cómo se encuentra. Imagínate, cada vez que nos cruzamos con la superiora da una patadita, como queriéndola alejar. —Se pasó la mano por la barriga y luego acarició la cabeza, ya rapada, de la novicia.

—Hasta el cabello me han robado. ¿Estoy muy fea?

—No, Guiomar, no estás fea. Tienes una cara muy linda y un cuerpo muy bonito.

—Para lo que han de servirme... Pero, sabes, no pienso quedarme prisionera en estos muros toda la vida.

—Haces bien en pensar así. A tu edad y con tu inteligencia sería absurdo renunciar al mundo y dejarse enterrar viva.

Los rayos de la luna se filtraban por las hojas y las ramas de la acacia. Unas nubes se acercaban desde el mar, amenazando tormenta.

—Un día te dije cuánto me colmaba el aburrimiento. Pues sigo aburriéndome. Aburriéndome hasta de mí misma. Aburriéndome de no tener valor para saltar ahora esa tapia y salir corriendo. Aburriéndome de la monotonía de las horas, de la repetición de lo mismo en prácticas interminables. Estoy aburrida de ver siempre la misma expresión de los santos en las pinturas, con cara de nunca haber renegado de su martirio... Hasta me aburre pensar que algún día pueda recuperar mis ilusiones. —El hilo de voz de Guiomar confirmaba un aburrimiento verdadero.

Comenzó a pasar un pie por la pierna de Lorenza. Ella no lo rechazó. Dejó que siguiera subiendo por la rodilla y le alzara un poco el camisón. Lorenza recostó la cabeza contra el tronco del árbol y cerró los párpados para sentir más adentro el roce de su piel. Permanecieron en silencio, escuchando solamente el sonido de las caricias. Guiomar alzó la cara y besó con lentitud, sin gravidez, los labios de Lorenza.

Pasarían dos horas, o tres, o cuatro... y Lorenza reaccionó a unas gotas de lluvia que le mojaron el rostro. Estaba sola. No se levantó inmediatamente. Esperó que el agua borrase de su memoria la imagen de la felicidad acorralada en los ojos de Guiomar. Arreció la tormenta. Le costó incorporarse. Caminó hacia los soportales y, cuando miró al segundo piso para comprobar si había alguien despierto, encontró a la hermana Coronación asomada a la barandilla, protegida por un manto, con los músculos de la cara rígidos de haber estado durante largo tiempo acuñando la misma sonrisa.

Comprendieron que un secreto sostendría al otro.

El domingo siguiente Lorenza acudió aturdida al confesionario, no porque fuera a descubrir sus pecados ni porque alguno de ellos le produjera remordimientos: el motivo de su ofuscación era fray Andrés Sánchez, el sacerdote que, desproporcionado en sus funciones, convertía el sacramento en suplicio y tortura mental para cuantas, sin alternativa, debían arrodillarse ante él. Suplicio y tortura extendido habitualmente a la penitencia, temida por su dureza, así reconociesen las confesadas faltas inocentes. Haber pronunciado una palabra soez equivalía a siete golpes de cilicio. Pronunciar el nombre de Dios en vano, tres días de ayuno, flagelación nocturna y oración permanente. Haber participado en actos de brujería o emplear fórmulas hechiceras (según contaban, porque ninguna en el convento se atrevió jamás a delatarse) exponía a quien cometiera tal locura a penas tan severas que, gente crédula y sumisa como doña Carmen Noble, esposa del comendador Fernández Gramajo, habían terminado con graves laceraciones en torso y espalda, profundas quemaduras en la palma de la mano y serios trastornos en el entendimiento. Muy pocas, por tanto, confesaban culpas excesivas.

Es posible que el estado maternal la hubiera debilitado, o que sus instintos de protección la tuvieran alerta; pero el fraile le causaba temor, rechazo y alteraciones en el estado de ánimo. Alteraciones desde la desidia que comenzaba el sábado en la noche, hasta el nerviosismo que la exasperaba mientras le llegaba el turno de acercarse al confesionario. El penetrante olor a desinfectante, disperso por toda la iglesia para matar los avispones, le producía una basca inaguantable. Ni su embarazo la libró de tener que hincar las rodillas en el áspero pavimento. Sin embargo, fray Andrés no llegó a provocarle tanta animadversión como más tarde le provocaría el inquisidor general. La mayor penitencia impuesta por el desmedido sacerdote, tal vez por instrucción del padre Bernardino Almansa, fue la lectura constante del *Catecismo Tredentino*, al estilo de anteriores ocasiones en el Colegio de los Jesuitas.

Quien se aterrorizaba, almadiaba y caía en profundas depresiones, era Catalina de los Ángeles. La rigurosidad y el encierro habían socavado la entereza de la esclava. El magnetismo del confesor era tal que le resultaba imposible zafarse de sus pantanosas maquinaciones, de manera que siempre terminaba enredada en pecados propios y ajenos, reales o supuestos. Sólo la cercanía de Lorenza la salvó en varias oportunidades de aplicarse condenas atroces que la hubieran hundido en las marismas del abatimiento.

Guiomar era más fuerte. Se arrodilló en el confesionario justo antes que Lorenza. Después coincidieron en la misma banca, pagando las oraciones de la penitencia. La novicia miró y le dijo: «Sólo Dios sabe por qué he dejado de creer en Dios». Escondió la cara entre las manos y rompió a llorar.

Nunca volvieron a referirse a aquella noche, a aquel beso, como si no hubieran existido.

Me sorprendió gratamente el encuentro con la hermana Carmen. Esperaba frentear una monja cruel, hundida en su miseria, podrida en la clausura. Por el contrario, la actual superiora del convento carmelita me pareció una mujer simpática, moderna, preparada y, me atrevería a insinuar, atractiva. Seguramente estaba muy influido por el relato sobre la hermana Coronación. Y como la misma hermana Carmen, o sólo Carmen —según nos pidió que la llamásemos—, nos dijo: «No debemos juzgar a aquellas pobres ignorantes con el mismo rigor que hoy aplicamos. Acabarían todas ante un tribunal o encerradas en un manicomio, acosadas por los fantasmas creados por sus supersticiones. Los mismos fantasmas que todavía recorren estos pasillos; fantasmas reales para la imaginación popular. De igual forma, todos los conquistadores de hace quinientos años darían con sus huesos en una cárcel, acusados por las organizaciones de derechos humanos. Contentémonos con reconocer que el mundo ha cambiado».

Caminó delante del padre Ferrer y de mí. Yo me retrasé un poco para gratificarme con sus piernas bien contorneadas. «Ya no usamos hábito. Tampoco vivimos en total régimen de clausura, escondidas de la realidad.» No es que llevase minifalda, pero la faldita azul hasta encima de la rodilla se me antojó provocativa. Quizá, si la hubiera visto en otra mujer, no tanto; pero en las piernas de una monja... El padre Ferrer también la miró, con mayor disimulo (diría que mayor experiencia). También me pareció coqueta su melenita arreglada, morena, a la altura del cuello.

Nos mostró las instalaciones reformadas. El patio estaba reducido considerablemente por la construcción de dos alas nuevas. Si bien las obras habían concluido a principios de siglo, el estilo y la decoración se mantuvieron, por lo que a simple vista, pareciera que todo el convento datase de la misma época. Las mejoras ofertadas por la modernidad lo habían provisto de comodidades que hacían placentera la vida de las actuales hermanas.

—¿Dónde queda ahora la huerta? —pregunté con ganas de conocer a la heredera de la hermana Azadón.

—¡Ea pues, avemaría, mijo! —contestó Carmen con inevitable acento antioqueño—. ¡Jubilamos las lechugas hace años!

—¿Cómo sostienen ahora el convento?

—Vengan, les muestro.

Nos desviamos del recorrido. Pensé que nos llevaría a un soleado taller de costura, donde novicias y monjas tejerían muñecas de trapo, bordarían albas o coserían sotanas para curas.

«La leche.» Perdón. «Cuidado con los cables.» Sirvió la advertencia para no tropezar con el cableado que, por detrás de cada mesa, unía la complicada red de ordenadores.

—Como verán, hemos cambiado los tomates por la tecnología. Nos dedicamos al desarrollo de programas informáticos para empresas locales y a la diagramación de páginas web para internet. Incluso tenemos la nuestra propia.

Parece que el padre Ferrer ya conocía montajes similares. Yo no salía del asombro: aire acondicionado, monjas en vaqueros y con melena, www.carmelo.com... Puede que el convento hubiera adquirido un halo de tecno-romanticismo, porque apuesto mi conciencia a que las hermanas que tenía enfrente, tecleando dale que te pego, si no es porque eran hermanas, intocables, producían un no sé qué yo sí sé dónde, digno de investigación. «Como podrá suponer, padre José María, los problemas han cambiado respecto a los de hace quinientos años.» Se lo dijo al padre Ferrer, utilizando su nombre de pila, pero mirándome a mí. «Tranquila, hermana, no pienso alborotarle el gallinero.»

La sala de cómputo estaba situada en el edificio moderno. Regresamos a la parte vieja, donde inicialmente nos dirigíamos, a la zona de dormitorios, junto a la antigua iglesia.

—El pozo ya tiene agua —apuntó el padre Ferrer al cruzar el patio.

Habíamos solicitado a Carmen, expresamente, que nos mostrara la habitación de huéspedes ilustres, la que en su día ocupara Lorenza. Reconstruida, seguía cumpliendo idénticas funciones.

—No sé quién fue Lorenza de Acereto —explicó ante nuestra petición—. Muchas son las historias, leyendas y mitos generados alrededor del convento. Pero seguramente algo podrán encontrar en los viejos archivos. El convento pasó malas épocas. Ha sufrido dos incendios y buen número de asaltos. En varias ocasiones ha sido presa de curas o monjas codiciosos que han feriado sus pertenencias. Y las guerras y revueltas que asolaron Colombia también hicieron mella en él. Como ustedes saben, el pacificador, Pablo Morillo, tomó todos los archivos, civiles y eclesiásticos, y los mandó a España. Posiblemente es de las pocas cosas que le debemos agradecer, porque aquí se hubieran perdido. Hoy por hoy, la mayoría de los documentos reposan en el Archivo Histórico Nacional de Madrid o en el Archivo de Indias, en Sevilla. Pero hubo algunas excepciones, como el caso de este convento: poco antes de la toma de Cartagena por las tropas fieles al rey español, en 1816, un ala del edificio, la que albergaba la biblioteca, fue cañoneada y se derrumbó. Los archivos estaban guardados en una dependencia bajo la biblioteca, por lo que Morillo no pudo encontrarlos. Tampoco lo harían las personas encargadas de las diversas restauraciones. En 1940, un grupo de jóvenes arquitectos de la Universidad del Norte descubrieron un pequeño pasillo bajo un montón de escombros y trastos viejos. Tuvieron que excavar bastante, pero finalmente encontraron los legajos del archivo. En estos momentos trabajamos un programa para sistematizarlos. Allí quizás encuentren alguna respuesta, aunque no están todavía muy ordenados. Lo único que no puedo permitir es que los documentos abandonen el recinto. En la nueva biblioteca pueden trabajar sin molestias.

La nueva biblioteca podía esperar un momento. Estaba empeñado en respirar el espacio que Ella había respirado: su cuarto. Lógicamente, ya no era el mismo: otros muebles, otro piso, luz eléctrica, aire frío... El escueto habitáculo de Catalina de los Ángeles estaba convertido en cuarto de baño. Toqué las paredes. Fue un movimiento instintivo, porque muy bien sabía que todas esas especulaciones sobre las energías guardadas en las piedras no funcionaban conmigo. Siempre toco los monumentos, los cuadros, los muros, con la esperanza de que alguna vez suceda algo, sienta algo... pero ¡qué va!, nada quiere conmigo la memoria táctil. Admiro a los que poniendo la mano sobre una pirámide afirman: «Yo en otra vida fui egipcio». No percibí la energía de Lorenza; pero estuve satisfecho de reconocer su entorno, ese diminuto pedacito distorsionado de su mundo, de su historia.

A renglón seguido bajamos a la biblioteca, tras recorrer la galería de los equidistantes dormitorios que tanto aburrían a Guiomar de Anaya. Las descuadernadas puertas de doble hoja habían sido sustituidas por unas corredizas de aluminio que no dejaban escapar las frigorías del aire acondicionado.

—Aquí tienen todos los legajos correspondientes a la primera mitad del siglo XVII. —Señaló Carmen una balda con apilados pergaminos atados con cinta roja, embutidos en tapas de cuero negro—. Ya les advertí que no se encuentran en riguroso orden, la búsqueda puede ser dispendiosa. Pero tengan ánimo, y les deseo mucha suerte. Si necesitan algo de mí, ya saben dónde queda el despacho. Trabajen en paz. Y ya mismo les mando traer unos tinticos.

Quedamos solos en la amplia biblioteca. Antes de sentarnos a requisar legajos, estuvimos de acuerdo en echar un vistazo a los libros antiguos que reposaban en los anaqueles. Tomos gruesos, empolvados, la mayoría textos religiosos.

—Al parecer, ustedes, los jesuitas, eran más atrevidos —dije al padre Ferrer.

—¿Qué más querían las monjas de aquel entonces? Todos estos volúmenes, salvo a la decoración, poca utilidad podían ofrecer si, como se afirma, casi ninguna leía.

Revisando los estantes, el sacerdote reclamó mi presencia.

—Mira, Álvaro, el *Catecismo Tredentino*. Por la fecha de publicación y viendo que no hay ningún otro, bien pudiera ser éste el que leyó Lorenza.

Lo tomé en mis manos. Lo toqué, como las paredes del cuarto. No voy a contradecir lo dicho antes, pero una sensación rara me subió por los brazos. No adjudico esta sensación a ningún fenómeno energético, lo único deducible es física emoción. Emoción por palpar las hojas de un libro que Lorenza había tocado con las manos y recorrido con sus ojos de miel. Un libro que muy pocos, tal vez nadie, habían vuelto a estudiar desde que Ella lo devolviera a su anaquel. ¿Emoción?

Recorrimos las páginas una por una, buscando anotaciones, pistas, señales... No encontramos nada. Devolvimos el tomo a su lugar.

Después agarramos cada uno un legajo y nos sentamos en una larga mesa a analizar los manuscritos. Fue complicado acostumbrarse al castellano antiguo. El polvo me hizo estornudar varias veces. A la chica de los tintos le pedimos un trapo para limpiar los pliegos.

Tuve tiempo, entre legajo y legajo, de pensar en las particulares circunstancias a las que me había visto abocado, o predispuesto, en las últimas dos semanas. Independientemente del tema de Lorenza, de Francisco Santander o de la historia de Calamarí, me centré unos minutos en la figura del jesuita. Allí estaba el padre José María Ferrer, con los codos hincados, leyendo centenarios archivos en busca de un supuesto, una sospecha, una intuición. A la hora de la verdad, ¿quién era aquel hombre que me inspiraba tanta confianza, a quien había seguido sin condiciones, con quien me había involucrado en una investigación (aquí no sé si escribir irreal o ilógica, o cuál adjetivo emplear, pues no podría calificar con precisión nuestra aventura), y me causaba entrañables afectos, como si fuéramos conocidos de toda la vida, aunque en realidad sólo hubiéramos compartido los últimos quince días? No tengo respuestas. Me hubiera gustado saber más de su persona, no a través de la vida de Lorenza y de mis antepasados, sino a través de su propia vivencia. Porque mucho fue lo que de él aprendí en corto tiempo. Su encuentro cambió definitivamente mi vida. ¿Sabría el abuelo que esto sucedería?

La tornera, conocida como la hermana Cancela, cumplió la encomienda ordenada por Lorenza a través de Catalina de los Ángeles. El abastecero que proveía las alacenas del convento llevó un recado al cuartel de los alféreces del rey: «La señora de Acereto requiere al sargento mayor Francisco Santander». El soldado no acudió inmediatamente. Pasaron siete u ocho días, inciertos, y Francisco apareció una noche, saltando la tapia, para encontrarse con Lorenza bajo la sombra de la acacia.

—¡Me has dado un susto de muerte!

—Tranquilizaos, y antes de que me hagáis reclamo, disculpad por no haber podido venir antes a vuestro lado. Muchas han sido las causas de tal impedimento.

—Mi madre decía que nunca debe comenzarse una conversación con disculpas.

—No soy docto en el arte protocolario.

—Yo tampoco. Es simple estrategia, para no permitir que te acorralen.

—Empezaré pues de nuevo, si me lo permitís. No quisiera verme acorralado por vos.

—Sea.

—Buenas noches, Lorenza. Acudo raudo a la solicitud de vuestro reclamo.

—¿No estaba en tus deseos visitarme? He tenido que hacerte saber la necesidad de tu presencia.

—¡Moría por veros! Pero, por una parte, vuestro marido me puso vigilancia noche y día; por otra, el provisor Almansa me recriminó severamente, y me hizo saber que si osaba molestaros en vuestro retiro procuraría mi regreso al destacamento de Riohacha. Además no es fácil eludir a la guardia que ronda estos muros.

—Pero hoy estás aquí, burlando guardias y corriendo riesgos.

—Creedme, mucho me ha costado. Y espero que este atrevimiento no sea descubierto, o malas cosas han de acontecerme. No tenemos mucho tiempo. La borrachera de los vigilantes enviados hoy por el escribano no los tendrá dormidos largo rato.

Lorenza no le creyó, porque bien conocía a su amante y sabía que Francisco no era de los que se amedrentaban ante las dificultades, y antes, mucho antes, podía haberla visitado. Pero también comprendía que una mujer embarazada, casada y recluida en un convento, golpeaba los sentimientos de cualquier hombre, por gran amor que hubiera entre ellos.

—Estáis cambiada —dijo el sargento recorriéndola con la mirada de arriba abajo, haciendo un alto en la barriga y en los labios hinchados.

—¿Qué esperabas? ¿Acaso no conocías mi preñez?

—Sí la conocía. Es famosa en toda Cartagena.

—¿Entonces?

—No os miro con sorpresa.

—¿Tal vez con desaliento?

—Un poco. Pero también con envidia y enfado.

—¿Contra qué?

—Contra vuestro marido principalmente. Y contra mí mismo por no estar a vuestro lado cuando me necesitabais.

—Eso no estaba en tus posibilidades.

Francisco calló. Ambos sabían que, así hubiera quedado el destino en manos del soldado, posiblemente las circunstancias no hubieran cambiado. El amor nacido como el fuego, se apagaba como el fuego. Cada vez había más humo y menos llama. Después del balde de agua (el embarazo) sobre la hoguera, chorreaban sobre los leños gotas de resignación y distancia.

Tuvieron tiempo de charlar algo más, hasta que una puerta chirrió en el edificio.

—Debo irme. Pero no voy a desampararos. Volveré en cuanto me sea posible. ¿Necesitáis algo?

Lorenza sonrió y se encogió de hombros para evitar una respuesta obvia y descarnada. Francisco le dio un beso en la mejilla, la abrazó (con ternura) y saltó el muro tras comprobar la ausencia de guardias en la angosta calleja.

Carmen nos invitó a comer. El refectorio también había sido remozado y convertido en un aséptico autoservicio. No existían ya las divisiones, y monjas y novicias comían revueltas. Al menos un centenar de religiosas ocupaban las mesas.

—¿No hay huéspedes? —pregunté.

—Por supuesto —respondió la superiora. Dejó el muslo de pollo en el plato para señalar—. Tenemos un grupo de cincuenta visitantes de otros conventos carmelitas de Latinoamérica; estarán aquí durante un mes. Habitualmente somos cuarenta y cinco hermanas.

Todavía se respetaban los cargos: la hermana guardiana, la hermana portera, las cocineras y la responsable informática (la hermana Chip, podía haberla bautizado Guiomar). En el rincón, una mesa cuadrada, donde departían siete monjas ancianas. «Ellas ya están descansando», explicó Carmen. Vestían todas igual. «Fue muy complicado convencerlas para que se quitaran el hábito. Vestimos a las siete de la misma manera para no hacerlas sentir mal.» Nos miraban y cuchicheaban, asombradas de ver hombres comiéndose sus avituallamientos.

El único civil era yo. «Ayúdame, Señor. Ayúdame a que no se me atragante el pollo, porque cada vez que levanto la vista me encuentro con los ojos de cien monjas interrogándome.» No sé si todas me miraban, pero así me parecía.

Después de comer regresamos a la biblioteca. Tragamos polvo y tinto toda la santa tarde. A las nueve de la noche no habíamos encontrado nada de interés. Carmen, cortésmente, nos anunció la hora de queda y nos retiramos agradecidos.

—¿Podríamos volver mañana? —preguntó el padre Ferrer.

—Mañana... sólo desde las siete hasta el medio día —contestó la superiora.

El 21 de septiembre de 1610, la flota de galeones entró, como en tantas otras ocasiones, por la boca chica de la Bahía de las Ánimas. Uno a uno fueron descargados los buques mercantes, mientras desembarcaban los pasajeros en el Muelle de la Aduana. Un barco, de los treinta y dos que componían la escuadra, esperó paciente a que los demás fueran desocupados. En su mástil ondeaba, junto a la bandera española, un pendón negro con una cruz verde oscura. La fiesta estaba prendida en el puerto de Calamarí. El último navío avanzó hasta el atracadero. Ningún soldado, ninguna autoridad, ningún funcionario de aduanas se acercó al borde de la pasarela. Sólo el obispo Juan de Ladrada, acompañado de fray Andrés Sánchez y fray José de San Pedro, superiores de la orden dominica, esperaban a la salida del muelle. Pocos conocían la llegada de aquel galeón. Los estibadores bajaron los primeros arcones, de iguales colores que el pendón, precedidos de una gran cruz negra mantenida en alto por un joven con vestiduras talares. Luego descendieron dos frailes, con los hábitos blancos y negros de la orden de Santo Domingo. Eran los dos inquisidores generales, fray Juan de Mañozca y fray Mateo Salcedo. Detrás bajó el fiscal, don Francisco Bazán de Albornoz; el secretario, Luis Blanco de Salcedo, y el resto de la siniestra comitiva que, silenciosa, ascendió por el camino de tierra hacia las puertas de la ciudad. En los baúles venían guardados los sambenitos, las corozas, los útiles de tortura, los manuales inquisitoriales, la intriga, la represión, los intereses, el terror.

El día estaba nublado, bochornoso. Transcurrían las primeras horas de la tarde. El saludo entre los inquisidores y las autoridades eclesiásticas se limitó a una venia con la cabeza. La noticia de la llegada de la Inquisición se extendió como la peste. Al poco rato se habían callado las chirimías, habían cesado los bailes, y las gentes, las buenas o malas gentes de Calamarí, corrieron a sus casas a divisar la funesta procesión desde detrás de las cortinas. «Han llegado los canes del Señor.» Hasta La Mojana, desde la manigua, observaba vacilante el espectáculo.

El silencio era sepulcral. De vez en cuando se escuchaba al viento chocar contra las velas que no habían terminado de arriarse. Un polvillo volaba desde la arena del camino. Un olor a miedo se extendía por el puerto.

La cédula que establecía el Tribunal de Cartagena de Indias, con jurisdicción en toda la Nueva Granada, además de Tierrafirme, Isla Española y todas las islas de Barlovento (el tercero en América, después de los de Lima y México, que llevaban cuarenta años de actividad), la firmó Felipe III el 21 de febrero de 1610 en el palacio de El Pardo, con el fin de velar por la preservación de la fe en toda su pureza e integridad original, conjurar la incredulidad, reformar y mejorar la vida eclesiástica, evitar la entrada y la expansión de herejías procedentes de Europa y erradicar las que ya se habían instalado en el Nuevo Mundo.

La casa del costado noroccidental de la Plaza Mayor había sido acondicionada días atrás. También la cárcel municipal, al otro lado de la calle, había cedido su interior a las celdas secretas del Santo Oficio. Allí funcionaría la Inquisición hasta 1770, año en que se concluiría el palacio definitivo, cuando la institución ya había perdido parte de su poder y estaba convertida en un gran aparato burocrático.

Mañozca era un tipo de malas pulgas, retorcido, cuya efectividad, en España, nadie ponía en duda. Había mandado a la hoguera más herejes, brujas e infieles, que ningún otro inquisidor. Viejo, desconfiado y fanático, tenía dominados por el terror, no sólo a los presos, sino también a sus propios compañeros y subordinados. Aún se preguntaban muchos por qué había renunciado a la posibilidad de ser nombrado Inquisidor General del Santo Oficio en Toledo, y había embarcado hacia América con su hermana mayor, Clara Mañozca, pegada a los faldones. Pegada o debajo de ellos, protegida, como había estado durante los últimos veinte años. Doña Clara acababa de cumplir los setenta, le sacaba tres a su único hermano, y se afirmaba en la corte que sus influencias en el inquisidor habían determinado el ígneo futuro de muchos reos. Hombre de contextura cuadrada, recortada, fortachona, de rasgos marcados a cincel, rudos, ojos hundidos, pequeños, astutos, pelo canoso en las sienes, boca apretada (casi siempre cerrada), manos grandes y ademanes bruscos, había estudiado teatro antes de ingresar en el seminario de su ciudad natal: Huesca. Empleaba en los juicios trucos aprendidos en su corta carrera de cómico. Le gustaba jugar con la luz; a menudo cerraba las ventanas, dejaba la sala a oscuras y colocaba una vela debajo del rostro. Pocos aguantaban los crueles interrogatorios, de pie, en mitad de la nada, durante más de ocho horas, mirando fijamente el fantasmal rostro del inquisidor.

El otro, Salcedo, no contaba con la experiencia ni las artimañas de Mañozca. Cincuentón de mal temperamento (aunque más suave y menos colérico que su homólogo), como no tenía amigos en las capas altas, aceptó el desmeritado cargo de Cartagena, seguro de que en su tierra valenciana siempre sería un segundón. Aquí no dejaría de serlo, porque Mañozca se lo tragaba vivo en todas las discusiones. Tenía una buena cualidad que lo diferenciaba: la reflexión. Frente a los juicios explosivos, irracionados, persecutorios, de Mañozca, Salcedo solía interponer razones, dudas o defensas... que siempre dieron al traste. Fray Mateo era un poco más alto y más delgado que el reconcentrado fray Juan. Siempre, hasta en la procesión que ahora les conducía a la casa inquisitorial, Mañozca marchó delante.

El primer Edicto de Fe se leyó en la catedral dos meses después. Los edictos eran impresos en España y distribuidos en todas las iglesias de los dominios de la Corona. Debían asistir a su lectura las autoridades, el clero y toda la población, quienes recibían indulgencia por acudir o excomunión por faltar. El lleno estaba garantizado. Los capítulos, leídos por fray Juan de Mañozca, contenían las normas generales y explicaban los diferentes tipos de herejías que los cristianos estaban en la obligación de denunciar ante el Santo Tribunal: el primer capítulo se refería a los judaizantes; el segundo, a la secta de Mahoma; el tercero, a la secta de los luteranos; el cuarto, a la secta de los alumbrados; el quinto, el favorito, a las diversas herejías; el sexto, a la solicitación; y el séptimo, a los libros prohibidos y las lecturas. El inquisidor estimuló las delaciones, recordó el deber con el culto, atemorizó a los cartageneros e, involuntariamente, dio a conocer prácticas heréticas desconocidas por el pueblo hasta el momento. Desde el anuncio de la pena que sufrirían los descendientes de quienes comparecieran en un auto de fe: no llevar joyas, ricas vestiduras, ni ostentar cargos preferenciales, los vecinos se miraban unos a otros buscándose los ornamentos y, todos aquellos que los poseían y no tenían impedimento para llevarlos, los mostraron con ostentación y orgullo.

Tan pronto como las amenazas del edicto surtieron efecto, los nombres de Juan Lorenzo, Potenciana Bioho, Paula de Eguiluz, Lucía Tasajo, Elena de Vitoria y Lorenza de Acereto, entre otros, salieron a la palestra.

Mientras ella permanecía refugiada en los muros del convento, el fiscal don Francisco Bazán de Albornoz, tras el apresamiento de los negros Juan Lorenzo y Potenciana Bioho, recogía información contra la primera blanca, «*doña Lorençana de Acereto, mujer de Andrés del Campo, por haver cometido delictos contra nuestra Sancta Fee Catholica*».

Padre nuestro que estás en los cielos, santificado sea el Tu nombre, hágase Tu voluntad, así en la tierra como en el cielo. En la tierra, incluyendo este puerto demoníaco donde se ha vertido toda la mala fortuna que puede recaer sobre los hombres. Danos hoy el pan nuestro de cada día, pero pan con sal, como el del cristiano de ley. Salva las iglesias que te han consagrado, vuestras casas santificadas, mancilladas hoy por los cofrades del Maligno. Y salva a este pueblo invadido por la falacia, la ignorancia y la idolatría. Detrás de cada beata que se arrodilla ante Ti en la catedral, hay una pitonisa; cada dama esconde una fementida; cada sierva obsecuente a una calchona impúdica. No dejes que la noche y la mujer termine con lo poco que aún queda de este breñal. Y perdónanos nuestras deudas, a nosotros, gente de bien. Pero no perdones a los propagadores de la magia negra, ni a los esclavos cuyos ritos violan las premisas de respeto, ni a los naturales comprometidos con el demonio. Maldice al blanco corrupto, que en satánico concubinato está acabando con estas tierras, de las que tomó posesión en Tu nombre y en el de Su Majestad el Rey. En especial, Señor, pon Tu mano justiciera sobre el hombre que saquea vuestra doctrina. Acaba con el prelado espúreo, traficante de indulgencias, mercader de Tu Gracia. No permitas que su injerencia se proyecte. Así como nosotros perdonamos a nuestros deudores, haz que ellos nos dejen en Vuestra paz. Aunque no sé si debamos perdonar a todos aquellos que han pactado con Belcebú, porque el fuego los llevará a tu Reino, y sólo Tú, Señor, tendrás poder para acogerlos o arrojarlos a las llamas eternas del infierno. Tus siervos humildes, como yo, seguiremos cumpliendo Tu mandato de separar el trigo malo del bueno, y por colosal que resulte el montón de trigo dañado, Tu antorcha que siempre nos ilumina, servirá también para prenderlo. No nos dejes caer en la tentación. En la tentación que impera en Calamarí. En la que extienden las brujas en los prados nocturnos. En la que emana de los sacrificios de las misas negras, donde mueren recién nacidos, a los que Lucifer arrebata el alma; son tus almas, Señor, las almas que deberían engrosar las filas de los justos. Llévate la prostitución, la camorra, la sodomía, la mentira, la herejía, el engaño. Recuerda que este moridero también es parte de Tu Reino. Dame fuerza para sancionarlos, para que mi mano severa no tiemble cuando deba hacer justicia. No puedo flaquear, ni ser inferior a las circunstancias. Tengo que ser implacable con los falsarios, con los deformadores de Tu Palabra, con los ladrones de Tus almas. ¡Que no tiemble, Señor! Que mi actitud no disuene ante Tus órdenes. Dame la espada de fuego del Ángel que guarda la entrada del Paraíso, porque la fusta con que expulsaste a los mercaderes del templo aquí no es suficiente. No me dejes caer en la estupidez de la clemencia. Consuélame cuando flagele mis faltas con el cilicio y sujeta mi brazo si se niega a darme castigo. Mas líbranos del mal, del mal vivir, del mal morir, del mal pensar, del mal luchar, del mal amar, del mal, del mal... Protégenos, Señor. Y recuerda a mi hermana, uncida a la sotana de este prelado que sólo aspira a serviros, indefensa en el mundo, sola, si no estoy a su lado. Ampárala para que no vuelva a caer en la tentación. Recuérdala, Señor. Amén.

Catalina de los Ángeles cepillaba la melena de su ama después de haberla lavado con agua de zábila y camomila. «Ha perdido mucho pelo con el embarazo; pero verá, niña, qué pronto se le vuelve a poner bonito.» Lorenza estaba inmóvil, rígida, y la esclava percibió un ligero temblor en sus mejillas.

—¿Le pasa algo, niña Lorenza?

No respondió. Catalina la conocía bien. «Ese temblor es de miedo. Ella nunca tiene miedo ¿Qué sucede? Le asustará el parto. Normal. Después de todas las barbaridades que le han dicho a la pobre...» Las noches, alumbradas por las antorchas titilantes, confortadoras, obligaban a intimar.

—Sí, Catalina. Tengo miedo.

—¿De qué, niña?

—De lo que dice un papel.

—¿Un papel? ¿Le atemoriza un papel?

—Un pergamino. Un viejo manuscrito que guardo desde pequeña.

La negra la miró desconcertada.

—Si te cuento, Catalina, júrame por las tres cruces que no le dirás a nadie lo que escuches de mis labios. Si lo hicieras, todas mis maldiciones caerán sobre ti.

—¡Ay niña! No me diga esas cosas tan horribles, bien sabe su merced lo que la quiero y la guardo. Seré una tumba.

—Estarás dentro de una si abres la boca.

—Cuente, niña, yo secretaré su desahogo.

Lorenza dudó un poco más, pero la angustia le roía la garganta.

—En la playa, hace mucho tiempo, poco antes de morir mi madre, un amigo francés me dio un pergamino escrito en lengua latina. Me advirtió que debía protegerlo con mi propia vida si fuera necesario, porque de él dependía mi existencia y la de mis descendientes. He logrado, con mucho esfuerzo, traducir algunas partes. Ni siquiera estoy segura de haber conjugado correctamente las palabras que conozco, porque las frases no quieren tener sentido. Hay, incluso, unas líneas en lenguas extrañas. Pero un párrafo me turba sobremanera, me atemoriza y me saca de quicio: habla de un hijo mío nacido en un altar que vengará al rey de España, y habla de una dinastía francesa en el trono y de un cometa y de sangre y de cantidad de cosas ajenas a mi entendimiento.

—¿Dónde está ese pergamino, niña? ¿No será mejor deshacerse de él y olvidarlo?

—Ya lo escondí. Quedará a disposición del devenir y del futuro. Lo he protegido hasta el límite de mis posibilidades. Pero las estrellas me hablan de malos momentos, de crueldad, de opresión, de turbación y de espanto. Tengo miedo... Catalina, tengo miedo.

Y con el temblor en la mejilla terminó su confesión y empezó el infortunio que pronosticaban las estrellas.

El galeno, en la última visita, le había anunciado la pronta llegada del bebé. Lorenza estaba intranquila por el alumbramiento. La partera ya había sido alertada. Las hermanas habían dispuesto toallas y baldes, siempre a mano, para que no las sorprendiera el parto. Catalina, con el ajetreo, olvidó temporalmente el asunto del pergamino.

El 24 de diciembre de 1610, Lorenza, quizá por el tedio, quizá por ver a Francisco, quizá por el cansancio de haber estado contando los ladrillos de las paredes del convento durante nueve meses, solicitó permiso al padre Almansa para asistir a las doce de la noche a la Misa del Gallo en la catedral. Puesto que no se esperaba el nacimiento de su hijo hasta una semana después, le fue concedido; pero debería permanecer arriba, junto a las clarisas que aquella Navidad tenían el honor de conformar el coro. Catalina no pudo acompañarla; se había comprometido con la superiora en la preparación de la Nochebuena. «A su regreso, niña Lorenza, le tendré lista una cena bien sabrosa.» A las once y media le esperaba el landó que el provisor, gentilmente, había puesto a su disposición para trasladarla hasta la catedral. Los vaivenes del carruaje le causaron serias molestias. El trayecto, corto, le pareció eterno. Al fin, los caballos se detuvieron en una puerta lateral, oscura, del templo. Con dificultad ascendió por la escalera que conducía al segundo piso. Las clarisas organizaban sus filas en los escalones junto al órgano. El organista, ciego, parecía listo para hacer sonar los primeros acordes. El humo de los incensarios, columpiados por los monaguillos en la iglesia, subía desde la nave central y lo inundaba todo. Las teas amenazaban con apagarse, ahogadas, buscando oxígeno. Casi todo Calamarí asistió a la eucaristía. Poco tuvo que esperar Lorenza para sentirse mal. Unas picadas horribles la hicieron doblarse sobre el vientre. «Disculpad, hermana. Debo bajar un momento a tomar aire.» Descendió como pudo los borrosos escalones. Ya en la calle, conmocionada por los dolores, se recostó contra la pared y respiró profundamente. «¡Ay! Otra vez las dichosas punzadas.» Sintió un río humedecerle las piernas. Alzó el vestido y comprobó hilos de agua surcándole los tobillos. Buscó el suelo y se desvaneció. Así estuvo, como en sueños, hasta que un fortísimo dolor le descerrajó las caderas y la devolvió a la realidad: una realidad difusa, neblinosa, caliente. ¿Cuánto tiempo había transcurrido? «Está naciendo... Ayúdenme, por favor. Está naciendo.» Trompicó, gateó, se hizo un ovillo en cada contracción y se arrastró hasta el atrio. Subió las escaleras. Un peldaño, dos, tres, dos, tres, cuatro. «Me muero.» Cinco. «Ayúdenme.» Seis, cinco, seis... Faltaba poco para que finalizara la eucaristía. Debían haber pasado una o dos horas, o tres, quién sabe, desde que perdiera el conocimiento la primera vez. La angustia levantó sus caderas abiertas, descoyuntadas, dolidas. Con la voluntad descosida entró en la catedral. Quienes la vieron avanzar, sostenida en la pared, no arriesgaron a acercarse. «¡Estará convirtiéndose en algún animal!» Se dejó las uñas en la piedra viva. El padre Almansa, concelebrante de la misa, la vio cuando ya se derrumbaba frente a la escalinata del altar mayor (la misma escalinata por la que el día de la boda rodaron los abalorios). Se levantó y corrió a socorrerla.

—¡Un médico! Si entre vosotros hay un médico, por favor auxilie a esta mujer.

El cirujano Rodrigo de Gama, del hospital de San Lázaro, fue la única persona que se atrevió a tocarla.

—Está dando a luz, Señoría.

—Saquémosla de aquí y llevémosla a un lugar privado y más cómodo.

—Temo, Señoría, que no hay tiempo. La criatura ya tiene la cabeza fuera.

El padre Almansa avisó al obispo, pasó por encima algunos renglones del misal y dio la bendición urgente. Luego recomendó que abandonasen, en la paz de Dios, la iglesia. Pero nadie se movió del sitio. La Misa del Gallo iba a terminar con memorable evento: una bruja pariendo, a saber qué endriago, en el catafalco de la catedral delante de todo el pueblo, el día de la Natividad del Señor. «Líbranos de todo mal, santo Dios, y perdona nuestros pecados...» Desde la bancada, doña Bárbola de Esquivel y su marido, el gobernador, observaban estatuarios el desarrollo de los acontecimientos. A la derecha del altar, bajo palio negro, acechaban los miembros del Santo Oficio, vigilantes como búhos.

—¿Quién es ésa? —preguntó el inquisidor Mañozca.

—Lorenza de Acereto, la recluida en las Carmelitas Descalzas.

Ayudó al médico la esclava Rufina Biáfora: con apuros, un cuchillo y un mantel, lograron detener la hemorragia y cortar el cordón umbilical. «Es una niña.» Lorenza perdió el conocimiento. La esclava, ni corta ni perezosa, a pesar de los reniegos del clero, lavó a la recién nacida en la pila bautismal. «El agua es agua, esté o no bendita, que igual limpia la una que la otra.» Los berridos de la niña rompieron el silencio expectante.

Madre e hija fueron trasladadas en el carruaje del provisor hasta el convento. Rufina volvió a casa para atender a su amo, pues había celebrado anticipadamente la fiesta navideña y no pudo acudir al acto religioso. Las mujeres encargadas del aseo de la catedral rápidamente limpiaron los restos del parto. Los vecinos permanecieron hasta altas horas de la madrugada reunidos en la Plaza Mayor, recreando y distorsionando el suceso.

Lorenza no despertó en varios días.

Cuando Catalina de los Ángeles conoció los hechos quedó como un palo. Ninguna hermana lograba sacarla del ensimismamiento. No contribuyó a la recuperación de su ama, no comió en tres días, no durmió en tres noches, no respiró hasta el siguiente domingo, tres días después del parto, cuando tuvo que arrodillarse frente a los ojos incandescentes de fray Andrés Sánchez. La hermana superiora ya había advertido al confesor. A Catalina, hincada ante el confesionario, le impedía hablar el físico terror: le florecía por los poros de la piel como culebrillas. De repente, fray Pedro se puso en pie, levantó a la esclava y la retiró unos metros del confesionario. Se mantuvo en silencio frente a ella. La negra le seguía con la mirada, sudando, balanceándose sobre las plantas de los pies. Sin más, soltó la mano derecha y descargó un bofetón a Catalina que casi la sienta. La esclava se llevó la mano a la cara y notó el temblor que le agitaba las mandíbulas. En su mirada de rechazo se columpió el odio.

—La hija de Lorenza matará al rey de España y ocupará el trono una dinastía francesa... y seguro acaba con todos ustedes —gritó Catalina con el hocico arrugado, babeando de rabia.

—¿Cómo osáis decir tales atrocidades? —se encorajinó el confesor.

—Está escrito en el pergamino de Lorenza, el que le dio el francés... Como está escrito que su hija nacería en un altar...

Las hermanas no pestañeaban. El fraile la mandó callar rotundamente y llamó a su coadjutor. Le habló en voz baja y éste salió corriendo, alzándose un poco los faldones del hábito. Catalina volvió a sumergirse en sus movimientos regulares. Las monjas no podían despegarse de las baldosas de la iglesia. El dominico se mantuvo firme junto a la esclava.

Poco después llegó alboroto desde el claustro y gritos de la hermana Cancela intentando prohibir el paso a alguien. Acallados los reclamos, apareció en la iglesia un pelotón de seis soldados ataviados con uniformes negros.

—Quedáis arrestada en nombre de la Santa Inquisición —anunció fray Andrés.

Los soldados custodiaron a Catalina de los Ángeles hasta las cárceles secretas del Santo Oficio.

Vueltas y más vueltas en la cabeza, queriendo arrancar el corazón de tu misterio, Lorenza, el miedo a las sombras que vienen del pasado, como enamorado de una servidumbre, pensando en todas las clases de amor que se producen, innumerables, tantas como estrellas, a fuego, sin condiciones. Quiero hablar de ti y de mí. Quizá del mismo amor ilógico, ese amor que se parece al primer amor, con la valentía que a veces la fiebre genera. Amores escuetos, furtivos, intensos, irremediables, oníricos, turbulentos, inconquistables. Pasiones que nacen y mueren en la inexperiencia. Pasiones idealizadas, perfectas, a nuestra imagen y semejanza.

Dime si no es verdad, Lorenza, que a veces acabamos enamorados de nuestras propias creaciones, de una confortable idea acomodada a las necesidades, de un cuerpo que sólo vemos cerrando los ojos. Amor dueño de la noche. Amor agrandado y ensalzado en la distancia y en el tiempo. Amor del recuerdo. Amor del bueno. Amor del nuestro.

Amores que no dejan de irse nunca de la mente. Amores en contraposición a los amores serenos, cálidos, confortables. Amores sin vergüenza, abiertos, sólidos. Amores que nacen despacio, tomando conciencia de sí mismos. A veces, inesperados. A veces, matemáticos. Amores moldeables. Amores duraderos, permanentes, antojadizos.

Y así podría seguir describiendo amores hasta el final del cuaderno. Pero voy a parar aquí, pensando en los amores pasionales, de fuego, y en los amores serenos, de agua.

A fray Andrés Sánchez le crispaba los nervios la manía del inquisidor Mañozca de jugar con el anillo entre los dedos. Un anillo de oro macizo, con las iniciales J M, huérfano de piedras, pero embarrocado de vanidad y soberbia. Lo cogía con el índice y el pulgar, lo escondía en los nudillos, lo hacía bailar como una peonza sobre la mesa y volvía a ponérselo. Repetía esta operación una y otra vez, sistemáticamente, mientras oía o hablaba. A fray Andrés también le molestaba tanta oscuridad. Hiciera sol o estuviese nublado, Mañozca siempre cerraba las contraventanas. No es que uno tuviera mejor carácter que el otro, pero fray Andrés perdía seguridad cuando no dominaba su entorno. Permaneció sentado durante toda la entrevista en un sillón de la mesa de juntas, escuchando los giros del anillo sobre la madera. No era la primera vez que ambos se reunían: fray Andrés, confesor de muchas mujeres de Calamarí, era fuente inagotable de información para los hermanos del Santo Oficio. Ni tampoco era la primera vez que tocaban el tema de la mujer del escribano. «Tiene el diablo dentro.» Fray Andrés había precisado con lujo de detalles la confesión de la esclava Catalina de los Ángeles.

—No podemos esperar más para iniciar proceso contra Lorenza de Acereto, por muy influyente que sea su marido. A condesas, marquesas, duquesas y otras joyas de la nobleza, hemos mandado a la hoguera sin tanto remilgamiento. Mañana mismo daré orden al fiscal para que proceda. Ya son varios los reos que la han incriminado en diversos asuntos —concluyó el inquisidor.

—Todo eso está muy bien, Eminencia. Pero no podemos olvidar el tema del pergamino y la hija nacida en el altar. No hemos encontrado ningún manuscrito, ni en el convento ni en su casa; pero hay indicios de su existencia. Seguramente lo tendrá a buen recaudo. El padre Sandoval, del Colegio de los Jesuitas, afirma que doña Lorenza le preguntó en varias ocasiones el significado de vocablos latinos, lengua en que la esclava asegura le dijo su ama estar escrito. En una carta encontrada entre sus pertenencias, enviada desde Riohacha por el sargento mayor Francisco Santander, le aclara, a petición de ella, el significado de la palabra *nuntius*. No cabe la menor duda que doña Lorenza ha estado tratando de descifrar el contenido de algún texto en latín —razonó fray Andrés.

—¿Qué opina debemos hacer?

—Acabar con la niña. —El confesor fue tajante. Mañozca, acostumbrado a dar órdenes de similar talante, sin embargo, se asombró de la contundencia de fray Andrés—. Exista o no el pergamino, donde confluyen las palabras rey, muerte y Francia, nace el peligro. Si, como asegura la esclava, su ama le manifestó que el manuscrito predice una dinastía francesa, cuestión probable, aunque no muy conveniente para nuestros intereses y los de España, y que su engendro, nacido en un altar, inquietante acierto, vengaría con sangre a nuestro rey, lo mejor que podemos hacer es desaparecer a la niña y eliminar cualquier posibilidad de que el monarca se vea amenazado, sea por una mujer, una niña, un pergamino o cualquier otro factor intrigante. Ocúpese usted de la bruja, yo me encargaré de la cría.

—Está bien... Pero no quiero escándalos. Este asunto se despachará en el más absoluto secreto. Quedará solamente entre usted y yo, y será manejado de forma extraoficial. Mandaré investigar también al amante.

—Si me lo permite, Eminencia, sugiero envíe mañana, cuando anochezca, al fiscal para interrogar a Lorenza de Acereto en el convento. Mientras se cumple la diligencia, yo tendré tiempo de zanjar el asunto.

—Así se hará. Pero recuerde: no quiero que esto sea *vox populi*.

—Descuide, Eminencia.

Fray Juan de Mañozca quedó sentado, jugando con el anillo, preocupado, pues no le gustaba actuar bajo teorías tan especulativas. Pero no podía tolerar un mínimo amago contra la vida del rey. «Habrá que atajar el problema de raíz.»

«¡Sábado de ascensión!» Al único apóstol (a mí) le ordenaba el maestro visitar a un viejo agorero. En tanto, él intentaba localizar el rastro de Lorenza en el convento de las Carmelitas, repasando los empolvados archivos que escondían el misterio de sus intuiciones. No empleó grandes argumentos para convencerme. Me encontré de pronto al mando de su flamante coche por la carretera que discurre en paralelo a las playas de Bocachica.

«A dos kilómetros Volcán del Totumo. Baños medicinales.» Tomé la desviación por un camino destapado, según las indicaciones que me había dado el padre Ferrer. «Aparca junto al volcán y luego sigue el sendero bordeando el lago. Llegarás a una choza de palma, como las de los antiguos indígenas, y allí encontrarás al anciano. No tengo más datos para darte.» Cuando me dijo eso, ya no le creí. Levantó la mano derecha y me lo prometió. De cualquier forma, tocaba ir. Arrancando la tarde, después de unas horas, llegué al destino.

Familias enteras hacían cola para ascender por una rudimentaria escalerilla hasta el cráter del aprendiz de volcán. Arriba, dos negros empegotados de barro hasta las cejas ayudaban a la gente a introducirse por la boca del montículo. Amarrados con una cuerda por debajo de las axilas, los clientes, previo abono de cien pesos por inmersión, eran sumergidos y rescatados del lodo caliente de un solo tirón. Volvían a la superficie convertidos en auténticos monstruos masiformes. Las narices, las orejas, el cabello, el traje de baño, la figura humana... todo quedaba escondido bajo una capa de lodo gris. Sólo se les veía la boca, muy roja, y los ojos, muy blancos. Reunida toda la familia tras la embarrada, se dirigían cogidos de la mano hasta la orilla del lago, a unos cincuenta metros del volcancillo. Chapoteaban un rato y emergían del agua convertidos de nuevo en humanos. «¡Qué gustito, eche! ¡Eto el barrito sí es buena vaina, oye!», se decían unos a otros como si el lodo, o el haber dejado de ser humanos por un rato, les hubiera quitado todas las penas y todos los males.

—Sabias caricias de la madre naturaleza —alabó el viejo las bonanzas del Totumo.

Para llegar a la cabaña tuve que bordear casi todo el lago. Me asomé a la choza, amplia y bien cuidada, escondida en la maleza, silenciosa, y no vi nada en el suelo. Parecía desierta. Pero al mirar hacia arriba me llevé una sorpresa: todo parecía suspendido en el aire. Bueno, no exactamente suspendido: los muebles estaban amarrados con sogas a las vigas del techo.

—Los animales, sobre todo los ratones, que tienen muy malas pulgas, se subían a la mesa, me robaban la comida y por la noche trepaban hasta la cama y me mordían los pies. Maté cientos... miles... pero nunca dejaban de llegar más y más. Por cada uno que tiraba al lago, volvían dos. Tanto me mortificaron que me acomodé en las alturas. En los últimos cien años no han regresado... —La última frase no quiso decirla.

—¿Cuántos años tiene?

—Muchos, hijo, muchos. No intentes contarlos.

El viejo asomaba la cabeza por el borde del colchón. En

el aire colgaban, además de la cama, una mesita de noche y un estante con frascos, morteros y libros. La piel, increíblemente negra, contrastaba con el cabello chuto, blanco luminoso. Una barba, igual de blanca y radiante, le escurría por el pecho hasta la cintura. Las arrugas, como los anillos del tronco de un árbol, le marcaban muchos años..., demasiados.

—Sube por la cuerda. Estarás mejor aquí arriba.

Me lanzó una maroma anudada. Sudé el ascenso. Me senté en la cama y observé su extrema delgadez y su largura. Parecía la línea del infinito; como si a Gandhi le hubieran pasado por el potro. Sobre el regazo sostenía una escudilla con galletitas pequeñas y cuadradas. «Son archiras. Las archiras de la longevidad.» Me sonó a guasa; no le interrogué por temor a que me tomara el pelo.

Parecía agradarle mi visita. El agrado de las visitas esperadas o, tal vez, concertadas.

—Antes yo tenía mucha fama. La gente se acercaba a la choza después de bañarse en el volcán. El barro les curaba el cuerpo y yo el espíritu. Pero ya se han olvidado del viejo Lorenzo.

—¿Lorenzo?

—Lorenzo..., para servir.

—¿Lorenzo... qué más?

—Lorenzo a secas —cortó. Le fastidió la pregunta—. ¿En qué puedo ayudarte?

Le expliqué, dentro de la limitación del tiempo, nuestra investigación sobre Lorenza de Acereto, Francisco Santander... Calamarí. Escuchó atento. Por instantes creí percibir severas nostalgias que le afloraban a los ojos. Comía archiras sin parar, una tras otra. Cuando terminé el relato, no me interrumpió nunca, suspiró y dijo: «¡Ay Lorenza, Lorenza!». La exclamación me conmovió al parecerme demasiado sentida. Por simple curiosidad seguí indagando por la periferia.

—¿A qué se dedicaba usted?

—Antes que sirviente y herbatero, fui cazador. Después traidor. Luego agorero y viejo. Ahora no soy nada; sólo una sombra en el tiempo... como cualquier hombre.

No era como cualquier hombre, saltaba a la vista. La figura del esclavo Juan Lorenzo me golpeaba la mente. Incluso tuve la osadía de preguntarle si tenía alguna relación con él. Pensé la posibilidad de que fuera descendiente suyo.

—El negro Juan Lorenzo... El negro Juan Lorenzo... El negro Juan Lorenzo pagó su traición y su culpa. Pagó por su deslealtad, no por sus artes... No, muchacho. No soy descendiente del negro Juan Lorenzo... —Quizás iba a decir algo más, pero volvió a arrepentirse. ¡Cuánta gente callaba!

Me prohibió seguir hablando del esclavo. No estaba molesto. Incómodo, sí. Todo el rato esperé que me ofreciera una de las archiras, parecían no acabarse nunca. No lo hizo. Me pidió ir al grano, aunque tuve la sensación de que ya conocía mis inquietudes. Le revolví varios temas, porque no sabía a cuál darle mayor importancia: Lorenza, Francisco, la Inquisición, el puerto, el pergamino, el convento... y la Piedra del Uebo.

—Es curioso que hayas venido a verme justamente hoy.

—¿Qué tiene de especial?

—Hoy es quince de marzo.

—¿Y?

—El día en que aconteció la batalla entre las brujas de Calamarí y de Tolú. El día que, a las nueve de la noche, desde entonces, se vuelven a encontrar las brujas en el cielo. Todas las noches del quince de marzo, las brujas blancas de Tolú y las negras de Calamarí surcan los aires en sus escobas, acompañadas de sus diablos. Y la yegua *Cambalache* galopa por la ciénaga. Cada noche del quince de marzo, las brujas de Calamarí derrotan a las de Tolú... al menos hasta ahora.

—¿Dónde queda el paraje de la Piedra del Uebo? —Suponía la respuesta.

—No se sabe. —Premio—. Pero hoy nadie debe volar sobre Cartagena.

—¿Por qué?

—No son coincidencias que los dos accidentes de aviación que se han dado en los alrededores de la ciudad sucedieran un quince de marzo. Ni tampoco es casualidad que acercándose la noche, todas las aves desciendan y se posen en el suelo. Ya ves, el único día en que puede observarse la Piedra del Uebo, supuestamente, es hoy. Pero sólo se ve desde las alturas, y en las alturas está la muerte. Así que nadie, si no son las propias brujas, sabe dónde está el sitio.

—¿Dónde cayeron los aviones?

—En lugares distintos.

—Entonces, la Piedra del Uebo pudiera ser un paraje imaginario.

—El sitio es real... pero pudiera ser cambiante. La ciénaga es muy grande... muy grande.

—En teoría, debe de estar hacia Tolú, si por allí se acercan las brujas blancas.

—En teoría, todo es posible. En la práctica nadie lo sabe. No te dejes deslumbrar por fuegos artificiales. Si buscas respuestas, búscalas en Lorenza de Acereto. Yo no soy el indicado para dártelas, aunque conozca bien la historia. Ni como viejo, ni como adivinador, puedo ayudarte.

Miré el reloj. Las siete. Me había dejado intranquilo todo eso de los vuelos y el quince de marzo. Estaba citado con el padre Ferrer en la explanada frente a la Ermita del Cabrero, junto a la playa y laguna del mismo nombre, donde tenía previsto su ascenso, maldita sea, en globo.

—Hoy nadie debe molestar a las brujas —dijo el anciano cuando ya me había descolgado por la cuerda.

Corrí por el sendero del lago, subí una cuesta hasta el coche. «¡A estas alturas no puedo conceder oportunidades a las supersticiones!» Pisé el acelerador; sugestión. Se cerraba la noche. Curiosamente, tal como había explicado el viejo, los pelícanos, las gaviotas y otras aves iban posándose en la playa, en los rompeolas y en las copas de los árboles; algunas en el mismo asfalto. Me asaltó la impaciencia. Un paquete abierto de galletas asomaba por la guantera. «A lo mejor el padre Ferrer también come galletitas de la longevidad.» Para colmo de males, un atasco provocado por quienes regresaban de las playas convirtió el tráfico en una lenta serpiente. Mi exasperación no cabía en el auto. Bajé varias veces la ventanilla.

La fila de lucecitas rojas no tenía fin. «¡Las nueve menos cuarto! ¡No voy a llegar!» En el fondo, tampoco las tenía todas conmigo de que, aun alcanzando al padre Ferrer, le convenciera de suspender o aplazar su empresa. Las nueve menos diez. Las nueve menos cinco. «¡Allí se ve el resplandor de las luces de la muralla!» Las nueve. Las nueve y cinco. Las nueve y diez.

Aparqué el coche de mala manera. Creo que ni lo cerré. Un nutrido grupo de gente, negritos saltarines y turistas en su mayoría, estaban apelotonados para ver de cerca el globo. No había pájaros volando. «¡Padre! ¡Padre Ferrer, espere! No suba. ¡Eh, padre... baje. Padreeee...!» El padre Ferrer me distinguió entre la multitud. Se había elevado unos treinta metros. Cuatro morenitos recogían el lastre y las amarras. El sacerdote, antes de decirme adiós con la mano, alcanzó a gritarme: «¡Ya lo tengo. Lo he encontrado! Te dejé una nota en el hotel. ¡Cuando baje te cuento!». Y me hizo la señal de triunfo con el dedo pulgar extendido.

El globo, con sus remendados colores rojo y blanco, continuó subiendo hacia las nubes. El padre Ferrer, solitario, llevaba en la mano un catalejo... o un telescopio..., no entiendo mucho de esos instrumentos. Alcancé a verle, iluminado por la llama que calienta el aire, y me di perfecta cuenta dónde miraba. ¡No buscaba el cometa! ¡Ni se preocupaba por él! Para nosotros, desde el suelo, el Hale-Bopp era una estela blanca difusa, lejana, muy alta, casi imperceptible en el firmamento. José María Ferrer miraba hacia la tierra. ¡Buscaba la Piedra del Uebo!

Lorenza no se reponía del golpe encajado por la detención de Catalina de los Ángeles. Había buscado durante todo el día a Guiomar, pero no la encontró. Nadie supo dar noticias de ella en el convento. Tampoco había acudido a los oficios religiosos. A las seis de la tarde, la superiora comunicó su desaparición y ordenó su búsqueda, dentro y fuera de los muros. Lorenza aún estaba débil, no podía colaborar en las pesquisas. Odiaba dejar sola a su hija. En pleno ajetreo por las averiguaciones sobre el paradero de la novicia, la hermana Cancela atendió unos inesperados aldabonazos.

—La Santa Inquisición requiere a doña Lorenza de Acereto —anunció el fiscal Francisco Bazán de Albornoz, hombre seco, rudo, calvo, mediana estatura y cara adornada con chivera canosa.

Además, componían el cortejo: fray Juan de Barahona, calificador del Santo Oficio; Luis Blanco de Salcedo, secretario y escribano del tribunal; y dos guardias de infantería. Lorenza, asustada por el requerimiento, sólo alcanzó a recomendarle a la hermana Semilla el cuidado de su bebé.

«A los diez y nueve días del mes de enero de mil y seiscientos y once, estando en el locutorio, que está pasada la puerta reglar, adonde se entra desde la portería, pareció presente doña Lorençana de Acereto.» La hicieron sentar en una silla frente a los tres numerarios, mientras los guardias custodiaban la puerta en el exterior. Bazán de Albornoz le anunció los cargos que pesaban sobre ella. No se anduvo con rodeos. Salvo los nombres de los delatores, la puso al tanto de todas las acusaciones con exceso de detalles. Sin saber cómo consiguió el fiscal la información, Lorenza escuchó atónita gran parte de su vida (a ratos cierta, a ratos exagerada y a ratos falsa), desde los tiempos de la playa hasta el alumbramiento en el altar mayor de la catedral. En sus declaraciones, la acusada trató de destacar su inocencia, a la par que acusaba a quienes, con mala fe, habían procurado inducirla a prácticas heréticas. Ella sabía que aquel momento podía llegar así, como llegó, a traición, máxime tras el encarcelamiento de su esclava y la requisa realizada de sus pertenencias por los familiares del Santo Oficio mientras estaba privada de razón: le habían incautado varios objetos personales, incluida la carta de Francisco. Pero no lo esperaba tan rápido, y menos ahora, convaleciente por el traumático parto. *«¡El Ángel de Luz les arranque el corazón de cuajo!»* Las descargas continuas del fiscal y el calificador no tardaron en agotarla. Traían esa orden. Desconcertada, perseguida por la

habilidad dialéctica de los inculpadores, se defendió malamente de los cargos. El secretario, en el acta, recalcó como hechos concretos *«que las desavenencias conyugales obligáronla a buscar un remedio, con el concurso de personas de mala reputación; que mediante sus conocimientos adivinatorios, había influenciado la vida de hombres y mujeres del lugar; y que había aceptado el trato de hechiceras y sortílegas, siendo muy difícil, por su condición, que no se contagiase».* El fiscal hurgó, más que en ningún otro tema, acerca del pergamino. Lorenza negó reiteradamente su existencia.

Un par de horas antes de la llegada de los funcionarios de la Inquisición, el confesor fray Andrés Sánchez había entrado en el convento, aludiendo una entrevista concertada con la abadesa. Permaneció en el despacho de la hermana Coronación hasta que Lorenza fue requerida y encerrada en el locutorio. Una vez los guardias se apostaron en la puerta, la superiora abandonó el despacho y se dirigió al dormitorio de huéspedes, donde estaba la hermana Semilla cuidando al bebé. Exigió que la acompañara. La monja, fiel a la palabra empeñada con Lorenza, se resistió a descuidar a la niña. La hermana Coronación la asió del brazo y la obligó a ir con ella hasta el refectorio. Allí tuvo que aguantar, sin saber por qué, una perorata intimidatoria que ni entendió ni venía a cuento. Fray Andrés, limpio el horizonte, atravesó el corredor hasta la habitación desalojada. Nadie lo vio entrar en el cuarto.

Cesaron los pucheros y el llanto del bebé.

Y nadie lo vio salir, salvo la hermana Cancela, que destrabó el portón para devolverlo a la calle. Ya era de noche. La hermana Candil comenzaba a prender las teas.

Cuatro horas más tarde, Lorenza volvía exhausta a su dormitorio. Estaba segura de que pronto regresarían a por ella. Posiblemente, hasta el momento, sólo las influencias del escribano (más por el «qué dirán» que por cualquier otra causa) le permitían disfrutar de una sentenciada y breve libertad. A propósito del escribano, recordó que a la mañana siguiente, sin mayor posibilidad de dilatamiento, había anunciado su visita al convento para conocer a su hija. «Lo que faltaba.»

Lorenza se extrañó de encontrar el cuarto vacío. «¿Dónde está la hermana Semilla? ¿Y María Margarita?» En la cuna no había más que un rebujo de sábanas. «¿Qué ha pasado aquí?» El miedo trepó a la giba de la angustia. «¿Dónde está mi hija?» Antes de aventurarse al pasillo, volvió a la cuna y apartó las sábanas. Envuelta en el rollo de tela, asfixiada, morada, muerta, estaba la niña. La boca abierta buscando todavía el último aliento. Los ojos grandes, sorprendidos, implorando el auxilio. Las manos, rígidas, apartando el algodón, procurando una gota de aire que nunca llegó. Muerta.

No pudo hacer otra cosa Lorenza que, recuperada la respiración, desgajarse en un grito de rabia, de impotencia, de incomprensión, de dolor. Un grito que estremeció cada esquina del convento, cada piedra, cada conciencia. Un grito que enturbió, más, el alma de Calamarí. Un grito que seguramente alcanzó a escuchar fray Andrés Sánchez, quien tras cometer el infanticidio, marchaba a perderse por la calle de Baloco. «¡El rey está a salvo! ¡Viva el rey!»

Poco disfrutó la victoria. Un encapuchado, como una exhalación, le sorprendió al doblar la esquina de la calle de las Platerías. Sin rechistar, le clavó hasta la empuñadura un cuchillo en el vientre. El encapuchado se deslizó calle abajo y el dominico quedó tirado en el empedrado, tan muerto como su víctima. Posiblemente la niña y el fraile se encontraron en el otro mundo con idéntica cara de sorpresa y terror.

Lorenza perdió la noción del tiempo y el espacio. Las columnas del soportal se desvanecían tras su carrera. Llegó desencajada a la portería. La hermana Cancela intentó decirle algo. Seguramente pretendía contarle lo que había visto; lo que su función de celadora y tornera le había permitido saber. Pero Lorenza estaba ausente. Miraba hacia arriba, gemía, arañaba el portón. La hermana Cancela no lo pensó dos veces. Corrió la tranca y permitió que la esposa del escribano saliera a la calle. «Una por mí, otra por ti.» (¡Cómo le había quedado el miembro a fray Luis de Saavedra con el emplasto de ortigas!)

Vagó las calles de la recogida ciudad. Buscó desesperada el claro del bosque en la selva y hasta él la llevó el instinto, no los embotados sentidos. Se tumbó a llorar sobre las raíces de la ceiba. Se le aguó la vida y creyó perderla por los lagrimales. Después sintió unas manos que le acariciaban el cabello y la espalda. No se volteó. Dejó que las suaves caricias restablecieran algo de serenidad. Los brazos invisibles, sutiles, parecían salir del tronco del árbol. Entre sollozos, agradeció a Margarita el consuelo.

Cuando las raíces hubieron tragado la amargura, se incorporó. Miró las estrellas turbias de lágrimas. No querían hablar. Tocó con la yema de los dedos la corteza del árbol y despidió a su aya. Agotada, reclamando fuerzas para que la llevasen a la orilla del mar, descendió por el sendero hasta la playa... su playa. Daba tumbos como un borracho. Todo su entorno parecía soñado. Un velo calinoso le cubría la vista. Un coraje frío como el hielo le congelaba los sentimientos. Las olas se llevaron los zapatos.

Escuchó una voz detrás de ella, una voz susurrante, ventosa.

—No te apures, Lorenzana. Tu descendencia podrá vengar todos los agravios. Estarán reunidos el día del cometa, poco antes de la era de Acuario —le dijo la voz.

—¿Quién eres? —Volvió la cabeza. No había nadie.

—Digamos que... el Destino.

Lorenza miró al suelo. En la arena mojada iban marcándose dos huellas: una pisada humana y una pezuña. El agua las cubrió rápidamente y las arrancó de la orilla.

—Hace justo un año lograste salvar a la ciudad del mal de ojo, del rencor que hubiera acabado con ella. Y ahora, en la misma fecha, la fecha que te marco, la fecha de gloria —la voz pareció sonreír—, te corresponde ir a mostrar el camino al mensajero...

Se levantó la brisa. Lorenza, en el sopor, sintió una energía que la empujaba adelante y arriba. Vio la playa hacerse pequeña. Percibió el aire salitroso en la cara. Abajo veía Calamarí, con sus luces prendidas, con sus piedras embusteras, con sus muertes de fiesta, con su grandeza inmadura. ¿Volaba? Vio también a las brujas en sus escobas surcar el cielo rumbo a los tremedales, y a la yegua *Cambalache* galopar por el fango.

Alguien rebullía en su interior. Si le buscaban el alma, no la encontraron... y no es porque no la tuviera.

Había, suspendida entre las nubes, al frente, corcovante, una llamita de fuego.

El globo del padre Ferrer continuaba elevándose. La brisa lo había arrastrado hacia el mar.

Lorenza veía la llama cada vez más cerca. Se le iba derritiendo el hielo de los sentimientos. Cada vez más cerca... Cada vez más cerca...

¿Habría logrado el padre Ferrer divisar la Piedra del Uebo? Bueno, hasta el momento no había pasado nada. «Ojalá todas mis sospechas sean fruto de estúpidos agüeros.»

Cada vez más cerca... ¿Maneja alguien los hilos de la vida?

El sacerdote estaba eufórico cuando me saludó desde el globo. Pareciera que por fin hubiese colmado sus expectativas, o al menos tuviera alguna claridad sobre las investigaciones.

Lorenza caía en un profundo sueño, patrocinado por la debilidad de su estado físico. Sintió el borde de la llama y, al atravesarla, en un abrir y cerrar de ojos, el fuego se extendió por el cielo. Un profundo calor le abrasó las entrañas.

Me resulta difícil, desolador, todavía hoy, a pesar de todo el tiempo transcurrido, narrar el final de aquella noche del quince de marzo. Sin explicación aparente, sin causa efectiva, sin aviso previo, el globo del padre Ferrer estalló en el aire. Se convirtió, en segundos, en una inmensa llamarada. No produjo ruido alguno. Todas las sensaciones fueron visuales. La brisa continuaba soplando, mientras la bola de fuego descendía imparable hacia el agua.

Entre la gente congregada corrió un murmullo de incertidumbre. Después de los breves instantes que tardó el globo en caer al mar (me parecieron eternos), el murmullo se transformó en sobrecogedor griterío.

Lorenza sintió, nuevamente sobre la arena, tendida en la playa, cómo las olas le lamían las manos y apagaban el calor que le salía de adentro. Cerró los ojos... ¿O ya los tenía cerrados?

Un viejo a mi lado me miraba fijamente. Yo seguía embobado en el horizonte. «Han sido las brujas, ¿no las ha visto usted?» Cuando salí del aturdimiento, había desaparecido.

Igualmente me cuesta describir el sentimiento que me embargaba. ¿Desconcierto, angustia, culpabilidad, desasosiego, incredulidad, dolor...?

Tardaron en aparecer los bomberos, un cascajo con una manguera colgando. La policía y las autoridades también demoraron. Estuve en la orilla hasta las cinco o seis de la madrugada, esperando, junto al grupito de curiosos en vela, a ver si alguien descubría la suerte del sacerdote. Albergaba una mínima esperanza.

Pero fue inútil. A punto de amanecer, el equipo de buceadores espontáneos informó sobre lo poco que habían rescatado del pasto de las llamas. «Unos cuantos hierros retorcidos.» Del resto del globo y del tripulante nada se supo. Ni aquella noche, ni nunca, pudo encontrarse el cuerpo de José María Ferrer.

Descanse en paz en el seno del mar, en los brazos de Calamarí.

No quiero ahondar aquí en mis afectos. Prefiero reservar otras líneas para ellos.

Los expertos achacarían el desastre a un accidente fortuito.

Estaba demasiado excitado para tener sueño. Amaneció. Me acordé que el padre Ferrer me había dejado una nota en el hotel. Tomé el coche. En el Santa Clara todo el mundo sabía la noticia. El conserje, que en ocasiones me había visto con el sacerdote, puso cara de circunstancias, sin atreverse a darme el pésame o a hacer comentario alguno. Me tocaron en el hombro con un sobre.

—Ayer dejaron esta carta para usted.

Era el gerente. Parece que las emociones no habían sido suficientes. Ramiro Biáfora me tendía la encomienda con su mirada redonda y la sonrisa de ratón (de murciélago). Tomé la carta y subí a mi cuarto. El texto era breve y escrito deprisa: «Estimado Álvaro: Si no alcanzamos, por cualquier motivo, a vernos hoy, te espero mañana temprano. Tengo excelentes noticias para darte. Hoy encontré en el convento lo que buscábamos. Estamos cerca del final. Un abrazo. José María».

Era la primera vez que incumpliría una cita. No tengo reparos en reconocer cuántas lágrimas se me escaparon. Dejé que brotaran tranquilas.

Me lavé la cara y salí del hotel con idea de acercarme hasta San Pedro Claver. Por el camino, en el auto, pensé que la entrega de la nota por parte del gerente constituía claro indicio de quién era el dichoso mensajero. Más tarde me ocuparía del asunto.

«¡Ahora estoy solo!»

Abrió el padre Manuel. Le entregué las llaves del automóvil. También estaba al tanto del accidente. «Ya le advertí que no mezclara las cosas de Dios con las del diablo.» La policía le había llamado temprano para ponerlo al corriente. A su vez, el párroco había informado a sus superiores. «Una gran pérdida.»

El padre Manuel no me obstaculizó la entrada al despacho del padre Ferrer. «Pero no toques nada.» Toqué y busqué. Recogí un sobre manila, tamaño folio, con mi nombre escrito a pluma que había encima de la mesa y me llevé las fotocopias del proceso inquisitorial de Lorenza de Acereto con las anotaciones correspondientes. No me dio tiempo a más. Las encargadas de la limpieza entraron y comenzaron a meter en cajas sus pertenencias. Guardé todo en el sobre y, como estaba a mi nombre, el padre Manuel me autorizó a llevármelo.

No aguanté las ganas de escular su contenido. En el pórtico de la iglesia lo abrí. Contenía una hoja arrancada de la guía telefónica, páginas amarillas, sección de hoteles, con un establecimiento marcado con resaltador verde: *Hacienda*

Baza – Boyacá; y varios recortes de prensa con nombres subrayados de altos dignatarios, militares, políticos y personalidades que, a simple vista, no decían nada. Me llamó la atención una nota breve del diario *El Espectador* en la cual se anunciaba la celebración, en el Hotel Santa Clara, de la mayoría de edad de la hija del principal candidato a la presidencia, Hugo Acevedo. Debería estudiar todo aquello con calma.

Estaba guardando los papeles, cuando me sorprendió escuchar tan temprano el ruido de un coche de caballos acercarse. El carruaje avanzó, tirado por un caballo blanco, hasta pasar delante de mí. Parece que el Destino no me daba tregua. La ocupante del coche, una mujer con el rostro y la cabeza tapados por un pañuelo de gasa blanco, me miró fijamente cuando estuvo a mi altura...

«¡Es Lorenza!» ¿Era Lorenza? Eran los inconfundibles ojos de miel de Lorenza. Mis ojos de miel. Los ojos que ya tenía clavados en el alma desde hacía tiempo, mucho tiempo. ¿Lorenza? «Estoy cansado.» El carruaje se perdió al fondo de la calle.

6

El agua del mar le mojaba la punta del cabello cada vez que rompía una ola. Las primeras luces no la despertaron. Lo hizo el sonido seco de una lanza clavándose en la arena, junto a su oído. Mala suerte. Cuando levantó la cabeza, confundida, pesada, distinguió los uniformes de la guardia inquisitorial. Mejor le hubiera ido si antes la hubieran encontrado los soldados del ejército o los comisarios del gobernador. Todos la perseguían, pero ninguno con tanto ahínco como los sabuesos de Mañozca.

Los soldados reales la buscaban por su desaparición. Los comisarios como posible culpable del asesinato de fray Andrés Sánchez. La Inquisición por homicida, bruja, hechicera y hereje.

Fue encerrada en una celda a la entrada de la cárcel, donde normalmente los reos aguardaban la asignación definitiva de calabozo.

Nada más enterarse de la detención, el gobernador, señor de la Vega, se personó ante los inquisidores. Cuando le hicieron pasar a la sala de juntas, ya estaban reunidos con el provisor Bernardino de Almansa. Los frailes, sentados, debatían la suerte de la detenida. Mañozca jugaba con el anillo.

—Eminencias, Señoría, estén con Dios. Veo que sólo falta el capitán de la guardia para que esta reunión quede convertida en consejo de seguridad.

—Ahórrese los sarcasmos y tome asiento —ordenó Mañozca. El provisor se asombró del abandono de las normas protocolarias por parte del inquisidor. A Salcedo le parreció normal. El gobernador se molestó—. Le pondré al corriente. Discutimos si la detenida, Lorenza de Acereto, deberá permanecer en nuestras cárceles secretas o debiera ser encarcelada en la prisión civil.

—¿Dónde está el motivo del conflicto? —preguntó el gobernador.

—En la causa misma de su detención —intervino Almansa—. Vuestros comisarios, señor gobernador, requieren a doña Lorenza como sospechosa de asesinato; es decir, su apresamiento respondería a una causa estrictamente civil, por lo cual debería permanecer recluida en la cárcel común hasta que el juez determine si existen motivos para retenerla en presidio y enjuiciarla, o dejarla en libertad, sea condicional, bajo fianza o total. Pero los señores inquisidores alegan que la rea es sospechosa, además, de haber cometido delitos contra la fe católica. Muchos de esos delitos ya fueron confesados ante mí, pues, con anterioridad al arribo de los hermanos del Santo Oficio, era yo el máximo responsable de los actos de fe en Cartagena. Y no se puede juzgar a doña Lorenza por pecados confesados y pagados. Si los padres Salcedo y Mañozca, a través de su fiscal, no tienen pruebas contundentes al día de hoy que inculpen a la detenida, ésta no podrá ser guardada en sus cárceles secretas.

Mañozca percibió la leve satisfacción que invadió al gobernador tras el argumento de Almansa. El inquisidor no estaba dispuesto a perder semejante trofeo. Dirigió una mirada a Salcedo, como si previamente hubieran orquestado una estrategia.

—Caballeros, les propongo un trato —participó el segundo inquisidor—. Regresemos a doña Lorenza al convento de las Carmelitas. Ya no en calidad de huésped, sino de rea. El edificio está dotado con celdas, construidas para el castigo de las monjas sancionadas dentro de la propia orden religiosa. Así evitaremos escándalos públicos, el enfurecimiento del escribano, y contribuiremos a una mejor recuperación de la detenida.

—Cada cual estará en disposición de interrogar a la reclusa cuando lo necesite, y tanto ustedes, señor gobernador, como nosotros, avanzaremos en las indagaciones de los respectivos procesos. Nos mantendremos en contacto permanente, con tal de establecer si la dicha Lorenza es culpable o inocente de las acusaciones. Una vez tengamos claridad sobre los hechos, y en caso de que alguno de los veredictos la encuentre culpable, estableceremos la forma del cumplimiento de la pena. ¡Quién sabe! Si es condenada a muerte, no habrá necesidad de discutir sobre la idoneidad de la cárcel —remató Mañozca.

—Por mi parte, no hay inconveniente —accedió el señor de la Vega.

El provisor guardó silencio. Apegado, como siempre, a la rigurosidad de la ley, aprobó el acuerdo. Pero sabía que Mañozca le había clavado las garras a su presa. Cuando se retiró el gobernador, Almansa preguntó al dominico el porqué de su permisibilidad.

—¿Usted piensa que ella mató a fray Andrés? —dijo el inquisidor, ahora en pie, paseando por la sala.

—Justamente porque la conozco, no las tengo todas conmigo. —Almansa y Salcedo permanecían sentados.

—No fue Lorenza de Acereto —aseveró Mañozca.

—¿Está seguro Su Eminencia? —preguntó el provisor.

—Ayer hablé con la tornera del convento. Al salir a la calle, Lorenza tomó el sentido contrario al que hacía un rato había tomado fray Andrés. Es casi imposible que se hubieran encontrado en el lugar de la muerte.

—¿Lo sabe el gobernador?

—Aún no. Es bueno que sus comisarios se mantengan un tiempo entretenidos.

—¿Y si interrogan a la tornera?

—La tornera no abrirá la boca.

—¿Cómo impedirlo?

—Todos tenemos un lado oscuro. A la hermana tornera, el suyo, le pesa demasiado...

Salcedo no aprobó la teoría de los lados oscuros. Pero no

se atrevió a rebatirla delante de un tercero. Se mantuvo callado.

—¿Cuál es entonces, Eminencia, vuestro interés sobre doña Lorenza? —terminó inquiriendo el padre Almansa.

—¿Le confesó la rea en alguna ocasión la tenencia de un misterioso pergamino?

—No.

—Pues ésa es mi principal preocupación: la posible existencia de un pergamino francés que amenaza a la Corona española. Al parecer ya se han cumplido algunas de las profecías que contiene.

—¿Cree usted, Eminencia, que algo tenga que ver ese documento con la muerte de la hija de doña Lorenza?

Mañozca encajó lo amargo de la pregunta.

—Todos los indicios apuntan a fray Andrés como autor del asesinato. Pero desconozco los móviles que le impulsaron a hacerlo. —Se acercó, giró el anillo sobre la mesa, sabía mentir.

—¿Y el pergamino, una posibilidad no demostrada, una abusión, es su único interés? —preguntó Almansa.

—Si quiere, adórnelo con un buen ramillete de herejías, hechizos, adivinaciones, malas influencias, sangre inglesa, intentos de acabar con el marido, brujería, oraciones, conjuros... Suficiente leña para una buena hoguera.

—No adelantemos acontecimientos —intercedió Salcedo—. Permitamos al fiscal concluir las investigaciones.

Los inquisidores despidieron al provisor recomendándole máxima discreción y prudencia.

A Lorenza le molestaba el vestido húmedo y el pelo embarrado. Todavía sentía un calor intenso en las entrañas. No recordaba con nitidez todo lo que había sucedido desde la noche anterior. De momento lloraba. Lloraba por la muerte de su hija.

Se cruzó con Clara Mañozca cuando subía al carruaje que la llevaría nuevamente al convento. Era muy parecida al hermano. Caminaba erguida, estirada en el traje negro. La espalda parecía quejarse de una postura artificial. Daba la impresión de que a la vuelta de la esquina, cuando nadie la viera, iba a plegarse sobre el estómago, buscando una posición más natural en ella: cargada hacia delante. Algo le resultó familiar en aquella mujer. En sus largas manos portaba la ropa recién lavada del inquisidor.

La superiora no salió a recibirla con los mismos agasajos de la primera vez. Se limitó a entregar las llaves de la celda a la hermana guardiana. Habían cambiado a la tornera. Ocupaba su puesto otra monja, seca, de ideas secas y carnes secas. Fue custodiada por un comisario y un guardia de la Inquisición hasta el final del corredor de la planta baja, pasada la iglesia. La monja abrió una puerta robusta y atravesaron un pasillo cerrado, escasa iluminación, al que daban los portones de los calabozos, cada uno con una ventanita enrejada en forma de ojiva. Nadie más ocupaba ninguno. Fue instalada en el último, donde estaban sus pertenencias amontonadas en el suelo. Todas las comodidades las conformaban un aguamanil, una bacinilla y un catre. Un ventanuco alto, insuficiente, en una esquina, era la única fuente de luz y ventilación. El secretario y escribano, Luis Blanco, dio testimonio del encarcelamiento: *«Y cuando este servidor partió de la estancia, doña Lorençana no dixo más que suspiros y echava muchas lágrimas por los ojos».*

El padre Manuel celebró el funeral por José María Ferrer, una vez oficializada su muerte, siete días después de la búsqueda infructuosa del cadáver. La iglesia de San Pedro Claver estaba casi vacía. Sólo un puñado de jesuitas ocupaban los primeros bancos. Yo me hice un poco más atrás. Reconocí únicamente al cura alto y flaco que nos abrió la puerta en el colegio de la Compañía. No presté mucha atención a las palabras del oficiante: la mayoría, frases de cajón. No acudió gente cercana, querida, familiares, amigos íntimos... ¿Los tenía? Me hubiera gustado, al regresar a España (algún día tendría que hacerlo, visitar a su familia en Cataluña. Pero el padre Manuel, cuando pude interrogarlo, me informó que no tenían conocimiento de ningún familiar cercano. Era como la estatua de un parque: memorable, resplandeciente, admirado, impenetrable, solitario. Así me quedó grabado su recuerdo.

Si algo tenía que agradecerle al padre Ferrer era la confianza depositada en mí. Tal vez lo hizo inconscientemente; pero después de marcarme el camino, dejó en mis manos esa responsabilidad de adentrarme por senderos enrevesados y tratar de llegar a alguna parte, así no fuera más que por el gusto de finalizar aquella aventura. Me enseñó a encarar un reto. La vida está llena de retos. Llámense investigación, trabajo, seducción, amor, estudio... Unos grandes, otros ínfimos. Caminos que van conformando la ruta de la existencia. Así pensaba entonces.

Quizás esa desconexión aparente del mundo, también lo asemejaba a Lorenza. ¡Había visto a Lorenza! Ya no podía compartirlo con el padre Ferrer. Posiblemente hubiera soltado uno de sus sarcásticos comentarios acerca de mi admiración por ella. ¿Era posible que estuviera viva? Mejor tranquilizar mis sentimientos. «Ya anotaré en los cuadernos mi inquieto estupor.»

¿Habría descendido La Mojana al fondo del mar para cubrir con su manto al padre Ferrer? Murió como se moría en Calamarí.

El abuelo estará recibiéndole. Un abrazo entre viejos camaradas. Unos breves saludos y la inevitable conversación sobre Álvaro. No sé si me gusta que el abuelo y el padre Ferrer hablen sobre mí. Se estarán preguntando cuál será mi decisión... «¿Recogerá las maletas o llegará hasta el final?» Seguir adelante. Me pasó por la cabeza olvidar todo aquello y salir corriendo. Pero no pude. Estaba demasiado inmerso en la vida de Calamarí para abandonarlo. Aún disponía de una semana antes de tomar el avión de regreso.

No me quedé por el padre Ferrer. Hubiera sido una heroica determinación y una bonita excusa. Pero me quedé por mí. ¿Egoísmo? Me quedé porque había visto a Lorenza.

El paso del tiempo le restituyó las fuerzas y, escasamente, el ánimo. La única persona con la que tenía contacto era con la hermana guardiana. Le servía en silencio las comidas y le retiraba el bacín. No estaba dispuesta a quebrantar la estricta orden de la superiora: «Una sola palabra con la rea y ocupará la celda contigua».

Era muy de mañana el día que la guardiana y dos soldados fueron a buscarla y la condujeron al locutorio. El inquisidor esperaba paseando alrededor de la mesa. Lorenza paró en el quicio de la puerta. Miró desafiante a Mañozca. El dominico le respondió la mirada con un saludo austero, doblegante. No invitó a Lorenza a entrar en la sala. Por el contrario, con la mano le indicó que salieran al corredor.

—Esperemos que el fresco del amanecer le avive la memoria —dijo.

Lorenza había recuperado parte de su lozanía. Sólo parte. El encierro le impedía el restablecimiento total.

—Quería conocerla y charlar con usted en privado, antes de interrogarla en los estrados. Puede que lleguemos a algunos acuerdos, y así evitemos sufrimientos posteriores.

—¿Ha venido a medir mis fuerzas o a intentar comprarme?

—Admiro vuestra franqueza.

—Puede llamarla insolencia.

—Como quiera. Si prefiere jugar rudo, así lo haremos.

—Tengo entendido que usted no juega de otra forma.

—Tampoco son tibias sus referencias. —Comenzaron a caminar por el claustro—. Sentadas las posiciones, déjeme hacerle algunas preguntas. ¿Sabe usted que el fiscal Bazán de Albornoz ha iniciado proceso contra su persona?

—Lo suponía.

—¿Y conoce su merced las causas?

—También las supongo.

—Entonces, supondrá igualmente que tiene grandes posibilidades de acabar en la hoguera.

—No me asusta el fuego.

—No trate de impresionarme. He visto ponerse blancos

los cabellos de muchas mujeres justo antes de encender la pira. Seré directo: entrégueme el pergamino y le garantizo una pena leve. Y si colabora abiertamente conmigo, le impongo el destierro y la libro de todos sus males.

—Tentadora oferta. —Sonrió burlona Lorenza—. Pero siento mucho defraudarle. No hay ningún pergamino.

—¿Lo ha destruido?

—Nunca existió.

—Hay pruebas que demuestran lo contrario.

—¡Encuéntrelo pues!

El inquisidor reprimió su indignación.

—No dude, señora, que lo haré. Mandaré remover cada piedra de este convento si es necesario.

—Gran favor le hará a las monjas.

—¡A fe que sois insolente! Insolente y estúpida.

—No se sulfure, Eminencia, a su edad no es bueno para la salud.

—Desconoce a quién está provocando. —El inquisidor se marcó el pecho con el dedo índice.

—Poco valora usted a su adversaria. Si tanto dice saber de mí, hizo mal en suponer que iba a atemorizarme con simplezas. —Necesitaba el fin de la charla, pocas fuerzas le quedaban para seguir aparentando.

—Aterrorizada la he visto.

—No por un hombre.

—¡Será Dios quien la juzgue!

—Tengo buenos defensores. Juegue usted sus cartas, que yo jugaré las mías. No voy a confiar en quien mandó matar a mi hija.

Mañozca hizo un esfuerzo para recuperar el paso.

—¿Quién os ha dicho semejante idiotez?

—No puedo daros el gusto de revelar secretos que luego se volverían contra mí.

—Este atrevimiento os costará caro.

—¿Y no me preguntará si yo maté a fray Andrés?

—Vos no fuisteis.

—Tal vez lo asesinó usted mismo para enterrar el secreto.

—Lorenza siguió caminando. El inquisidor se detuvo en seco.

—¡Me aseguraré personalmente de que las llamas os abrasen el alma! —Mañozca partió furibundo, con las sienes hinchadas y los puños cerrados.

«Me lo dijeron las estrellas. Pero no sé quién acabó con fray Andrés.» Lorenza conocía el fanatismo y el desbocado genio del inquisidor. «¡En buena me he metido!» De regreso a la celda trató de restarle importancia. No pudo. La opresión de los muros acrecentó sus temores.

No tuvo conocimiento del día en que los familiares del Santo Oficio pusieron el convento patas arriba tratando de encontrar el pergamino.

Mensajero: Dícese de lo que anuncia la llegada de algo. Persona que lleva un recado, despacho o noticia a otra. Quien más se acercaba a esta definición del diccionario, según mis conjeturas, era Ramiro Biáfora, el nuevo gerente del hotel. Que se convirtiera en el centro de mis pesquisas no significó el descuido de otros posibles candidatos, como Maurice, el de alimentos (por el hecho de ser francés); Carmen, la superiora de las carmelitas, o el viejo Lorenzo del volcán del Totumo. Cualquier persona que tuviera una mínima relación con la historia de Lorenza me servía como sospechoso.

Traté de montar un buen sistema de vigilancia sobre Biáfora. En cuanto lo divisaba, trataba de seguirlo, de espiarlo. Pero casi siempre se escabullía y terminaba sorprendiéndome escondido detrás de alguna columna, o estupideces por el estilo. «¿Le sucede algo?» A la tercera vez me sentí ridículo. Además, parecía que era él quien me controlaba a mí.

Varios frentes se abrían para trabajar. Uno, la localización del posible mensajero. Otro, encontrar en los archivos del convento la documentación que había descubierto el padre Ferrer. Y por último, descifrar las pistas que el sacerdote me había dejado en el sobre manila: una página arrancada de la guía telefónica y unos cuantos recortes de prensa. «¿A qué se refieren?» Aún no podía saberlo. Me encerré varios días en el Santa Clara a terminar de leer la copia del juicio de Lorenza y las anotaciones del padre Ferrer sustraídas de su despacho. Quizás así, con una visión más global, comenzasen a encajar las piezas.

Trescientos veintisiete, trescientos veintiocho... Una y otra vez contó Lorenza los bloques de piedra que conformaban las paredes. Ya había perdido la cuenta de los días. ¿Cinco, seis, siete meses...? Distinguía el paso de las horas por la intensidad de la luz que entraba por el ventanuco del techo y por la exactitud en el servicio de comidas. Siempre la hermética guardiana. Siempre la misma incertidumbre. Siempre los mismos recuerdos. Recuerdos que iban posándose como la borra del café en el suelo de la celda.

Una vez a la semana, la guardiana le hacía desnudarse y, sin abrir la puerta, desde el pasillo, le arrojaba dos cubetazos de agua por la ojiva. Le prestaba un pedazo de jabón, y mientras iba a por más agua, Lorenza se enjabonaba. Cuando regresaba, la monja le aclaraba el cuerpo y el cabello con otra tanda de cubetazos.

La falta de pretexto para matar el tiempo le produjo inicialmente una exasperación angustiosa, una tensión grotesca. La vida se le había colocado en posición horizontal. Trató de digerir el tedio que, aceptado con resignación, es indecible. Después buscó entretenimiento en cualquier pequeñez: empezó a disfrutar del ruido de las gotas de lluvia sobre las tejas, del sonido del comején en la madera, del musgo creciente en las uniones de la piedra en la pared, de los latidos del corazón, un corazón agobiado, pero vivo.

Era difícil deshacerse de las liendres y los chinches. Prefería aguantar las picaduras a soportar el olor del zotal. Pero cada mes, inevitablemente, la guardiana asperjaba el insecticida desde fuera de la celda. Todo quedaba salpicado del líquido blanco: la cama, la ropa amontonada en el suelo, los muros y la misma Lorenza. A las pocas horas, cientos de insectos yacían en el piso. Entonces regresaba la hermana y le alcanzaba una escoba para que los barriera por debajo de la puerta.

Si se quedaba mirando con fijeza las paredes se cerraban, se estrechaban, se empequeñecían, hasta ahogarla. Pero nunca nadie acudió a sus gritos de auxilio, a calmar su respiración agitada, a rescatarla de los repetidos desmayos.

La muerte de su hija, una losa, había sepultado su vida anterior. Bajo el peso del desastre había quedado aplastado el puerto, la casa de la playa, el tío Luis, los hechizos, los conjuros, su madre, su aya... «¿Qué será de Francisco?»

Le atormentaba vivir constantemente invadida por la idea del momento en que la Inquisición viniera a trasladarla a las cárceles secretas. Tanto, como le martirizaba pensar por qué Catalina de los Ángeles la había traicionado. «Mucho daño han tenido que hacerle.» No podía imaginar el motivo de la traición ni el trauma que había producido en la esclava el cumplimiento de los vaticinios del pergamino. Las cosas del diablo eran manejables, estaban dominadas o, al menos, eso parecía. Las de Dios le infundían miedo; pero nada había ocurrido hasta entonces fuera de lo normal. Ni castigos, ni milagros. Lo del pergamino no sabía a quién achacárselo. «Mucho ha tenido que sufrir la negra.» A pesar de las amenazas que en su momento le hiciera, Lorenza no podía sentir rencor contra Catalina. Le asustaba, como tuvo que asustarle a la mandinga, el mismísimo manuscrito. El documento había cobrado una importancia inusitada. Una cuestión era el juego de guardarlo, el secreto, la traducción, las promesas, y otra muy distinta la demostración palpable de que el esquivo contenido podía convertirse en realidad. «Lo demás sea para bien, si aún me espera algún futuro.»

Una noche intentaba conciliar el sueño cuando escuchó un ruido cerca de la puerta. No era el sonido machacón de los ratones. Se incorporó y vio un papel doblado en el piso. Tuvo que aguardar la llegada del alba para leerlo. No prendían las teas durante la oscuridad: la abadesa tenía miedo de que la rea se inmolara y privase al inquisidor del placer de hacerlo. No durmió. Con las primeras luces leyó las escasas frases sobre el papel: *Guiomar de Anaya ha sido apresada. Está en la cárcel común.* La nota no tenía firma. Seguramente la enviaba alguien desde el interior del convento. ¿Pero quién? ¿Por qué habían detenido a Guiomar? Desde su desaparición, nada había vuelto a saber de ella.

Mi recuerdo, mi cargamento de llano pasado, se entremezcló con los demás apuntes en el cuaderno de notas. Pudo suceder porque se agolparon las muertes del padre Ferrer y del abuelo; o porque estaba perdiendo el temor a expresar mis sentimientos sin la sensación de traicionar a la familia o traicionarme a mí mismo; o porque empezaba a catalogar de «interesante» mi existencia; o porque se habían sumado mis muertos a los de Lorenza. Así, al releer las páginas emborronadas con aquellas anotaciones tomadas en el Santa Clara, aparecieron, abrazadas con líneas dedicadas a Lorenza, evocaciones de una infancia mameluca, normalizada, sobreprotegida: la mía.

El calor de Cartagena es muy diferente al de los veranos en la sierra de Madrid. El cartagenero es un calor húmedo, pegajoso. El de Miraflores seco, picante. Los dos calores están separados en mi memoria por un montón de años. Cuando finalizaba el curso escolar, en junio, mi padre nos subía al chalet. Pasábamos los tres meses del estío a la sombra de los pinos y al refresco del agua de la piscina. Cada día, mi padre acudía a trabajar a Madrid. Nos quedábamos en el chalet mi madre, el abuelo, y entonces, también la abuela, quien me preparaba cada tarde tostadas con mermelada y, como yo era de poco comer, clavaba un palillo con un recorte de papel en el pan, simulando la vela de un barco, y entonces me lo comía, porque una cosa es masticar simple miga, y otra tragarse un navío. Pasaba los veranos devorando transatlánticos.

Sólo en agosto mi padre estaba quince días completos con nosotros. Eran los días de las excursiones a los alrededores, de las comidas en restaurantes, de las visitas a los compañeros del ministerio que tenían casa en las cercanías, del cordero asado en Aranda de Duero, de recorrer nuevos caminos con un ser desconocido, superior, inflexible. Cuando estaba mi padre, intentaba no separarme mucho del abuelo. El abuelo hacía lo imposible por acercarme a su hijo. No es que yo lo rechazara, simplemente no le tenía confianza. En mis juegos infantiles sólo participó su seriedad, su vida estricta.

Emergen del recuerdo mis primeros renglones sobre un folio. Quizá los síntomas incipientes de mi actual vocación. No debería tener yo más de nueve años. Era uno de esos veranos calurosos, solitarios. Acababa de leer un libro sobre un grupo de jóvenes que corrían toda clase de aventuras intrépidas; las aventuras que todos hemos deseado y pocos han conseguido realizar. Aquellas páginas me habían descubierto todo un mundo de evasivas posibilidades... todas ilógicas... todas imposibles. Así recurrí a la fantasía... o a la imaginación... aún no sé si son lo mismo. Traté de armar mi propia historia; una historia muy parecida a la del libro (con nueve años no podía pretender más); pero una historia que, gratamente, me dio alas para adentrarme en los laberintos de mi corta, aunque animada, vida interior. Tenía más emociones y posibilidades guardadas dentro de mí que en realidad. No escribí nada profundo ni trascendental ni considerable. Cuarenta cuartillas de desdibujados personajes. Eso fue lo de menos. Sin embargo, después de una semana ya me creía escritor.

Había oído a mi madre que el chalet vecino lo había ocupado un escritor americano bastante conocido. Tal vez ésa era mi prueba de fuego. Si conseguía que el gringo leyera mi obra y diera su aprobación, el Nobel estaba a mi alcance. Me presenté ante su puerta y timbré. Me abrió Linda, la esposa, una mujer altísima, morena, con marcado acento gringolacho. Pregunté por el señor escritor. Me invitó amablemente a pasar. Cruzamos el jardín y entramos en la casa. Un niño pequeño trataba de escaparse del corral y un perro faldero me olisqueó las zapatillas antes de tumbarse al sol. *«Esperrate* un *moment.»* La esposa salió por la puerta de la cocina. Volvió enseguida. «Louis te *rrecibirrá inmediatly.»*

Su despacho estaba fuera de la casa. Linda me indicó el camino desde la cocina. Tuve que descender un poco por el sendero que bajaba al río. En mitad de la pendiente, sobre unos peñascos, Louis había construido su refugio. Las paredes estaban cubiertas de libros en inglés, el suelo entapetado con moqueta roja, y había una mesa cuadrada, antigua, en mitad del recinto, con una máquina de escribir. Un gran ventanal asomaba al río. Sentado en la mesa me esperaba el escritor. Louis era un estadounidense descomunal, atlético (la figura menos acorde con el estereotipo de intelectual), cincuentón, pelo canoso, ojos claros. Siempre con la pipa en la boca, apagada o encendida. «Perdón por molestarle.» Le conté el motivo de mi visita y exageré sobre mis desmedidos deseos de convertirme en un autor consagrado (de hecho, ya sentía que lo era). Agarró las cuartillas y las leyó de un tirón. «Te felicito. Esto tiene madera.» «¡Eso ya lo sabía yo!» «Pero...», y al primer pero comenzó a temblar mi presunción...

—Debes conseguir mayor fuerza en tus personajes. Si esta chica, Marta creo que la llamas, la pintas como un marimacho, ponla repartiendo trompadas a los muchachos. Imaginación te sobra, porque crear una trama como ésta, a tu edad, es buen síntoma. Lee mucho y trabaja los personajes. Vuélvelo a escribir una y otra vez, es el mejor ejercicio. Tráelo cuantas veces quieras, y lo iremos puliendo.

La trama estaba perfecta... claro, la había plagiado. Precisamente mi única innovación, los personajes, cojeaban. «¡Qué dura la carrera del escritor!» Regresé abatido a mi casa. Me senté en la mesa de piedra del porche, adornada con la rosa de los vientos, y reescribí las cuarenta cuartillas. Más de la mitad las ocupó la tal Marta atizando mamporros a cuanto bicho se le ponía por delante. Pero no me atreví a volvérselas a llevar a Louis. En días sucesivos, si me lo encontraba, ponía disculpas para evitar mostrarle mis avances. Sólo al abuelo, después de pensarlo mucho, le enseñé el manuscrito cuando me cansé de corregirlo. «¡Caramba, Alvarito, esto promete!»

Louis se marchó a Estados Unidos al finalizar ese mismo verano. Acabó su novela, *El Boxeador* creo que era el título. Nunca más he sabido de él. Ni siquiera conozco su apellido; no se lo pregunté. De él aprendí algo tan sencillo, pero tan difícil de aceptar en muchos casos, como saber que todo tiene una etapa de aprendizaje, los oficios no son innatos, así tenga uno disposición para ellos. Resulta más grato saborear el triunfo después de haberlo sufrido que si viene regalado.

Aquel embrión de literato acabó convertido en periodista. Durante la carrera universitaria mi padre se acercó algo más. Tampoco en exceso. Concluidos los estudios se preocupó por conseguirme algún trabajillo. Escribí varios artículos para diferentes revistas que circulaban en el ámbito diplomático. Recuerdo con especial determinación la entrevista a Rafael Estrada, preso colombiano en la cárcel de Carabanchel, en Madrid, acusado de tráfico de drogas. La revista *Latinoamérica en España*, cuyo director era amigo de mi padre, me había encargado la redacción de un reportaje sobre las mulas capturadas en el aeropuerto de Barajas. Fue un artículo crudo, descarnado; quizá la primera vez que me golpeaba una realidad impropia, aunque de alguna forma me afectaba y me descubría una tierra contraria a lo que siempre había escuchado en el seno de la familia. ¿Habían tratado de engañarme, y aquel país de Jauja era una utopía? Releído actualmente, me parece un retazo de Calamarí...

Rafael entró a la sala de visitas de la cárcel cuando yo no había terminado aún de colocar sobre la mesa mi grabadora, el cuadernillo para los apuntes y el bolígrafo. Se sentó al frente sin articular palabra. Era el único de todos los colombianos que había accedido, a través del capellán del presidio, a concederme la entrevista. Como única condición, mantener el anonimato. Había nacido en Santafé de Bogotá, veinticuatro años atrás. No tenía estudios, como la mayoría de sus amigos. Pero no era un maleante ni persona de mal corazón. Trabajó dos años como descargador de camiones en Corabastos, el mercado central de la ciudad, y el sueldo apenas le alcanzaba para sostener a su padre enfermo y a una hermana que se había empeñado en tomar los hábitos... los malos hábitos de la prostitución y la droga. Tampoco era, ni mucho menos, un santo, ni éste es un cuento de pobres perseguidos, mártires ni caperucitas rojas. Rafael asumió su merecido castigo. «Se jodió la vaina, por bruto.»

Le conversé un rato, lo del hielo y esas cosas. Cada cual, antes de prender la grabadora, expuso sus reglas. Veracidad y nada de amarillismo. «Clic.» La cinta comenzó a girar:

—Yo salía de mi casa, en el barrio de la Hortúa, a las cuatro de la mañana. Antes de las cinco llegaban los camiones. Casi todos los días me tocaba descargar papa; eran los bultos más pesados... los mejor pagados. Regresaba hacia las nueve o nueve y media, si todo iba bien. Me preparaba un tinto y echaba un motosito hasta la hora del almuerzo. Una mañana volvía por la carrera décima empapado por la lluvia. Dos o tres cuadras antes de mi casa encontré a mi hermana. La Gorda también iba emparamada. «Rafa, vení, el taita está en el hospital», dijo. «¿Cómo sabés?», pregunté. «Me lo acaba de decir la Deyanira. Yo recién llegaba. Pasé la noche fuera. Al taita lo sacaron temprano en ambulancia. Lo llevaron pal San Juan de Dios.» La Gorda estaba muy angustiada. La tomé del brazo y nos devolvimos por la misma carrera décima hasta el hospital. En información preguntamos por él. Nos mandaron a urgencias. No nos permitieron verlo. Una enfermera nos dijo que estaba muy grave, con un ataque al corazón, y que lo estaban atendiendo en la unidad de cuidados intensivos. La Gorda se sentó en la puerta y no quiso saber más de nadie. Yo solicité hablar con alguno de los médicos que lo atendía. Salió uno joven. Me informó que aún era pronto para arriesgar pronósticos, habríamos de esperar unas horas, pero seguramente tendrían que operarle para colocarle algo..., una válvula o algo así creo que dijo. El taita no tenía seguro médico. La operación costaba más de dos millones de pesos. ¡Hijoemadre, cuánta plata! Me senté, apenado, en la sala de espera. Había mucha gente, tan desquiciada como yo; pero no reparé en ellos. Bastante tenía con lo mío. No supe qué se había hecho de la Gorda. Ni me di cuenta en qué momento se puso a mi lado aquel tipo con traje fino, azul oscuro y corbata blanca. «Mirá, vé, pelao, tenés problemas y yo podría colaborarte.» Tuvo que repetir la frase; yo andaba demasiado ido y no estaba acostumbrado al acento caleño. «¿En qué podría colaborarme?» «Yo puedo conseguir que unos amigos paguen la operación de tu papá.» El tipo conocía perfectamente la situación del taita. Me propuso que si hacía un viaje rápido a Madrid, de no más de tres días, y entregaba un mandado en el aeropuerto, ellos se encargarían de pagar todos los gastos de mi padre. No lo pensé dos veces. Desde el principio sabía de qué se trataba, y tuve conciencia plena del riesgo que corría. El caleño no me lo ocultó. Me pareció honesto por su parte ponerme al tanto de la peligrosidad del caso. «Estos tipos son legales», pensé. Me citó al día siguiente en un casononón de la calle noventa y tres con carrera doce, en el barrio del Chicó, uno de los más elegantes de Bogotá. Me esperaba en la puerta y me acompañó hasta un garaje, donde otro tipo con una mascarilla cortaba los dedos de unos guantes de goma, esos de cirujano. Luego metió en ellos la coca y los ató con un nudo. Me fue dando uno por uno, y yo me los tenía que pasar de un solo trago, humedecidos con vaselina. Cada bola medía dos centímetros por lo menos. Me tuve que tragar más de veinte. Casi no puedo con todas. Antes de irnos me tomó una foto con una cámara grande. Se reveló enseguida y la pegó en un pasaporte. El caleño me llevó en un carrazo al aeropuerto de Eldorado. Por el camino me dio las instrucciones: no podía beber ni comer nada ni ir al servicio, aunque tuviera muchas ganas. En el avión debía aguantar los dolores si me daban. Cuando sirvieran la comida, debía ir al baño y botar algo por el inodoro, que pareciera que la había probado, porque las azafatas se dan cuenta si alguno no quiere comer y le sapean al comandante. Al aterrizar, muy sereno, como si nada pasase. Si los tombos me notaban nervioso, me iba pal trullo. Me largó una tarjeta con la dirección de un hotel. «Allí te buscarán unos compañeros.» Tenía que cagar las bolas con la coca, limpiarlas y tenerlas listas para cuando llegasen aquellos tipos. Podría regresar en el siguiente vuelo, y una vez comprobada la entrega, operarían a mi padre. El caleño entregó en el mostrador de facturación el billete y el falso pasaporte. «Sin equipaje.» Pidió asiento de fumadores, al final del avión. Yo no dije nada, aunque no fumara. Estaba muy asustado. Nos retiramos del mostrador y me dio una bolsa de viaje con algunos chécheres. «Es para disimular. Cuando llegués, podés tirarla.» «¿Por qué ha pedido un asiento tan atrás?», pregunté. «Allí tendrás mayor libertad de movimientos. Los baños están cerca, y es más difícil que se fijen en vos. Procura no levantarte mucho. Cuanto menos te movás, mejor. Y sobre todo, nunca te acerques a la cabina del avión ni a la zona de primera clase, no sea que llamés la atención y la embarrés», me advirtió por los corredores del muelle internacional. Me sorprendió que al llegar al control de inmigración no me diera los documentos y se despidiera de mí. Saludó al funcionario del DAS como si le conociera de toda la vida. Selló el pasaporte y lo volvió a coger el caleño. En los demás controles, hasta la sala de espera, también fue saludando a los policías. El vuelo ya estaba embarcando. Pasamos directamente al pasillo que conducía a la puerta del avión. Con el canguis que tenía, no puedo asegurarlo, pero creo que le dio a la azafata dos billetes en lugar de uno. «Que tengan feliz viaje.» El caleño me soltó en la mismita puerta del avión. Allí había dos tombos más. Me dio delante de ellos mi billete, el pasaporte y un sobre con dinero. «Para gastos.» Se despidió de mí y yo me metí en el aparato. El caleño se quedó hablando con los polis. El vuelo fue de muerte. Me puse de los nervios cuando me tocó esconder parte de la comida en la bolsita del mareo para tirarla por el baño. Yo miraba a las azafatas aterrorizado, como si fueran la mismísima policía. A medida que fueron pasando las horas me fui sintiendo con malestar. La maluquera me producía arcadas y pinchazos en la barriga. Más de una vez se me pasó por la cabeza ir al retrete y soltar las dichosas bolas. Pero lo impidió el recuerdo de mi padre. Procuré no pensar en nada. El avión tardó once horas en aterrizar... una bestialidad. Nos dejó tirados en la pista. Tuvo que llevarnos un bus hasta la aduana. Había una fila para ciudadanos de la Comunidad Europea y otra para los demás. Cada vez me sentía peor. Un sudor frío comenzó a recorrerme el cuerpo. Creo que no estaba nervioso; estaba enfermo. Procuré mantener la compostura. Al pararme frente al policía de la cabina intenté sonreírle. De repente, dos polis se me pusieron uno a cada lado, me sujetaron fuerte por los brazos y las axilas, me quitaron la bolsa y me golpearon contra la pared. Cuando tenía la cabeza pegada contra el mármol, apretada por la mano de uno de los tombos, vi al caleño pasar tranquilamente la aduana. Traté de gritar y avisarles que aquel tipo era el que de verdad iba cargado. Pero fue inútil. Me taparon la boca y me advirtieron que si armaba escándalo sería peor. Luego me llevaron donde el médico. Me hizo desnudar y me tomó unas radiografías. Allí estaban todas las bolas, haciendo fila en el intestino. «Has tenido suerte de que ninguna se reventara.» El médico resultó buena gente. Me encerraron en un calabozo, en los sótanos del aeropuerto. Bajó un *man* vestido de paisano a interrogarme. Le dije cuanto sabía. «Te han engatusado, chaval. Se te va a caer el pelo. A ver si escarmentáis de una puta vez.» ¿Sabe cómo me dijo que llamaban en el aeropuerto al avión de Avianca? El *Cocaín Express*. Me habían engañado como a un chino, sí señor. Habían dado el chivatazo a la poli de que yo iba cargado, y mientras montaban todo el dispositivo para capturarme, el caleño, que había viajado en primera, pasó el cargamento grande. Del calabozo me trasladaron a la cárcel. En el juicio me cayó la mínima, ocho años. De todo esto hace ya siete. Sé que mi padre murió a los pocos días. Nadie se ocupó de él. De la Gorda no he vuelto a saber nada. Y aquí estoy yo, más perdido que el hijo de Linver... Pero no me ha ido mal del todo. Superado lo del viejo, oiga si dolió, me puse a estudiar. En la cárcel podemos hacerlo. En un presidio colombiano me hubiera podrido. Me gradué de bachiller y ahora estudio Derecho. Me faltan dos años para terminar. Pero imagínese que dentro de uno tengo que regresar a Colombia, porque termino de cumplir condena. Me quedaría un curso colgando. ¡Pucha, qué mala suerte! Estoy bregando para conseguir que me dejen acabar ese curso, pero creo que no va a poder ser...

Desconozco el paradero actual de Rafael. No sé qué sería de su vida. Después de aquella entrevista no volví a verlo. Le mandé a la cárcel un ejemplar de la revista cuando salió publicado el reportaje. Fue un éxito. Se suscitaron algunas polémicas acerca del problema de las mulas, tanto en Colombia como en España. Luego lo publicaron en un periódico de tirada nacional: lo mandó mi padre. Fue la primera ocasión que lo sentí orgulloso por mi trabajo. No sé si la única.

—Lo que más me fastidia es que ese asunto de la coca tiene jodido a medio mundo —me dijo Rafael Estrada al despedirse.

Mi cargamento de pasado se volcaría, más adelante, sobre mis definidos avatares.

Un hombre embozado aguardaba, refugiado en las sombras, la salida de fray Juan de Mañozca de las cárceles secretas. Había estado observando y sabía perfectamente que cada noche el inquisidor cruzaba la calle de Nuestra Señora de Guadalupe (hoy calle de la Inquisición) para verificar el progreso de sus reos. Entiéndase como «progreso» el resultado de las torturas y demás métodos coercitivos, empleados para reconocimiento de culpas.

Chirrió el gozne de la pesada puerta del presidio. La noche estaba especialmente oscura, lo mismo la calle. El embozado había disminuido la luz del farol de la esquina. Al escuchar los pasos del inquisidor, tras verificar que andaba solo, apretó el cuerpo contra el muro y se cubrió la cara con la capa negra. Permaneció inmóvil hasta que Mañozca estuvo en mitad de la calle, sin posibilidad de avanzar ni de retroceder. Sostenía la espada desenvainada en la mano derecha. Abandonó el escondite y, en dos zancadas, se plantó delante del inquisidor. Al tiempo que se descubría y soltaba la capa, le mandó la punta del acero a la garganta.

—¡Alto ahí, señor inquisidor! No tengáis tanta prisa por guardaros en la madriguera, como las alimañas —le dijo el espadachín sin armar bulla—. Hablad como yo, en voz queda, o no alcanzaréis a dar la alarma antes de que os atraviese el gaznate —advirtió.

—¿Quién sois?

—Alguien a quien buscáis desde hace días. Pero mirad que en este momento, parecéis el cazador cazado.

—Identificaos.

—Soy el sargento mayor Francisco Santander, nunca, si pudiera evitarlo, a vuestro servicio.

—¡Ah, el amante de la bruja que tenemos encerrada en las carmelitas!

—Percibo cierta desilusión en vuestras palabras. ¿Esperabais más de mí?

—No..., por supuesto que no. Hacéis gala a vuestra fama de bergante, impertinente y truchimán.

—Eso es porque sólo habéis escuchado a mis enemigos. Pero tranquilizaos, lo que dicen de vuesa merced los vuestros, es mucho peor.

—Bueno, sargento..., déjese de pamplinas. Supongo que no habrá osado a semejante impostura tan sólo para insultarme.

—No, eso ya lo hago sin necesidad de vuestra presencia. Quería advertiros de algo. —Francisco apretó la espada contra la piel del inquisidor—. A mí podéis perseguirme, acosarme y, si lo lográis, encarcelarme. Será una partida entre vos y yo. No tengo mucho sitio para esconderme, así que no os resultará difícil conseguirlo. Pero hasta entonces, andaos con mucho cuidado, porque cuando tengáis en esta cárcel a Lorenza de Acereto, si osáis maltratarla, os juro por Dios Nuestro Señor que recibiréis igual castigo. Y si la quemáis en la hoguera, el mismo martirio, o peor, sufriréis vos. Si lográis apresarme, estad seguro que mis buenos amigos cumplirán esta advertencia. Así que no estéis muy seguro cuando me tengáis entre rejas. ¿Queda entendido?

—Tanto como que este atrevimiento os costará caro... muy caro.

—Ya contaba con ello. Ahora, fray Juan, id tranquilo a descansar y meditad sobre lo dicho. Los canes del Señor, váyanse de la mano y no alboroten la tierra, que por Dios si la ira los coge y los embarca, quedarán embarcados. El que avisa no es traidor. Buenas noches. —Apartó la punta de la espada de la garganta del inquisidor y le hizo una venia exagerada con el sombrero.

Mañozca se tocó el buche y sintió los dedos húmedos. La sangre le había manchado el cuello de la esclavina. «¡Maldito truhán!»

—Ah, y tened cuidado la próxima vez, no volváis a cortaros el pescuezo en el desbarbe —dijo el sargento mientras se perdía por la esquina de la Plaza Mayor.

Mañozca trancó la puerta con un portazo escandaloso. Tan escandaloso como la furia que lo corroía. Mandó hacer guardia permanente, día y noche, en la puerta de la cárcel y en la casa de la Inquisición. Ordenó reforzar la iluminación de la calle. Levantó de la cama al fiscal Bazán de Albornoz para que inmediatamente redactara todos los cargos posibles contra el sargento mayor Francisco Santander. «¡Pues si no tiene suficientes, invéntelos!»

Y no fue de otra manera; el fiscal trabajó esa noche y los días siguientes intentando averiguar culpas inexistentes y ensanchando cargos inciertos, hasta tener pruebas, falsas o no, que dieran con los huesos del sargento en una celda de las cárceles secretas, al menos, como había indicado Mañozca, durante un tiempo prudencial para bajarle los humos. «Una vez dentro, Dios dirá.»

—¿Qué le pasó en la garganta? —le había preguntado Bazán de Albornoz.

—Un rasguño. Me corté al desbarbarme —respondió el inquisidor.

Porque me vi en ti, estuve suspendido de ternura. Porque me vi en ti, se llenó el agua de caricias; se abrió la palabra mujer por la mitad y nació tu alma. Porque me vi en ti, fui un espejo lleno de ilusiones, reflejando al viento, corriendo distancias, anidando huellas, perfumando locuras, atropellando fantasías, creyendo en la vida. Porque me vi en ti, me enamoré de la esperanza, de los sueños. Tu cuerpo se me escapa entre los dedos, como la arena, mientras el mar me contempla con ojos tristes. Porque me vi en ti...

El manto de la noche igual cobija al amor que a la...

Acabaron siendo frecuentes las bajadas de la guardia al puerto, a disolver los grupos de revoltosos que organizaban manifestaciones en los alrededores para exigir la libertad de Lorenza de Acereto. Las autoridades, civiles y eclesiásticas, comenzaron a preocuparse por las reiteradas muestras de apoyo que, en forma de protesta pública, canciones alusivas, chismes o atentados esporádicos contra las ventanas de los edificios oficiales, comenzaban a generalizarse en Cartagena. «¡Sólo faltaba que el populacho convirtiese a la hereje en mártir!» Pero no era sólo el populacho quien veía en Lorenza un reflejo de lo que tarde o temprano podía ocurrirles a ellos. También la clase alta se afectó al ver a una blanca, esposa de escribano, mujer de roce social, sometida al brazo terrorífico del Santo Oficio. Era tan noble y tan bruja como gran parte de la aristocracia, real o de pacotilla. Los negros y esclavos, porque la sentían como una de ellos, los blancos porque era blanca, los pobres porque fue mísera, los ricos porque ahora era pudiente, las gentes del puerto porque se crió en Calamarí... todos, fuera cual fuera su condición, se vieron amenazados en el proceso de Lorenza. «¡Mañana nos toca a nosotros!» «¿Qué ha hecho esa pobre, sino vivir como aquí se vive?»

Permaneció ajena a las follonías suscitadas en torno a ella. No escuchaba en la celda los gritos del exterior, reprobatorios o de ánimo, ni los caballos de la guardia correteando a las cuadrillas de agitadores que lanzaban piedras, durante el día o durante la noche, contra vidrios, fachada y tejados del convento.

El gobernador y Mañozca se reunieron varias veces para analizar la situación.

—Si crece el alboroto, habremos de tomar medidas drásticas —decía el señor de la Vega.

—O pone usted orden pronto en la ciudad y acalla las protestas de esos mezquinos, o me veré en la obligación de informar a la corte de su ineficacia —amenazaba el inquisidor.

—Tranquilizaos, os aseguro, Eminencia, que en breve mis hombres controlarán las reyertas.

—Si necesita ayuda, no tenga reparo en solicitarla. De su merced depende que no me vea en la obligación de encarcelar o mandar a la hoguera a medio pueblo. Y puede estar seguro de que no me temblará el pulso al hacerlo, si ésa fuera la única solución.

Mientras el exterior borbotaba, Lorenza continuaba apagándose en la monotonía del encierro. La capa de tedio le llegaba a las rodillas. Los vapores del hastío la sumían en brumas de irrealidad. Irrealidad que le costó disipar, la noche en que la cara de Francisco apareció tras los barrotes de la puerta de la celda.

—¿Eres un sueño? ¿O algún fantasma que viene a consolar mi soledad?

—No, Lorenzana. Soy yo, Francisco. Acercaos y comprobad que soy real y verdadero.

Lorenza caminó hasta el portón. Pasó una mano a través de los barrotes y pellizcó las mejillas del soldado. Luego escondió los dedos en su pelo negro, le acarició el bigote, le puso la mano en la nuca, le acercó el rostro y le besó en los labios.

—¿Os agradan los besos de los fantasmas?

—Algunos. —Entrelazaron las manos a través del ventanuco.

—Ya sé que no debo empezar con una disculpa. Pero permitidme deciros cuánta pena siento por no haber podido llegar hasta aquí antes. No es la primera vez que lo intento. Pero he fracasado en anteriores ocasiones. Mucho me costó averiguar el sitio de estos calabozos y burlar la ronda. Hoy la suerte me ha sido propicia.

—¿Sigue el escribano montándote guardia?

—No. Ahora he cambiado de vigilantes.

—¿Quién os persigue?

—El inquisidor Mañozca. ¡Y vive Dios que prefería la enemistad de Andrés del Campo!

—Hace tiempo leí un libro que tenía el ingeniero Bautista Antonelli, en el que el caballero don Quijote decía a su escudero: «Con la Iglesia hemos topado, amigo Sancho».

—Con la Iglesia hemos topado, Lorenzana. Con la parte más oscura y funesta de la Iglesia. Con la demencia de un inquisidor vesánico y desalmado. Mala hora para encontrar semejante adversario... Pero no os preocupéis. Otras torres han caído.

—No entiendo por qué te persigue. Nada has hecho, y nada le debes.

—Me busca por ser parte de vos... y por haberlo enfrentado y haberle picado la garganta con la punta de la espada.

—¡Estás loco!

—Es posible. Pero no os abandonaré a sus fanatismos. Antes de que me eche el guante, y será pronto, debo encontrar la manera de atajarlo. Todas las fortalezas tienen pasadizos secretos o grietas en los muros. Algo debe guardar bajo la sotana...

—¡Puedo ayudarte en algo! —Alegró la cara Lorenza, y las mejillas, acostumbradas por mucho tiempo a las formas de la seriedad y la tristeza, se resistieron al cambio y se dolieron de la sonrisa—. Conozco a alguien en la corte que puede investigar e informarnos del pasado de Mañozca.

—Yo puedo hacer llegar un correo rápido a Madrid.

—Si cuentas con amigos allí, que busquen al Delfín Verde. No les costará localizarlo, es famoso personaje en la corte y en El Escorial. Escribe una carta en mi nombre y házsela llegar. Dale señas e indicaciones para que pueda responder.

—Así lo haré. Volveréis a tener noticias mías en cuanto obtenga respuesta.

—No te marches aún... —imploró Lorenza.

—Si me descubren, no podré haceros ningún favor.

—Sólo una pregunta. ¿Me hiciste llegar un papel en el que me anunciabas el apresamiento de Guiomar de Anaya?

—No. No lo hice. Pero si tal nota os llegó, a fe que tenéis algún amigo dentro de estos muros. Eso es buena señal. No conozco ni sé nada de dicha señora.

Lorenza le apretó las manos más fuerte, intentando retener a Francisco un instante... una eternidad.

—Aguantad, Lorenzana. No os dejéis abatir.

—Aún no ha pasado lo peor.

—No sabemos qué depara el futuro. Pero nada puede ser peor que la muerte de vuestra propia hija.

—Si pudiera quebrar el techo y ver las estrellas...

—Siento mucho no poder hacer más por vos.

—No te apures. Posiblemente ya nadie pueda hacer nada por mí.

—No perdáis la esperanza.

—Sueño a menudo que el fuego me consume en la hoguera. Pero yo observo todo desde afuera, como un espectador más. Veo quemarse mi vestido, mi carne, mi pelo... Y la gente se ríe y festeja mi muerte. Las risotadas de Mañozca me despiertan. Luego vuelvo a la realidad, todo huele a quemado, la boca me sabe a humo, la piel se me arruga.

—Callad. No os atormentéis con esos horribles pensamientos. Ya os dije que no permitiré que nada os suceda. Saldremos de ésta... Ahora, debo partir...

Fue otro beso la despedida.

—Adiós, Lorenzana.

—Adiós... —No se atrevió a decir «amor». Y regresó al camastro arrastrando los pies por la densa capa de tedio. Durmió recordando una oración que habitualmente, a la carrerilla, rezaba Guiomar: *«Santísimo, Beatísimo y dichosísimo Estandarte donde murió aquel Justo Juez piadoso Santísimo, Merced te pido me hagas vencedor de mis enemigos y me libres de los lazos de la Justicia y de los falsos testimonios. Santísima, con dos te veo, con tres te amo, con el Padre, con el Hijo y con el Espíritu Santo. En el huerto Desiderio está San Juan con el Dominus Deus y le dijo el Justo Juez: Señor,*

a mis enemigos veo venir. Déjalos venir, déjalos venir, déja-
los venir, que ligados vienen sus pies y manos y ojos venda-
dos y no me harán daño; ni a mí, ni los que estuvieran a mi
lado. Si ojos tienen, no me verán. Si manos tienen, no me
tocarán. Si boca tienen, no me hablarán. Y si pies tienen, no
me alcanzarán. Es el poder de María tan fuerte y vencedor
que salva al que es inocente y castiga al que es traidor; mansos
y humildes de corazón lleguen mis amigos a mí, como llegó
nuestro Señor al verdadero árbol de la Cruz. Te fías de la
siempre fiel Virgen María y de la hostia consagrada. Virgen
Santísima líbrame de mis enemigos visibles e invisibles, como
libraste a Jesús del vientre de la ballena por el amor de Dios,
amén. Jesucristo me acompañe. Y su Madre, de quien nació.
La Hostia Consagrada. Y la Cruz en que murió. Laus Deus».
Lorenza no entendía por qué la hermana Coronación se
ponía histérica cada vez que escuchaba a la novicia recitar la
oración, y la reprendía severamente tildándola de sacrílega y
hereje. «¡Si toda la gente nombrada es de la que hablan los
curas!».

El tiempo acuciaba. Pasaron los días de reclusión en el
hotel. Tenía ganas infrenables de regresar a la biblioteca del
convento.

Desayuné temprano. Me dirigía a la recepción para entregar la llave... Cuando la vi de nuevo. Como una sombra, como
un fantasma, entre las arcadas del patio de los bronces, en el
soportal del fondo, con un vestido celeste, ingrávido, la melena rubia, su melena de siempre que le caía sobre los hombros:
era Lorenza... Otra vez entre mis dudas. Una Lorenza joven,
bella, vaporosa. Demasiado real para ser una aparición. Demasiado exacta para ser una quimera. Puede que mi mente ya fuera,
como lo es ahora, bastante creativa o estuviera desbordada, pero
no tanto como para materializar una idea. ¿Un espejismo? Traté
de seguirla. Cuando llegué a la esquina del claustro había desaparecido. ¿Un sueño? No. Los fantasmas no se bañan. En el
suelo estaban las huellas de sus pies mojados.

Pregunté al recepcionista si la había visto. Respondió negativamente con la cabeza. Por si acaso, le pedí que me informara si estaba alojada en el hotel alguna persona de apellido Acereto. Revisó el listado del ordenador. Otra negativa. «Tranqui *hombe*, no se entibie por la hembrita.» Se la describí como buenamente pude y le recomendé que si distinguía entre la gente una mujer de esas características me lo comunicase. «Descuide mano, que si el bomboncito es como lo pinta, no pasará inadvertido.» Le di una propina y salí rumbo al convento, tan elevado, que me llamaron la atención porque iba a cruzar la calle cuando venía un furgón.

«¿En qué instante te has fugado de mis pensamientos?»

Ya en el convento, Carmen quiso expresarme sus condolencias por el accidente del padre Ferrer. «El sábado se fue muy satisfecho. Parece que había encontrado algo.» Eso parecía, y me tocaba a mí perseguir su descubrimiento. Me acompañó hasta la biblioteca. Charlamos durante un rato sobre diversas cuestiones. No me pidan especificaciones sobre la conversación, yo andaba en otra parte.

Los legajos estaban en el orden conocido. Separé los sucios de los limpios. La respuesta debía encontrarse en uno de los que ya habían sido inspeccionados. Ninguno tenía marca que lo diferenciase de los otros. Busqué alguna señal, si el padre Ferrer la había dejado; pero no encontré ninguna. No dejó pistas. En varias ocasiones había dicho: «Debemos adelantarnos al mensajero».

Aparté los documentos revisados por mí, me empeñé en el resto. No podía concentrarme.

7

El día 15 de enero de 1613, el fiscal del Santo Oficio, don Francisco Bazán de Albornoz, presentó a los inquisidores Mateo de Salcedo y Juan de Mañozca el informe de las averiguaciones contra Lorenza de Acereto. Cincuenta y siete páginas componían la acusación. El fiscal las leyó en una saleta habilitada a tal efecto, contigua a la gran sala del tribunal, sentado en una mesa tosca que compartía con los dos inquisidores y Luis de Blanco, el secretario. Bazán de Albornoz demoró tres horas en finalizar, porque de vez en cuando añadía de su propia cosecha algún comentario o ampliación del tema, y otras veces Mañozca interrumpía con el fin de preguntar acerca de algún punto que no le había quedado claro, o simplemente para recalcar alguna cuestión importante, siempre perjudicial para la acusada. El informe incluía declaraciones de testigos, entre otros: Juan Lorenzo, Potenciana Bioho, Paula de Eguiluz, Bernardino Almansa, la hermana Coronación, Bárbola de Esquivel, Rufina Biáfora o del fallecido fray Andrés Sánchez. También incluía el testimonio, condenatorio, de Andrés del Campo, las confesiones de la rea, los resultados de las distintas indagaciones y la recomendación inmediata del traslado de doña Lorenzana a las cárceles secretas.

Al día siguiente, 16 de enero de 1613, los inquisidores Salcedo y Mañozca, habiendo examinado el informe, acordaron «*y dixeron que hecha la diligencia cerca del capítulo veinte y nueve de la ynstrucción, mandaron que la dicha doña*

Lorençana sea puesta en las cárceles de este Sancto Officio y se haga su causa con ella». Mañozca golpeó la mesa con el puño. «La tengo.»

Pero el encarcelamiento de Lorenza no se produjo sino doce días después. Previamente habían de llevarse a cabo los formulismos de rigor: desde avisar al esposo y familiares, si los hubiera, hasta el embargo de los bienes de la rea o la apertura de un depósito para la manutención de la misma, si la familia no quería verse privada de parte de su patrimonio. Lógicamente, el escribano pagó mil ducados a regañadientes, y utilizó su amistad con el gobernador para evitar mayores escándalos. Por eso, la disposición de la orden de traslado excluía el secuestro de bienes y la publicación de avisos: *«Se encarga al alguacil, Tomás de Alvarado, que prenda el cuerpo de doña Lorençana de Acereto, muger de Andrés del Campo, y lo entregue al alcaide de las cárceles. No se usará el mandamiento de secuestro de vienes, porque pareció mejor a los señores inquisidores tratar con el esposo de la dicha Lorençana y ponella en las cárceles, por evitar publicidad e inconvenientes y tratarse de gentes principales».* A Mañozca le revolvió el hígado que Salcedo firmase la orden. Le hubiera gustado escarmentarla por las calles antes de tiempo. Pero aceptó, no sin discutir, la defensa de Salcedo, que recomendaba mantener el secreto de los apresamientos y los procesos, tal como se recogía en *El orden de processar en el Sancto Officio* (el reglamento inquisitorial) para evitar filtraciones que pudieran afectar a la causa.

Lorenza despertó el 28 de enero, como cada día, con la desolación pegada a la piel. No parecía que aquella bochornosa mañana fuera a suceder nada extraordinario. Error. Al alba se oyeron pasos y voces en el pasillo. Fueron corridos los cerrojos y abierto el portón. La superiora precedía a dos guardias de la Inquisición. No anduvieron con remilgos ni delicadezas para levantarla y sacarla de la celda en volandas. Otro par de guardias esperaba fuera. La escasa luz del amanecer fue suficiente para cegarla. No vio nada hasta que recuperó la vista en la oscuridad de un carruaje cerrado, negro por dentro y por fuera.

Cuando el carro enfilaba una calle los vecinos salían a perderse, asustados de que el temido «rodal de la muerte» se detuviera en la puerta de su casa. El momento que tanto sobrecogía a Lorenza había llegado.

El alcaide de las cárceles, Mateo Ramírez de Arellano, familiar del Santo Oficio, «... *se dio por entregado de la persona de doña Lorençana de Acereto*». Mas, antes de meterla en la celda provisional (la destinada a presos de reciente ingreso) el alcaide, en presencia del secretario Luis de Blanco, «... *la reconoció y miró y no se le halló cosa ninguna de las prohividas a los presos del Sancto Officio*».

Ella se dejó hacer sin resistencia. Estaba tan cegada por la claridad como por la angustia y la rabia. Un funcionario de prisiones avisó al alcaide que todo estaba listo. Custodiada por Ramírez de Arellano y el funcionario, atravesó el portón que separaba la tranquilidad de la angustia, lo cotidiano del secreto, la reprimenda de la tortura, la vida de la muerte. En el centro había un patio lúgubre, empedrado, con un pozo inevitable en la mitad. Tanto las celdas del primero como del segundo piso daban a los soportales que rodeaban este patio cuadrangular. Nadie sabía quién era el vecino ni quiénes ocupaban las demás celdas. Nunca los presos se veían entre sí. Cada vez que sacaban a uno, los funcionarios se aseguraban de que todos los ventanucos y las puertas estuvieran cerradas. La humedad calaba los huesos. Un portón tosco, demasiado grueso, con barrotes de hierro calados en la madera, cerraba la sala de tortura; todos lo sabían. Era la puerta del infierno. «Ojalá no tenga que entrar muchas veces», le dijo el alcaide, aun sabiendo que tarde o temprano lo haría. Abrió la celda más próxima al portón e hizo pasar a la rea. En comparación, la del convento era un palacio. Ningún orificio, ninguna comodidad. Ni siquiera camastro. Sólo una bacinilla resquebrajada para las deposiciones y un cántaro para el agua, que habría de llenar una vez al día cuando le permitieran salir de la celda a desocupar el bacín en las necesarias.

El alcaide cerró la puerta, las paredes la estrangularon.

Apenas había terminado de encerrarla, Ramírez de Arellano entró apresuradamente en la sala de audiencias, anunciando que a la de Acereto «*le avía dado mal de coraçón, de que estaba muy asfixiada y sentía mucho mareo*». En la estancia sólo se encontraban Salcedo y Blanco. El inquisidor arbitró una solución, anotada por el secretario en las hojas del proceso: «*Por quanto su cárcel está en el patio principal, en el suelo, en parte húmeda, que en esta ciudad lo bajo es inhavitable, y siendo su causa de gran importancia, para evitar también alguna comunicación con el exterior y temiéndose que el secreto del Sancto Officio sea descubierto y se hagan por parte de doña Lorençana diligencias para saver lo que en su causa se hiciese: mando que la dicha doña Lorençana sea puesta en la cárcel número diez del piso superior y se llame al médico*». Quedaba claro que Salcedo no se fiaba de ella. En principio, Mañozca no se opuso a las determinaciones de su colega. Ramírez de Arellano cumplió la orden. «Mucha trifulca la que arma la moza.»

Dos días después, el 30 de enero, acudió el facultativo, doctor Antonio Echevarría. Refirió al secretario la visita realizada a doña Lorenza, a quien encontró con «*melancolía y congojas y le dixo haverle dado esta noche dos o tres veces mal de coraçón y también vio haver quebrada sangre, y que entiende que del aprieto de la prisión y congoja suya le viene dicho mal, porque no le halla calentura ninguna y está informado del alcaide que no come cosa alguna, ni lo puede acabar con ella y dice que del dicho aprieto y congoja suya podría sucedelle algún grave daño que no se pueda remediar. Siendo servidos los señores inquisidores, se le podría dar la prisión más anchurosa, donde se cure*». En esta ocasión, Salcedo tragó como un bendito. Esa misma tarde citó a Mañozca y al secretario en la sala de reuniones y les expuso su propuesta: «*Que era de voto y parecer que, dando la susodicha fiança de mil ducados, regrese a la carcelería del convento de las descalças desta ciudad, donde se cure de la indisposición que tiene y que, en estando sana, vuelva a las cárceles secretas y que luego se le dé como confesor al padre Antonio Agustín, que tiene jurado el secreto*».

Mañozca saltó de la silla. Miró a Salcedo, retándole, llamándole imbécil con los ojos. Dio tres vueltas a la mesa sin decir nada. Salcedo agachó la cabeza. El secretario le siguió con la vista. Se detuvo, tomó asiento, sacó el anillo del dedo, jugó con él y expuso su razonamiento: «*Que por cuanto el dotor, debajo de juramento, declaró no haver calentura y ser ordinario el mal de coraçón que aora le da por congoja de la prisión y es creible que todas las veces que a las cárceles secretas la bolviesen tendrá el mismo mal, y en idas y venidas pierde mucho el Sancto Officio su secreto y respeto, por ser creible que no hay parte, por cerrada que sea, adonde no penetran sus traças de la dicha doña Lorençana y las de sus allegados, y que el mal ya la havría acabado si tan cierto fuese, en la cárcel del convento donde havía estado largo tiempo prisionera, es su voto y parecer que se dé traslado al fiscal y que se le dé el confesor*». Dicho y hecho. Prevaleció el criterio de Mañozca. Lorenza tuvo que permanecer en la celda número diez, sin mayores beneficios que un permiso para que le entregasen un colchón de paja. Al día siguiente comenzaron las audiencias.

Como los inquisidores habían dispuesto, el 31 de enero, bien de mañana, Lorenza fue conducida por el alcaide a la sala del Tribunal. Allí esperaban Salcedo y Mañozca, sentados en una mesa larga, elevada por una tarima, cubierta por un mantel de terciopelo negro con una cruz verde en la mitad. Un telón, también de terciopelo negro, revestía la pared que estaba a espaldas de los inquisidores. Una gran cruz de madera resaltaba en la oscuridad del tejido. Mañozca había entornado previamente las contraventanas. Aunque amanecía, ordenó prender las teas de la cabecera de la sala. A derecha e izquierda de la mesa, sobre idénticos estrados, tomaron su lugar el secretario y el escribano, atento éste a sus plumas y tinteros. En uno de los laterales, el fiscal de vez en cuando sacaba un pañuelo para sonarse las enrojecidas narices y atusarse luego los bigotes. Frente al fiscal, al otro lado de la sala, había unos pupitres vacíos. De pie, en medio de todos aquellos hombres que la miraban vorazmente, Lorenza.

—Me alegro que hayáis recuperado el semblante —dijo Mañozca con socarronería antes de comenzar.

Lorenza no respondió. Luis de Blanco le preguntó el nombre, de dónde era natural, con quién estaba casada, si lo estaba, qué oficio ejercía, y le tomó juramento de derecho. Salcedo, con arreglo a lo establecido para todas las causas de la Inquisición, le ordenó dictar su genealogía. Lorenza relató, en línea descendente, lo poco que recordaba de sus antepasados (vagas nociones dadas por su madre), hasta sus progenitores. Se reconoció hija de María Pérez de Espinosa y Giácomo de Acereto. Los inquisidores cruzaron una mirada de ceja levantada. Conocían perfectamente la historia del pirata Drake. Terminó declarándose esposa «a la fuerza» del escribano Andrés del Campo.

—A nosotros, mi señora, poco nos incumben sus asuntos personales —interrumpió Salcedo. Le solicitó que refiriera el discurso de su vida, con el examen doctrinal correspondiente.

Lorenza relató los mismos episodios de la tarde en que la interrogaron en el locutorio del convento, el día de la muerte de su hija. Quizá más extensos, con más palabras o más vueltas. Escudriñó en todos los rincones de su memoria para narrar lo que consideró oportuno. Los inquisidores, en aquella primera audiencia, escucharon pacientes, sin interrumpir. La rea, tras cuatro horas y media, terminó la sesión reconociendo «*... que oye misa los domingos y fiestas de guardar y confiesa y comulga cuando lo manda la Santa Madre Iglesia. Dijo saber los mandamientos, leer y escribir, pero que no tenía, ni sabía quién tuviese libros prohibidos. Que nunca salió de Cartagena, ni podía delatar a personas sospechosas en materia de fé. Signóse, santiguóse, dijo las cuatro oraciones, y luego le tomó el mal de coraçón y con ello cesó la doctrina*».

En días posteriores, 1 y 4 de febrero, también al amanecer, compareció en segunda y tercera audiencia. En éstas, los inquisidores y el fiscal, el bendito fiscal que carraspeaba y tosía antes de cualquier intervención, trataron de hurgar en cada uno de sus recuerdos y sus sentimientos. La sometieron a un cañoneo constante y demoledor de preguntas, en algunas ocasiones, la misma repetida cinco o seis veces. Acerca del pergamino, los interrogantes superaron las tres horas en la última sesión. Lorenza, guardando la poca compostura que le quedaba, ofreció siempre la misma respuesta: «*A vuesas mercedes corresponde averiguar su existencia*». Otras preguntas machaconas fueron las referidas a las juntas diabólicas, a los cultos aprendidos de los africanos, al francés, a las oraciones, conjuros y hechizos, a su posible sangre inglesa, a la escasa alcurnia de sus antecesores, a los intentos de acabar con el marido y a las relaciones con los vecinos que compartían sus inclinaciones. Se defendió como pudo, si bien la debilidad y el miedo la obligaron a responder con mayor franqueza de lo habitual. Las audiencias daban la impresión de ser un tanteo; una medición de fuerzas, quizá la que no pudo llevar a cabo Mañozca en el convento, en preparación del gran asalto.

Lorenza sintió que al escucharlo en boca de alguno de los inquisidores o del fiscal, se manchaba el nombre de Margarita, el de su madre, el de sus amigos, el de Calamarí.

Obligaron a permanecer en la puerta de la sala al doctor Echevarría mientras duraban las inacabables sesiones. Si la rea desfallecía, se hacía una pausa durante el tiempo necesario para que el galeno reanimase a la dama con sales de fuertes olores o, prosaicamente, con un cubo de agua. Lorenza había descuidado su aspecto personal, así que no le importaban las ropas mojadas, sucias, o los agrios efluvios que la impregnaban. Los hombres del Tribunal parecían acostumbrados a ellos.

Al final de cada una de las tres audiencias, Salcedo le hizo las moniciones correspondientes, según las cuales «... *se le amonesta y encarga por reverencia de Dios Nuestro Señor y de su bendita Madre la Virgen María, rrecorra su memoria y diga enteramente la verdad de lo que se sintiese culpada o supiera que otros lo están, sin encubrir de sí ni dellos cosa alguna y sin levantarse falso testimonio, porque haciéndolo así se usara con ella de misericordia, su causa será despacha-*

da con brevedad, donde no se hará justicia». Terminada la tercera monición, Lorenza contestó *«que no tiene más que decir y que a dicho la verdad».* Con lo cual *«la rrea fue mandada bolver a su cárcel».*

Sucediéronse en las semanas siguientes todas las diligencias que con precisión milimétrica prescribían, sin posible omisión, las reglas inquisitoriales. En tanto, fueron interrogados nuevamente algunos testigos: Lorenza permaneció dos meses en la celda, sumergida en las rutinas del rigor, luchando contra la opresión de las paredes, el miedo y la soledad. El alcaide había hecho traer desde el convento algunas de sus pertenencias para que al menos pudiera mudarse.

El silencio de las cárceles era sobrecogedor. Sólo se rompía durante la jornada por los pasos de algún reo que era trasladado de un sitio a otro, por las ruedas de madera del carro que repartía las comidas, por los chirridos de las puertas cuando eran abiertas o por los gritos desgarradores que subían desde la sala de torturas. Cuando llegaban los gritos a su celda, ella se tapaba los oídos con las manos; pero aquellos gritos no conocían obstáculo y colaban por cada rendija, por cada hueco, hasta taladrar los tímpanos para llegar con vandalismo al cerebro y así quebrar la integridad más férrea.

Lorenza, mayormente durante las noches, empezó a escuchar voces distintas. Sonidos que venían de la calle; frases de apoyo que eran coreadas en la madrugada por uno o por varios hombres. «¡Ánimo, Lorenzana, estamos contigo!» «¡Calamarí no te abandona!» Luego gritaba la guardia y seguían las fugas a la carrera. Se dio cuenta de que tal vez no estuviera tan sola. Que sus fantasmas continuaban vivos... tan vivos como Calamarí. Que el pueblo veía en ella el reflejo de su propia desgracia. Y se reconfortó en cada vitoreo, en cada escándalo.

Suponía que el resto de las celdas estaban ocupadas por gente allegada o conocida. No lo sabía a ciencia cierta, porque el alcaide y los guardias eran tan herméticos como el resto de familiares del Santo Oficio. De nada le sirvieron las carantoñas para conseguir alguna información. «Rediós, que aquí no van a serviros vuestras tretas.» Tampoco los cocineros le paraban bolas. Algunos días, Clara Mañozca acompañaba el carro de las comidas. Echaba un vistazo al interior de la celda y marchaba sin decir nada. Lorenza se dio cuenta de que su mirada no era fanática como la de su hermano, ni era dulce ni melancólica.

El 4 de abril volvieron a llevarla a la sala del Tribunal. Como era menester atravesar la calle, el alcaide le tapaba los ojos con una venda. Una barrera de guardias cerraba cada esquina. Aunque Mañozca citaba a Lorenza antes del amanecer para evitar la concentración del pueblo, éste ya se había dado cuenta, y a pesar de no conocer las fechas exactas de las sesiones, apostaban un vigía en las proximidades de la cárcel para que, cuando saliera la hija del inglés, corriera la voz. A primera hora no era muy grande el grupo que lograba reunirse. Pero al medio día, terminados los interrogatorios, gran gentío se agolpaba en la boca de la calle y en la Plaza Mayor. En varias oportunidades hubieron de intervenir los comisarios para dispersar la enaltecida y bravucona congregación. Inclusive durante los interrogatorios se escuchaba vociferar a la turba. Los inquisidores y demás funcionarios trataban de hacer caso omiso; pero el ruido entraba por las ventanas y les producía enorme irritación. Iracundo estaba el fiscal durante aquella audiencia de acusación del cuarto día de abril. Debió leer en voz forzada los treinta y seis capítulos donde se resumían los cargos contra Lorenza de Acereto: desde la brujería hasta la herejía, pasando por la hechicería, la adivinación, la apostasía, diferentes anatemas, la conspiración, el adulterio, el intento de asesinato y la idolatría. «*Don Francisco Baçán de Albornoz, fiscal de este Sancto Officio, ante V. S. acuso criminalmente a doña Lorençana de Acereto, muger de Andrés del Campo, vecino de esta ciudad de Cartagena y, premiso lo necesario, digo que, siendo la suso-dicha christiana y bautizada, por tal havida y comúnmente reputada y gozando de las gracias e indulgencias que los demás fieles suelen y deben goçar, ingrata a tanto bien, a cometido delictos contra nuestra Sancta Fee Catholica, haciendo*

hechiços, brujerías, usando de cosas supersticiosas, mezclan-
do en ellas cosas sagradas con profanas, con invocaciones de
demonios y procurando saber las cosas futuras y que depen-
den del libre alvedrío del hombre, atribuyendo a la criatura
lo que se debe al criador; haciendo vida deshonesta con cono-
cimiento y grave escándalo de todos, ocultando documentos
conspiratorios y atentando contra la vida de su marido.»
Continuó el fiscal con una minuciosa y detallada relación de
fechorías, para terminar su alegato de la forma siguiente:
«Además de todo lo susodicho, se presume havrá la dicha
Lorençana cometido muchos más delictos, y así mesmo save
de otros que ayan incurrido en sus propias culpas y malicio-
samente los calla y encubre. Y aunque por V. S. ha sido amo-
nestada diga verdad, no lo ha fecho. Antes se a perjurado, por
lo que pido y suplico a V. S. que, avida mi relación por ver-
dadera, o la parte que baste para alcanzar justicia por su sen-
tencia definitiva o la que en tal caso aya lugar a derecho,
declare mi intención por bien provada y la susodicha haver
cometido los dichos delictos, condenándola en las mayores y
más graves penas, por derecho contra semejantes delinquentes
estatuidas, executándolas en su persona y bienes, relaxándola
a la justicia y braxo seglar y, siendo necesario, sea puesta a
questión de tormento en que declare la verdad, por lo que pido
justicia y juro en forma».

La carraspera y la afonía tuvieron a Bazán de Albornoz
al borde de la desesperación. Cargó cuanto pudo las sombras
de los delitos. En principio, los inquisidores no adoptaron
posiciones extremas ni rigoristas, aunque no las descartaran
más adelante: el fiscal había dejado las puertas abiertas para
emplearlas. Por su parte, la rea disponía de varias semanas
para recapacitar sobre todas las imputaciones. Transcurrido
ese tiempo, debería contestarlas una por una e intentar defenderse de ellas.

A Lorenza le agradaba salir temprano a cambiar el agua
del cántaro. Había conseguido del alcaide que la sacara de
primeras, antes del desayuno. Sin embargo, nunca consiguió
su propósito: alcanzar a ver las últimas estrellas antes del alba.

«¿Tendrá fin este martirio?» No pensó demasiado en la ristra de acusaciones, sería mejor afrontarlas a su debido tiempo. Ninguna le pillaba de improviso.

En la Audiencia de Contestación se defendió con argumentos viejos, referidos una y otra vez anteriormente. Mañozca estuvo particularmente pesado con el asunto del amante, Francisco Santander. Lorenza trató de restarle importancia. El fiscal sabía que se trataba de un asunto personal y prefirió no cruzarse en el camino del inquisidor. Posteriormente fue nombrado el defensor de la rea. Quedó designado el licenciado Argos, quien, años después, sería inquisidor del mismo tribunal de Cartagena de Indias. Tomó asiento en uno de los pupitres vacíos. El letrado resultó un mero formulismo. Ni quitó, ni puso. Limitó su intervención a los requerimientos marcados por las normas, sin ningún aporte que merezca la pena destacar. No le caía bien la de Acereto. Además, su protector, Mañozca, ya le había advertido qué clase de mujer era aquélla y quién era el pendenciero galán.

No resultaba extraño que el inquisidor insistiera en el tema del amante. «¡Por fin ha caído!» Francisco Santander había ingresado en las cárceles secretas la noche anterior. Bazán de Albornoz se había portado a la altura. No podía defraudarle quien había trabajado con él, hombro a hombro, durante más de diez años en España. El inquisidor recomendó a sus fervientes colaboradores que no hicieran comentario alguno de aquella captura. «Un as dentro de la manga.»

Días después, Lorenza fue citada a otra audiencia. Lo mejor de cada sesión empezaban a ser los revuelos de la calle. Se realizó la publicación de los testigos y de sus inculpaciones, a cada una de las cuales tuvo que responder la rea. No le causaron asombro los nombres que oyó; pero sí lo que algunos habían referido. «¿Cómo puedo yo transformarme en tantas bestias?» Ciertas aseveraciones le produjeron ganas de reír, aunque no fuera el sitio ni el momento para hacerlo. Mañozca tampoco creía en muchas de las acusaciones, pero sabía cómo utilizarlas para causar el efecto deseado. La ignorancia y la superstición jugaban a su favor.

Tanto Mañozca como Salcedo quisieron interrogar de nuevo a algunos de los testigos enunciados por el fiscal. Mandaron comparecer en la siguiente audiencia a Juan Lorenzo, Potenciana Bioho, Rufina Biáfora. Y a otros esclavos que, como los anteriores, ya estaban guardados en las cárceles secretas: Teresa Sánchez, Sebastián Pacheco y Antonia de Medina. Por último, compareció el escribano Andrés del Campo. Después tuvieron que ratificarse quienes habían depuesto en el proceso. Lorenza no pudo presenciar ninguno de los interrogatorios, aunque sí lo hiciera su defensor.

Mañozca interrogó en sesiones aparte a Francisco Santander. El soldado tenía proceso propio, así podía cuestionarle a sus anchas. El inquisidor soportó la arrogancia del sargento. Aunque le estrechara el círculo, Santander parecía estar protegido por la tranquilidad que da el desconocimiento. Efectivamente, al paso de las entrevistas, supo que el amante sabía menos de ella que él mismo. «Va a ser difícil enganchar a este gallito.»

En la audiencia del 20 de julio se escucharon las declaraciones de todos los testigos de abono propuestos por Lorenza. Convocó a diversas autoridades eclesiásticas y civiles, dignatarios y funcionarios públicos, que sorprendieron al mismísimo Mañozca. Fueron algunos de los que atestiguaron en su favor: el gobernador, señor de la Vega, los padres Sandoval y Almansa, el capitán de la Guardia Real, uno de los oficiales del escribano llamado Pedro de Alarcón, el tesorero del cabildo y Juana Bautista del Espíritu Santo, monja del convento de las Carmelitas Descalzas, conocida por la rea como la hermana Cancela. Entre todos consiguieron reducir los ánimos triunfalistas de Bazán de Albornoz y de los inquisidores, aunque no lo suficiente para que el obsesivo Mañozca siguiera empeñado en localizar el pergamino (aún no había conseguido hacerlo, ni desbaratando el convento) y quemar en la hoguera a Lorenza de Acereto, bruja y conspiradora, así la defendieran tan ilustres personajes. Hacía tiempo tenía claro su veredicto.

La oposición del provisor de la catedral, Bernardino de

Almansa, se fundamentaba en sólidas bases legales que, en determinado momento, podrían dejar sin piso todo el proceso. El padre Almansa insistía en que antes del establecimiento del Santo Oficio en Cartagena él era el juez ordinario en materias de fe, en tal calidad había actuado contra algunas personas denunciadas *«... de que hacían suertes y sortilegios, echizos y oraciones y otras cosas supersticiosas, setenciándolas como en destierro y otras cosas»*, y en el caso concreto de doña Lorenzana de Acereto, ya había confesado voluntariamente sus culpas. Por ello había sido castigada con el pago de quince libras de cera labrada, con lo cual sus pecados habían sido perdonados, y por tanto, según la ley, no podían volver a juzgarla por los mismos motivos. Mañozca, astuto, conminó al provisor a que enumerase los pecados confesos para, de esa manera, no volver a juzgarlos. Lógicamente el padre Almansa no los recordaba todos, hacía más de dos años que había confesado a Lorenza. El provisor no quedó satisfecho con las garantías dadas y amenazó con elevar el caso a las más altas instancias eclesiásticas, e incluso, al Consejo General de la Inquisición en España. Mañozca, ante la amenaza, intentó rescatar de la ira una buena tesis.

—La resolución dada por usted a las brujerías de la rea, padre Almansa, no hicieron sino que ésta se sintiese aligerada de su peso, para seguir, si cabe con más ímpetu, ejercitándose en las artes del diablo y atrayendo a otras personas a sus ejércitos. ¿Qué le importaba a la dicha señora tener que confesar, de cuando en vez, unas bagatelas y desembolsar más o menos dinero para cera o aceite, u otras nimiedades por el estilo, sabiendo todo el que hay en su casa? —argumentó el inquisidor.

—Cada cual tiene sus métodos. Yo hice lo que entendí correcto, como deben hacerlo ustedes ahora, continuando el proceso sobre los delitos no confesados. Pero de igual manera que en su día castigué a una penitente, deberé defenderla, si es preciso, de cualquier atropello. Repito, señores míos, que no deberán juzgar faltas pagadas. En España han de conocer esta causa si no fueran respetadas las leyes. Queden ustedes en la paz de Dios. —El padre Almansa pidió la venia y se retiró de la sala, tranquilo. Sabía que antes de dictar sentencia tenían obligación de citarlo en calidad de consultor, al igual que al obispo, Juan de Ladrada, si la muerte lo permitía, pues las fiebres lo tenían postrado desde hacía un mes y los síntomas anunciaban pocos hálitos.

El 2 de agosto de aquel desventurado 1613, el Tribunal, después de haber comunicado a Lorenza que habían sido practicadas todas las diligencias propuestas para la defensa, la exhortó a que dijese algo más, si había lugar a ello, o nombrase a más testigos de descargo. A todo contestó la procesada negativamente.

Días después se practicó la diligencia de avisos de cárcel. A Lorenza ya no le quedaban ganas ni de estar harta de todo. Le preguntó el secretario Luis de Blanco si al entrar en prisión había llevado alguna nota a los reclusos. «¿Acaso hay alguno que sepa leer?» Respondió que no. Luego le dijo si sospechaba o sabía que los presos se comunicasen entre sí. Dio igual respuesta. Y concluyó preguntando si *los ministros le an hecho buen tratamiento y el provehedor le ha dado buena comida*. «¡Que te parta un rayo!» Lorenza volvió a la celda atravesando el griterío de la multitud en la calle.

Quedó reposando sobre una efímera confianza. Según parecía, las audiencias habían tocado a su fin. Tal como ordenaba el reglamento, así era, pero Mañozca jugaba con sus propias reglas y decidió, a deshora, utilizar la recomendación final del pliego de acusaciones de Bazán de Albornoz. El inquisidor sabía que le quedaba poco tiempo para doblegar la voluntad de la rea: pronto estaría lista la sentencia. Si la pena impuesta consistía en hacerla comparecer en Auto de Fe, la perdería para siempre, porque el destierro estaba garantizado. Si lograba mandar a la de Acereto a la hoguera, en el fuego se quemaría el secreto del manuscrito, pero la amenaza seguiría latente. Sólo quedaba una salida: la persuasión directa. *Quaestio per tormenta*. Aprovechó el griterío que arropaba a Lorenza por las mañanas para convertirlo en su aliado. «De noche pueden oírse los gritos. Mejor evitar otro escándalo.»

El alcaide abrió la celda número diez y encadenó las manos de Lorenza. Nunca antes lo había hecho. Cuando la sacó al corredor y giró a la derecha en vez de a la izquierda, ella comprendió dónde la llevaban. Descendieron por una escalera de caracol que desembocaba frente al portón de la reja calada. Ramírez de Arellano la dejó allí, encadenada frente a la puerta de la Gehena, y se retiró. El verdugo abrió desde dentro. Una bofetada de calor golpeó a Lorenza. Quería desmayarse, lo hubiera preferido a tener que forzar la vista para adivinar lo que había dentro. La sala estaba medio excavada en lo que antes debió ser un patio trasero, no muy grande, apenas el sitio necesario para un potro en construcción, había maderas por el suelo de arena, una especie de artesa con travesaños de borde afilado para el tormento del agua (*aselli*), igualmente sin concluir, y una polea colgada de una viga del techo. Para entrar tuvo que descender cuatro peldaños tras la puerta. Estaba iluminada con antorchas y no tenía ningún respiradero. «Hay que evitar que se escapen los ruidos.» El verdugo, ataviado con un mandil de piel de vaca repujada y cubierto con un capuchón negro, la agarró con fuerza de un brazo y la arrastró por la arena. Lorenza creyó ver a La Mojana escondida detrás de una columna. Estaban de pie, junto al potro futuro, Mañozca y Luis de Blanco. El encapuchado no tumbó a la rea en la máquina infernal sobre la que se apoyaba el inquisidor. Colocó a Lorenza bajo la polea. Ató sus brazos por la espalda desde el codo hasta las muñecas. Luego anudó otras dos cuerdas por debajo de sus rodillas.

—El *strappado* os puede llevar hasta ese punto de la memoria donde encontréis el justo recuerdo que nos descubra dónde está escondido el pergamino —dijo Mañozca.

—Ya se lo he repetido infinidad de veces. No hay ningún pergamino —contestó Lorenza, apenas reprimiendo el pánico.

—Estoy seguro de que nuestro buen amigo os ayudará a recordar. —El inquisidor señaló al hombre del mandil.

El verdugo hedía a sudor mortecino. Le agarró el vestido por el cuello y tiró de él. Se rasgó verticalmente. Lo arrojó a la penumbra. Lorenza quedó desnuda en mitad de la sala. Pasó el extremo de la cuerda con la que le había atado los brazos por encima de la polea. Aprovechó para restregarse contra ella.

Durante unos instantes todo quedó paralizado. Lorenza escuchaba, muy lejano, el óleo consumiéndose en las teas. Tenía pegados en la piel los ojos del inquisidor y del secretario.

—Como ve, querida Lorenza, han cambiado bastante las cosas desde que paseamos por el claustro del convento. Debió haber aceptado mi oferta en aquel entonces. Traté de advertirle que, llegado este momento, nada sería igual. Y ya ve que no mentí. ¿Dónde quedó vuestra... como dijo entonces... insolencia? Preguntaré por última vez antes de proceder: ¿dónde está el pergamino?

Ella guardó silencio. Mañozca esperó unos minutos. Al primer movimiento de su mano el verdugo tiró de la cuerda, chirrió la polea. Lorenza se vio en el aire, flotando, con un dolor inmenso en los hombros que parecían rompérsele hacia delante. El pecho no le cabía en el cuerpo, apenas conseguía respirar. Sintió una violenta opresión en los brazos; el tirón al levantarla había corrido los cordajes hasta las muñecas arrastrando parte de la piel. La sangre le corría por los dedos. El verdugo ató a cada extremo de las cuerdas de los pies dos grandes pesas de plomo. Volvió a tirar de la polea, ahora pesaba mucho el plomo, la rea quedó con la cabeza casi pegando al techo y las pesas colgando en el aire bajo su cuerpo. El verdugo ató la cuerda a una argolla en la pared para sostenerla en vilo. Los correajes despegaron piel y carne desde las pantorrillas hasta los tobillos. La sangre caía en el suelo donde ya había sangre; la arena la absorbía despacio. Dejó de sentir muchos de sus miembros, casi no respiraba, la sala se iba difuminando, La Mojana estaba más cerca, junto a sus pies. El inquisidor preguntó nuevamente por el pergamino. Lorenza no encontraba aire para quejarse. Otra señal con la mano y el verdugo recogió un látigo apoyado contra la pared. Diez latigazos, ordenó Mañozca. Dos los recibió en el pecho, dos en los brazos y espalda, dos en las nalgas y uno en las piernas.

Tampoco había respuesta.

Entonces Mañozca miró al verdugo, no hicieron falta más señas, conocía el oficio. Soltó bruscamente la cuerda de la polea y Lorenza cayó un metro, justo hasta que las pesas casi tocan el suelo. Frenó con un golpe seco la caída. Sonaron cada uno de sus huesos, de sus cartílagos, todo se alargó, hasta el tiempo, las heridas.

Luego los pies alcanzaron a tocar la tierra, pero ya no sostenían nada. El inquisidor se mantuvo un rato en silencio. El verdugo refrescó la boca de la rea con vinagre. Colgaba de la cuerda como un jergón. Mañozca seguía preguntando lo mismo. Lorenza apenas emitía quejidos. Hasta las cinco de la madrugada continuaron las mismas preguntas, las mismas respuestas y el mismo calvario.

El verdugo, también muy cansado, examinó a la rea después de dos horas de tortura.

—Señoría, si la levanto una vez más... la mato. Ya no se entera de nada —dijo mientras sostenía la cabeza desfallecida de Lorenza.

La Mojana le acarició la melena. Mañozca era consciente de que había llegado al límite. No quería perder a la bruja. Pensaría, si le quedaba tiempo, otros métodos para encontrar el pergamino. Aunque el secretario expresó su parecer aludiendo que el pergamino no debería existir, pues el tormento había sido tan grande que de lo contrario lo hubiera confesado, el inquisidor no se dio por vencido. «Ese documento es real.»

—Llévenla a su celda y llamen al médico —ordenó Mañozca y salió de la cámara.

Los primeros rayos del sol despuntaban en el cielo.

Leí cada legajo en la biblioteca con detenimiento, mientras recordaba, a la vez, el cruel proceso de Lorenza. En cualquier frase podía esconderse la solución. Avanzaba con lentitud. A veces me distraía con pensamientos que me asaltaban de improviso y después me veía obligado a retroceder en la lectura, porque había perdido el hilo.

Pensaba mucho en Ella. La cuestionaba dentro de mí. ¿Adónde te lleva la Vida? Hace poco la habías cogido de una oreja y tratabas de guiarla por tu camino, intentando imponer tu voluntad. ¿No crees que se ha reído de ti? Se ha dejado llevar, efectivamente, porque sabía de antemano que todos tus caminos estaban trazados hacia un mismo punto. Tu Destino, si es que hay más de uno, no te ha permitido salir aún de la vereda. ¿Te dejará en algún momento? Habrá una cruenta lucha entre tu Libertad y tu Destino.

Digo todo esto porque no entiendo muy bien tu resignación. Es algo en la historia que no tengo claro. Nunca he apreciado un deseo tuyo de escapar, de saltar el muro, de salir volando, si podías hacerlo, o de suicidarte mismamente... otra huida. Toda la rebeldía, el descaro, la fuerza que te alimentó, sucumbieron ante la posibilidad de largarte. ¿Qué esperabas? Clemencia, compasión, amor... No eran posibles. ¿Te sacrificaste por el cariño de Francisco, por solidaridad con alguna causa, por deseos de venganza, porque asumiste el martirio representado en los lienzos de la catedral como algo propio? Tampoco encuentro en estas razones una respuesta convincente. Nada te ató a Cartagena, a tu pasado negro con los negros... a tu futuro negro con quien fuese. ¿O el espíritu esclavo de tu infancia se encontraba cómodo en el encierro? No. El espíritu esclavo, lo sabes muy bien, no era acomodaticio. Quiero suponer que los cronistas, escasos, estuvieron más atentos a otras facetas de tu vida. Y no podemos exigir al proceso inquisitorial que describiera tus íntimos sentimientos.

Al lado, junto a la cama, tenías el búcaro del agua. Con haberlo roto, haber cogido un trozo y haberte seccionado las venas por las muñecas, habría llegado La Mojana a envolverte en su manto. ¿Qué podía retenerte? No se vive por inercia. ¿O sí? Eras como la corriente que va salvando las piedras y los escollos para seguir adelante; como el río que violentamente aparta los obstáculos de su cauce. ¿Había un lecho trazado?

El doctor Echevarría la encontró privada, desnuda, tendida en el colchón, cubierta de sudor y de sangre. Pidió agua y gasas limpias. La hermana de Mañozca, Clara, acudió con los implementos y ayudó al facultativo a lavar el cuerpo de Lorenza. Le desinfectaron las heridas. El dolor que debió producirle el alcohol en la carne viva no la sacó del desvanecimiento. Acomodaron la paja del camastro y la dejaron descansar, sin vestirla.

—Pasaré más tarde para volver a verla. Está muy lastimada; sus extremidades tardarán cuatro o cinco días en ponerse rígidas. No la pierda usted de vista y, sobre todo, que no la muevan —aconsejó el médico.

Cuando recobró el conocimiento, la vieja estaba a su lado, refrescándole la frente con paños de agua fresca.

—No se mueva su merced. Estáis maltrecha —le advirtió doña Clara.

Lorenza recordó la tortura. Trató de incorporarse, pero no pudo. Las articulaciones no existían, no había nada entre sus huesos, solamente dolor. Los hombros eran un grito.

—El médico ya os examinó esta mañana. Necesitáis mucho reposo.

—¿Por qué se ocupa usted de mí, si ha sido su hermano quien así me ha postrado? —preguntó Lorenza con lógica extrañeza.

—No puedo responderos. Ni siquiera debería estar aquí; pero si no os atiendo, se infectarán esas heridas y correréis grave peligro de morir. Ahora intentad descansar. Mandaré dejar abierto el ventanuco por si os sucede algo. Estaré pendiente de vos.

Lorenza no tuvo fuerza ni ánimo para temer a la anciana. Durmió hasta la caída de la tarde.

El doctor Echevarría volvió antes de la cena. Cuando el

alcaide abrió el calabozo, vieron dos golondrinas revoloteando sobre Lorenza abanicándola con las alas. Habían entrado por la abertura de la puerta. Las aves huyeron espantadas. Los funcionarios y la vieja trataron de restarle importancia al asunto. El médico parecía satisfecho por la evolución de las heridas. «Sanará pronto; es fuerte.» El reacoplamiento de músculos y articulaciones era cuestión de tiempo. Al marcharse dejó a la rea con doña Clara, quien había dicho al alcaide que se ocuparía personalmente de darle la cena. Ninguno de los rudos guardias tendría paciencia para ello, aunque todos disputaran tal honor, aunque fuera por verla desnuda.

—¡Bonito espectáculo el que hubo hoy en la plaza! —le dijo doña Clara cuando estuvieron solas—. Raro es que no os despertara el tumulto.

—¿Qué sucedió?

—Ejecutaron en el garrote a una pobre chica. Y vos también salisteis a la palestra. Parece que no hay escándalo en Calamarí donde no esté vuestro nombre involucrado.

—¿De quién se trataba?

—De una novicia de las carmelitas: Guiomar de Anaya.

Lorenza quedó aturdida, ausente, como si el verdugo le hubiera atado de nuevo el alma a la polea y hubiera tirado de la cuerda. Doña Clara la hizo volver en sí con agua fría del cántaro.

—No me asustéis. Creí que os había dado otro mal de corazón...

Lorenza tardó en reaccionar.

—¿Por qué la mataron?

—El juez la declaró culpable por el asesinato de fray Andrés Sánchez. La habían capturado los comisarios del gobernador algunas semanas después de la muerte del confesor, cuando intentaba huir de la ciudad hacia el río Magdalena. Seguramente pretendía refugiarse en las tierras frías del interior. Mala suerte. ¡Hasta bonita era la muchacha, y de buena familia! Declaró su culpabilidad en el juicio. ¿Pero sabéis lo mejor de todo?

—¿Qué?

—Dijo que había matado al cura por amor.

—¿Por amor...? ¿A quién? —Que supiera, Guiomar no escondía amoríos.

—Por amor a vos.

Aquello impresionó a Lorenza. No alcanzaba a digerir la invasión de contradicciones que le produjo la noticia.

—Parece que la tal Guiomar supo, o vio, cómo fray Andrés había asesinado a vuestra hija. Según declaró, no pudo soportar la afrenta. Luego dijo teneros gran amor, y que prefirió sacrificar su vida antes que dejar impune el asesinato de la niña. Como os dije, estáis metida en todos los fregados.

Lorenza se recogió sobre sí misma. No quiso probar bocado. Solicitó cortésmente a doña Clara que la dejara sola. Quedó con sus pensamientos, los ratos con Guiomar, acurrucados en todas las heridas y en su cuerpo descoyuntado.

Cuando estuvo suficientemente recuperada y pudo volver a vestirse, doña Clara dejó de visitarla y de ocuparse de ella. Como le dijo en alguna ocasión: «Lo que hice por vos lo hubiera hecho por cualquier otro. No tengo ninguna predilección hacia vuestra persona». Y Lorenza sabía que era cierto. Aunque le estaba agradecida, no había logrado establecer intimidad con la vieja, ni sentir cariño alguno, compasión o afecto.

Aún le atormentaban los dolores del cuerpo, y los del alma, cuando recibió otro golpe a traición. Quería dormir, cuando escuchó desde la calle uno de los gritos nocturnos a los que ya estaba acostumbrada:

—¡Aunque tengan preso a Santander, no podrán encarcelar al amor!

La proclama no se refería al amor entre Lorenza y Francisco, así fuera la muestra. Se refería al amor de las gentes de Calamarí. Al amor que deseaban seguir disfrutando, sin que vinieran terceros a interferirlo. Podían ser amores pasionales o desgastados, cortos o duraderos, lícitos o prohibidos, pero hasta entonces eran «sus amores», sin más condiciones que las que los propios hombres y mujeres manejaban a su manera, con rectitud, con fidelidad, con tapujos, con los cuernos o con la espada.

Para Lorenza, aquel grito era más que una insignia filosófica. Era la noticia, simple, llana y mortificante, de que Francisco había sido encarcelado, allí, seguramente muy cerca de ella: tal vez en la celda de al lado, en la de abajo o en la de enfrente. Se desesperó y chilló y golpeó las paredes con los puños para intentar que la oyera. Los sonidos de la desesperanza fueron engullidos por los muros porosos.

¿Qué vientos o palabras soplan tan contrarios? Podías haberte fugado con Francisco. Él entró varias veces al convento. ¿Por qué no le seguiste o le solicitaste que te sacara de allí? ¿Peligraba su carrera? No me vengas con excusas bobas. A veces quedan las princesas embriagadas con la belleza de la cueva del dragón. ¿O ya habías caído en cuenta de que su amor era enteco? ¡Mi antecesor...! ¡Te estoy hablando de mis ancestros! ¿Seré el único estúpido que sigue creyendo en el amor amable como un cordero?

¿Miedo? Nada perdías con haber salido de allí. No eran de hierro tus sandalias.

Un intento al menos, aunque al final tuvieras que regresar a la celda. Pero no hay indicios. Así pues, prefiero seguir fiel a la Historia y relatar tu vida con todas sus virtudes y carencias.

Sigo un camino borrado en la noche.

¿Seré yo quien intenta levantar un andamio de convencimientos?

El señor de la Vega, esta vez en el despacho de la Gobernación, citó a los inquisidores, al capitán de los alféreces reales, Esteban de Lérida, y al padre Bernardino de Almansa. Le hubiera gustado también que acudiera Juan de Ladrada; pero la primera noticia que dio el provisor cuando entró al recinto fue la muerte del obispo. Había llegado con retraso. Los demás esperaban desde hacía media hora.

—Lo siento mucho, Señorías. Entiendan que las penosas circunstancias me han tenido ocupado.

Los dominicos, el militar y el mandatario disculparon la demora del sacerdote y le dieron el pésame. El gobernador quedó sentado en su escritorio. Mañozca y Salcedo en dos sillas al frente. El capitán se recostó contra la pared. Almansa estaba nervioso y prefirió mantenerse en pie.

—Estimados señores, me he visto en la obligación de convocarlos a esta reunión porque los acontecimientos que rodean al caso de Lorenza de Acereto están saliéndose de quicio. Cada día son más las personas que acuden a la Plaza Mayor, junto a las cárceles o en otros puntos de la ciudad, como el puerto, exigiendo la liberación de la prisionera. Esto se ha convertido en un verdadero problema de orden público. Ayer, sin ir más lejos, la chusma apedreó el convento de las Carmelitas, incendió la sacristía de la iglesia del Sagrado Corazón y amenazó, armados de palos e instrumentos del campo, con tomar esta Casa de Gobierno. A ustedes, señores míos, todavía les tienen mucho miedo —dijo el señor de la Vega señalando a los inquisidores—. Mis efectivos son escasos. No poseo más recursos dentro de mi jurisdicción para hacer frente a los desmanes. Les pido su colaboración, a ser posible, coordinando nuestras fuerzas. De lo contrario, señores, les aseguro que la plebe, enardecida como está, podría alzarse con el poder... y sálvese quien pueda.

«Ya se lo había advertido», pensó Mañozca.

—Por mi parte, pediré de inmediato refuerzos a Santiago de Tolú y Riohacha —intervino el capitán Lérida.

—Ésa no es la solución. Puede que sirva para calmar unos días a la multitud. Pero volverán a las calles, una y otra vez, hasta que termine el proceso —opinó Almansa.

—¿Cuánto creen, Eminencias, que se demore el juicio? —preguntó el gobernador.

—Un par de meses. A finales de septiembre o principios de octubre —respondió Salcedo.

—Demasiado tiempo. No podremos contener la exaltación durante dos meses por la vía militar. Debemos buscar otras alternativas que apacigüen los ánimos —dijo Almansa.

—Podría arbitrarse una fórmula dilatoria —expuso Mañozca—. Mientras se da el veredicto, trasladaríamos a la rea, otra vez, al convento de las Carmelitas. Quedaría en régimen abierto, sin necesidad de ocupar una celda. De esta manera la gente pensará que la solución está próxima y lo peor ha pasado. Excarcelarla evitará que el populacho siga imaginando tormentos o situaciones que lo enoje y embrutezca todavía más.

¿Por qué Mañozca se mostraba de pronto tan benevolente y accedía a desprenderse de Lorenza con tanta facilidad?

Porque en la cárcel ya no le servía. La tortura no había sido suficiente para extraerle su recóndito secreto. Había que cambiar de táctica. Regresándola al cenobio, donde seguro guardaba el pergamino, existía la posibilidad de que lo sacara del escondrijo. Si le ponía vigilancia continua sin que ella se diera cuenta, un mínimo desliz le conduciría al manuscrito. Si esto no era así, procuraría que en la sentencia la mandaran a la hoguera, y asunto concluido. «Quizá, si nada dijo en el tormento, el pergamino sea una invención, o no tiene tanta importancia como le atribuyó fray Andrés.»

—Me parece una solución acertada —aprobó el señor de la Vega.

Los demás también asintieron.

—Pero eso no es todo —volvió a intervenir el gobernador—. Hay otro cabo suelto que me preocupa.

—¿Cuál será?

—Francisco Santander. Usted, señor inquisidor, empeñado estuvo en guardarlo en prisión, vaya Dios a saber por qué, y el problema se ha sumado al de la amante. Nadie reconoce en Santander mayores desafueros que ser fanfarrón, mujeriego y alborotador de tabernas.

—Las causas que tenga el Santo Oficio para mantenerlo encarcelado no son materia pública, por lo que disculpad si no estoy en condiciones de daros ninguna información. Si no es justa su causa, quedará en libertad a su debido tiempo —respondió Mañozca.

—Señor inquisidor, perdón por la insistencia. Hace poco, al escribano Andrés del Campo, a quien todo este jaleo tiene perturbada la cabeza, casi le sacan un ojo durante una riña en un mesón, por andar pregonando barbaridades sobre tráfico de influencias y relaciones interesadas entre ustedes y algunos mandatarios civiles.

—Le aseguro, señor de la Vega, que ni nosotros ni ningún familiar del Santo Oficio ha recibido bienes ni ha usado sus atribuciones para perjudicar o beneficiar a reo alguno. Menos aún a Francisco Santander.

—Entonces, como dice la gente, existen motivos personales entre usted y el sargento —pinchó el gobernante.

—Reitero que no le informaré acerca del caso. —Contuvo Mañozca la ira.

—Habrá otras oportunidades para clarificar este incómodo asunto. Cúmplanse pues las disposiciones. —El gobernador levantó la sesión.

Seguía paseando la vista por las páginas de los legajos, pero ya me había distraído por completo.

Recordé frases escritas en la terraza del hotel, escuchando vallenatos, albergando ilusiones, que eran eso... sólo ilusiones:

«Guiomar ha muerto, Lorenza. Ha muerto dejándote el peso de un amor imposible, fugaz como el acto de su vindicta, intenso como la llamarada de una hoguera. Murió su aburrimiento abrazado a las ganas de vivir por algún motivo. Un beso. Todo se había resumido en un beso, en una torre de recuerdos que no tiene cuerpo.

»Un beso es mirarse en la pupila ajena del olvido. Un beso es morderle el labio a la esperanza. Tallos oblicuos del tiempo. Y en el momento que nace la hoguera, ya está muriendo. Mientras, la vida da otro beso a la inmensa bofetada.»

La brisa sopló con fuerza durante el mes de agosto. También lo hizo la mañana que Lorenza salió a la calle para subirse de nuevo al «rodal de la muerte»; la devolvería a las Carmelitas después de ocho meses. La guardia custodió el carruaje hasta la puerta del convento. A ratos no podía avanzar por el tumulto de gente aglomerada en las bocacalles. Lorenza no los veía; pero los escuchaba. Estaban alegres, festejantes del triunfo, exultantes, como siempre, equivocados.

Antes de partir, los inquisidores le habían leído un memorial indicándole todo aquello que no debería hacer: desvelar lo que hubiera visto o sufrido en la cárcel o comentar cualquier punto referente al proceso. Se lo hicieron jurar sobre la Biblia.

En el torno aguardaba la hermana Coronación para recibirla por tercera vez. La costumbre o el desinterés le obligaron a saludarla con indiferencia. Posiblemente un contentillo le corría a la monja por los adentros. Pero al divisar a Lorenza en estado tan lamentable, acalló sus satisfacciones internas y mantuvo el ánimo neutro. Le sobrecogieron, como a las otras hermanas y novicias, la extrema delgadez de la esposa del escribano, la mirada hundida en las ojeras amoratadas, la piel blanquecina, los pómulos chupados, la boca reseca. Caminaba encorvada porque todavía no acababan de sanar los destrozos de la tortura. No saludó a nadie. Caminó hasta el cuarto que le habían preparado: el dormitorio de una de las beatas, fallecida en junio.

«En esas condiciones, parece que no será necesario vigilarla mucho.» Mañozca había dado claras instrucciones a la superiora para que no la perdiera de vista ni de día ni de noche. Cualquier movimiento sospechoso debía comunicárselo al inquisidor. Ya le había puesto al corriente del asunto del pergamino. Durante la jornada, Lorenza podría caminar a su libre albedrío por el convento, como lo hiciera en la primera época. Por la noche, la superiora cerraría con llave la puerta de la habitación.

Lorenza procuró informarse sobre los últimos acontecimientos. No eran muchos. El más reciente, el entierro, días atrás, del obispo fray Juan de Ladrada. De lo demás, las monjas no sabían o no querían contar. «La clausura es la clausura.» La hermana Cancela había sido trasladada a otro convento de la orden, en Popayán. Muchas de las jóvenes que Lorenza conoció de novicias ya eran monjas. Habían ingresado nuevas aspirantes, no les prestó mucha atención, tenía vivo el recuerdo de Guiomar. Nadie quiso abordar el tema. «Lo que pasó, pasó.»

La hermana Cucharón procuró engordarla a base de suculentos estofados de carne. Y la hermana Semilla, después de excusarse y pedirle perdón por abandonar a su hija el día de la trágica muerte, se dedicó a cuidarla y lavarle las heridas. «No se sienta usted culpable, hermana.» La monja le relató cómo la superiora la sacó del cuarto, engañándola y dejándola sin posibilidad de intervenir. La abadesa se indisponía cada vez que la hermana Semilla y Lorenza quedaban a solas. Tenía razones para ello. Casi nunca pudieron hablar sin que otra monja estuviera delante.

—La hermana Cancela angustiábase mucho por usted cuando la tenían en las celdas del patio —le dijo en una ocasión la hermana Semilla, aprovechando la ausencia de la guardiana durante unos instantes.

—Ustedes hacían buenas migas, ¿verdad?

—Somos del mismo pueblo, de Lerma, en Burgos. Me recomendó encarecidamente antes de irse a Popayán que hiciera cuanto estuviese en mis manos para ayudarla. Como ve, no es mucho lo que puedo hacer. Aunque quisiera, no me dejan... Estuvo muy pendiente del caso de Guiomar de Anaya. Ella fue quien le pasó el papelito por debajo de la puerta cuando apresaron a la novicia. Sabía que ustedes teníanse aprecio. Le costó mucho conseguir que el abastecero, un día en el torno, le escribiese la nota y guardara el secreto. Me dijo que si volvía a verla a usted, le diera las gracias por sus remedios y sus recaudos, que fueron de gran provecho, y por eso le había colaborado y le había abierto el portón cuando la muerte de su hija.

La guardiana regresó y truncó la charla.

Despacio, Lorenza fue recuperándose. Nunca del todo. Nunca como antes.

Como predijo Mañozca, se calmaron los ánimos de la

chusma. El Santo Oficio entró en deliberaciones sobre el proceso. Por su parte, el padre Bernardino de Almansa había elaborado un informe sobre las irregularidades apreciadas y lo había enviado urgentemente al Consejo General de la Inquisición en Toledo. Debería obtener respuesta rápida, antes de que dictaran sentencia.

Decía un aparte de su memorial: «*Lo que ha lastimado a toda la ciudad ha sido que doña Lorençana la tienen presa más tiempo de ocho meses, juzgándola por delictos muchos dellos castigados por mí, siendo provisor, antes de la Inquisición, y después que fué, ella misma delató de sí, y por el recuentro que tuvo el Licenciado Mañozca con el sargento mayor Santander, quiso pagarse en hacer este agravio a esta muger. El sargento fue enterado por el alcaide del presidio que consintiese en todo, o lo guardarían en las cárceles secretas toda su vida*». Quedaba claro que Almansa sabía más de la cuenta y tenía calado al inquisidor. El provisor, ley en mano, no estaba dispuesto a sucumbir en el enfrentamiento entre los dignatarios inquisitoriales y los eclesiásticos de Cartagena.

Almansa tenía amigos prominentes que movieron el informe con agilidad. La respuesta llegó pronto, a bordo de una flotilla privada que zarpó de Cádiz rumbo a Cartagena de Indias. Los vientos fueron favorables y la calma chicha no se opuso a la gestión del provisor. La carta le fue entregada dos días antes de la fecha prevista por la Inquisición para dictar las sentencias del primer Auto de Fe que se celebraría en la Nueva Granada.

Con la extensa misiva encima del escritorio, Almansa esperó a los dos inquisidores y a la nueva máxima autoridad eclesiástica, el obispo encargado, fray Sebastián Velázquez, guardián del convento de San Diego. El ordinario del obispado era un hombre cauto, blando, cercano a los sesenta abriles. El pelo cano le otorgaba más autoridad de la que en realidad tenía. La reunión fue convocada en el despacho catedralicio del provisor. Despacho oscuro, cargado de libros, sobrio de adornos. Era tarde. Las antorchas iluminaban el espacio con buena luz, pero aumentaban el calor. La humedad ya se había comido las tapas y las esquinas de algunos tomos. Las ratas también habían contribuido al deterioro del papel.

Mañozca, cuando entró, traía bajo el brazo un consecutivo de la carta que había recibido Almansa. Como máximas autoridades del Santo Oficio, el Consejo General también había notificado la resolución a los inquisidores. Andaban con cara de pocos amigos. Tras los saludos de rigor, más escuetos de lo normal, Almansa leyó en voz alta la carta.

—Como pueden apreciar, Eminencias —habló el provisor a los inquisidores—, el Consejo ha tomado tres fulgurantes decisiones. La primera atañe a doña Lorenza de Acereto: *La procesada únicamente será juzgada por los delitos no confesados y castigados anteriormente.*

—No hay ninguna objeción al respecto —interrumpió el tozudo inquisidor—. Con las faltas restantes hay más que suficiente para mandarla a la hoguera.

—La segunda —continuó Almansa dirigiéndose a Mañozca— ordena explícitamente que la sentencia de la susodicha doña Lorenza sea emitida en votación secreta por cinco miembros, que serán: *los dos inquisidores generales, el ordinario del obispado, el provisor de la catedral y un consultor, familiar del Santo Oficio, nombrado por uno de los inquisidores y por el obispo, o quien haga sus funciones.*

Esa disposición no le gustó a Mañozca. La clave de la votación estaría en designar un consultor de su entera confianza. Sabía de antemano que no podía contar con los votos de Almansa y de Velázquez. Los dos inquisidores arrimaron el oído para intercambiar algunos pareceres en privado.

—Propongo como consultor a don Diego Pimentel, hijo del conde de Veracruz, quien destaca entre los juristas religiosos y es familiar de nuestro Santo Oficio —propuso Salcedo, interviniendo de nuevo como brazo orquestado del otro inquisidor. Mañozca sabía que si la idea provenía de Salcedo no la examinarían con tanto detenimiento como si de él mismo partiera.

—¿El joven cojo? —preguntó fray Sebastián.

—Sí padre... el cojo —respondió Salcedo.

—Por mi parte no hay impedimento. Espero que por la suya, padre Almansa, tampoco —dijo el obispo encargado.

El provisor, de todas formas, no podía oponerse. Según la ordenanza, la elección correspondía a los que, efectivamente, la habían realizado. Almansa no confiaba en las decisiones alegres y ligeras cuando provenían de los inquisidores; pero en aquel momento no se detuvo en cavilaciones.

—Bien, señores... pasemos entonces a la tercera disposición —continuó el provisor—. Es tajante: *El sargento mayor Francisco Santander será puesto en libertad inmediatamente. Analizados los expedientes y los informes enviados, el Consejo General percibe que motivos personales han intervenido en esta causa. Así mismo, creen que los delitos contra la fe, materia sobre la cual tiene injerencia el Santo Oficio, son de carácter ínfimo y no merecen encierro en las cárceles secretas de la Inquisición. Si alguna falta adicional se tiene contra Santander, deberá ser juzgada por la justicia ordinaria o por la militar, según las circunstancias.*

Mañozca comenzó a jugar con el anillo. No atinaba a contener la rabia. ¿Le había traicionado Bazán de Albornoz, o había sido Salcedo quien había proporcionado los expedientes a Almansa? Por suerte para el delator, nunca se supo quién fue. El provisor, puede que gracias a algún escribano o a algún funcionario inquisitorial de su confianza, obtuvo el pésimo informe redactado por el fiscal, soporte de las inculpaciones contra Francisco Santander. Eran tantas las inconsistencias que el Consejo General mismo se extrañó de la escasa competencia de Bazán de Albornoz. «Cosa rara en uno de los mejores fiscales que había en Toledo.» A punto estuvo de costarle el puesto. Un tinterillo de la fiscalía cargó con el mochuelo.

Terminó la reunión entre dimes y diretes. Mañozca salió dando un portazo. «He quedado como un cretino.» Por otra parte, pensaba que el nombramiento de Pimentel le aseguraría la votación.

Al día siguiente fue liberado Francisco Santander.

La falta de concentración no me permitió avanzar mucho. Había almorzado en una cafetería cerca del convento. La tarde no me obsequió mayores descubrimientos que la mañana. Me había cansado la lectura del castellano antiguo. No era fácil acomodarse a la caligrafía de los atafagados escribanos.

Guardé los legajos y me marché. Continuaría al día siguiente. Tenía ganas de dormir. La modorra me llevó a la habitación del hotel. No tenía hambre, así que no pedí nada de cenar ni salí del cuarto.

Daba en mi cabeza vueltas y vueltas a la imagen de Lorenza en el patio del hotel. Me arrunché en la cama y me serené en aquella aparición ilógica... Asequible.

La hermana Semilla entró azarosa en el cuarto de Lorenza.

—¿Qué sucede?

—Cerrad la puerta. Debo comunicaros algo importante; pronto caerá por aquí la hermana guardiana.

—Hable pues.

—La nueva tornera, la hermana María de San Francisco, dice que esta mañana el cerero le dijo que acababan de soltar a Francisco Santander. Y la superiora está que bufa porque apareció en el torno un papel con la palabra «estrellas» escrita.

Lorenza se incorporó como buenamente pudo. No estaban sus huesos aún para muchas alegrías.

—Hermana, debe ayudarme, por favor —imploró.

—¿Os dice algo esa palabra?

—¡Claro! Es una señal de Francisco. Vendrá esta noche. Estoy segura. Pero ¿cómo haré para verlo? La superiora cierra mi puerta con llave.

—¡Sangredediós! —exclamó la hermana Semilla—. Está bien. Os ayudaré. Será el último favor que os haga.

—Quedaré agradecida eternamente.

—Me ocuparé de que la hermana Coronación esté dormida después de la cena. Lo demás es cosa vuestra.

—¿Qué piensa hacer?

—Un truco aprendido de vos..., dormirla con hojas de borrachero. Hoy yo sirvo la cena...

Oyeron pasos acercarse por el corredor. La guardiana entró y recriminó a la hermana Semilla por estar a solas con la hereje. «Recién llegué.»

Lorenza hizo lo imposible por reprimir la alegría. Le brillaban los ojos. Era la primera noticia agradable recibida en mucho tiempo. Buscó afanosamente el cepillo para el cabello. Sacó, de entre los vestidos amontonados en el suelo, el más vistoso: uno color azul rey; lo apartó, pero no se lo puso. La guardiana y la hermana Semilla la contemplaron mientras arreglaba su rubia melena. Pidió agua para lavarse.

Las horas no se sucedían. Cada minuto duraba el doble. «Ojalá que la superiora duerma.»

Durante la cena estuvo pendiente de la hermana Coronación. Aparentemente, todo transcurrió con normalidad. Cuando la hermana Semilla le sirvió los postres, le guiñó un ojo. Lorenza quedó tranquila. «Dulces sueños.»

En efecto, la superiora no apareció a la hora acostumbrada para cerrar la puerta. Se puso el vestido azul. Consumiéronse las teas del pasillo. Lorenza, como lo había hecho tiempo atrás, salió al corredor. Esperó agazapada, pegada contra el balaustre, junto a la habitación de huéspedes que antaño le perteneciera. Abrió bien los ojos para divisar algún movimiento en el patio. La noche era clara. «¡Cuánto hacía que no divisaba mis estrellas!» Los astros la saludaron con alborozo. «No tengas miedo.» Esperó un largo rato. Al fin, escuchó pasos sobre la tierra del huerto. ¡Era Francisco!

—Sshhhh... venid, aquí —chistó pacito.

El soldado trepó por una columna adosada al muro. Se abrazaron en silencio. Nada más importaba.

—Vamos a mi cuarto, será el lugar más seguro.

Lorenza le agarró de la mano y lo introdujo en el dormitorio. Cerró. La tea alumbraba muy poco. Se sentaron en el suelo, a los pies de la cama, uno frente al otro. Hablaban en voz muy baja, susurrando.

—¡Qué felicidad volver a verte! Pensé que sería imposible.

—Ya veis cuán equivocada andabais.

—Estuvimos muy cerca —bromeó Lorenza.

—A mí me guardaron en el piso inferior, al lado de la entrada.

—Yo estaba en el superior, junto al pasillo oscuro... Dime, ¿cómo te apresaron?

—Esos malandrines no se esforzaron en demasía. Esperaron tranquilamente a la entrada de una taberna a que yo terminase de celebrar la onomástica de un cabo. Con la melopea que agarré poca resistencia podía ofrecerles. Les entregué la espada y les pedí que me llevaran en brazos. Amanecí en la celda.

—¿Y por qué te liberaron?

—Gracias al padre Almansa. Recurrió a Toledo y a Madrid. No afirmaré que sea un buen hombre, no puede verme ni en pintura, pero es un tipo hecho y derecho..., legal.

Volvieron a abrazarse, y en el abrazo depositaron serenidad, calma.

—Quisiera preguntarte algo: ¿alguna vez has puesto en duda mi inocencia o mi comportamiento? —quiso saber Lorenza.

—No. Sería muy complicado juzgar vuestros actos. Y sinceramente, siento mucho lo que habéis padecido por ellos —dijo Francisco.

—No puedes llegar a imaginarlo. —Lorenza se levantó el vestido y le mostró las profundas cicatrices de los tobillos.

—¡Os torturaron!

—Sí, me torturaron. Pero nada pudieron arrancarme, sino la piel.

—¡A fe que voy a dar muerte a ese hideputa de Mañozca! Tenía que haberle atravesado el gaznate cuando lo tuve pendiente de la punta del acero.

—Da igual. Hubiera venido otro, quizá peor...

—Uno menos, es uno menos.

Francisco le besó las heridas de las piernas. Las de los

brazos todavía estaban cubiertas con tiras de gasa de algodón.

—Creí que esas gasas eran adornos del vestido.

—Procuré que así parecieran. Ahora sabes lo que son.

—¡Maldita sea!

—No desaprovechemos el último tiempo que nos queda —dijo Ella.

Francisco subió la mirada, de las piernas al rostro de Lorenza, y la encaró.

—No me mires así, es la verdad, mañana dictarán mi sentencia —enmudeció por unos instantes y agachó la cara. Le escurrieron las lágrimas—. No quiero pensar en la hoguera...

—¡Por Dios, Lorenzana, no digáis atrocidades! —Le sujetó la barbilla con la mano—. Mirad. He corrido el riesgo de venir a veros porque he recibido respuesta de vuestros amigos de la corte.

El alma le regresó al cuerpo. Secó rápidamente sus mejillas con la manga y tomó la carta que le mostraba Francisco.

—La recibió un compañero en el cuartel; el mismo que me hizo el favor de escribir la mía. Hoy, nada más pisar la calle, corrí a mi destacamento para comprobar si había llegado algo de España. Y allí estaba mi amigo con la carta. Me la leyó de inmediato. Son buenas nuevas. Leedla.

Estaba fechada en Madrid, el mes anterior, la letra conocida... pertenecía al Delfín Verde.

Querida Lorenzana:

Mucho me alegra tener noticias vuestras, aunque hubiera preferido que muy distintas fueran las circunstancias. Estar a merced de los perros de la Inquisición es tan malo como probar un buen sorbo de cicuta. Pero no desesperéis. No me entretendré escribiendo mucho, pues imagino la prisa que os corre esta respuesta. Sólo quiero comentaros que Tomás Cacanegra se ha convertido en un excelente ayudante de cámara, es feliz, aunque no puedo dejarle salir mucho a la calle, porque suele volver apedreado o molido a palos. Disfruta emborrachándose y llenando los mesones de ratas y murciélagos. Os manda un fuerte abrazo y desea tanto como yo volver a veros, así que no os dejéis tomar ventaja por los inquisidores.

Por si os sirve de algo, tal y como lo expresáis en la carta que me habéis hecho llegar a través de terceros, fray Juan de Mañozca tiene, en efecto, un lunar en su pasado. No me costó averiguar que su hermana, Clara Mañozca, estuvo a punto de ser quemada en la hoguera por el Santo Oficio en León. Sólo las influencias de su hermano salvaron a la bruja de las llamas. Mañozca disputaba el cargo de Inquisidor General de Toledo, el más importante en España, con Pedro de Manzanares, inquisidor de León. Manzanares le propuso un canje a Mañozca: su hermana, por el puesto en Toledo. Mañozca no tuvo otro remedio que aceptar. El legajo que contenía el proceso de doña Clara fue destruido, y Mañozca solicitó su traslado a Cartagena de Indias. La solicitud causó sorpresa, pero no fue cuestionada. Más de uno conocía los antecedentes de la hermana. Puedo obtener cuanta información preciséis. Tenedme al tanto.

Algún día iremos a recogeros en el barco de nácar, como vuesa merced lo llamaba.

Cordiales saludos, míos y de Tomás.

Despáchese.

—Algo se escondía en la mirada de Clara Mañozca. ¿Cómo no me había dado cuenta?

—¿A qué os referís?

—A que doña Clara tiene marcado en los ojos la brujería. —Lorenza comprendió entonces muchas cosas.

—Con esta información ¿qué podemos hacer? —preguntó Francisco.

—Volver a proponerle un canje a Mañozca —contestó ella—. La hermanita le va a salir cara. Si antes perdió una plaza, ahora va a perder la oportunidad de quitarse del medio a una enemiga.

—¿Cuál es vuestra sugerencia?

—Mañana temprano deberás hacer llegar una nota a Mañozca.

—¿Cómo?

—Pídele el favor a tu compañero o a alguien de entera confianza que la escriba. Debe decir algo así como: «Si me envía a la hoguera, su hermana se quemará conmigo. El asunto de León quedará en custodia de mis allegados. Firmado, Lorenza de Acereto».

Francisco lo memorizó.

—Entrégale la nota, lacrada a ser posible, al gobernador, señor de la Vega. Dile que es un favor solicitado especialmente por mí y que debe, a su vez, entregarla sin pérdida de tiempo al inquisidor Mañozca. Él no tendrá problemas para entrar en la Casa de la Inquisición. Pero deberá llegar antes de que se reúna el consejo. Si llega tarde, el esfuerzo habrá sido inútil.

—No te preocupes, me ocuparé de todo.

—Muy bien. No podemos hacer nada más.

—¿Estáis más animada?

—Por supuesto. No contaba con esta carta... ni con tu aparición.

—Todavía deben estar por las calles algunos compañeros peleando y distrayendo a la guardia. Mañana, después de visitar al gobernador, deberé partir hacia Santa Marta. Es la única forma de librarme de Mañozca. Afortunadamente cuento con el apoyo de mis superiores.

—Harás bien. Después de esto, el inquisidor va a estar chicho de la piedra. Pero aún nos queda esta noche...

Francisco le rozó la cara con los dedos, casi sin tocarla. Le pasó las manos por el cabello. Le besó los párpados, los surcos que habían dejado las lágrimas, y la boca. Le acarició los hombros y la cintura con las manos y la mirada. Tiró de los cordones que prendían el vestido por la parte delantera, a la altura del pecho, y lo desabrochó...

Vi la tea crepitando. Y allí estábamos tú y yo, en el suelo, en el cielo. Ya te había desatado los cordones. Comenzó a dibujarse tu pecho. Con las manos aparté la tela. Escurrió el vestido por tus hombros y tus brazos hasta descubrirte los senos. Paré a observar tus cruentas cicatrices. Me dolieron. Terminé de quitarte la ropa. Amé tu cuerpo inmenso herido. Sé que te diste cuenta de mi lágrima furtiva. «Los hombres no lloran», me dije. No sirvió de nada. Me limpiaste la mejilla con tu mano y te acercaste a consolarme. ¿No debía ser al contrario? También te abracé, con dulzura, con cuidado. Las heridas nos envolvían, se nos clavaban. Me desvestiste lentamente, saboreándolo y acariciándome con el aura. Nos regalamos las manos en la piel, los dedos en el alma. Y nos hicimos uno, el uno indivisible y permanente. Cuando entré en ti, gemiste: «Álvaro». ¿O dijiste... Francisco? Da igual. Repetí varias veces tu nombre: «Lorenza, Lorenza, Lorenza...». Comenzamos a movernos acompasadamente, al unísono, sobre las olas, sobre tu mar de infancia, sobre tu vientre. Sentí tus uñas, las mismas que rasgaron los muros de la prisión, encontrando la libertad en mi espalda. Ascendías, pero no retirabas los ojos de los míos. Nunca se descuidó tu mirada. Permaneció firme, cariñosa, irrepetible. Subimos y subimos. Trepamos hasta tus estrellas... mis estrellas. Y sólo cerraste los ojos un instante, al final, en el momento en que se cerró todo tu cuerpo para aprisionar el amor, nuestro eterno recuerdo que ya nunca nos abandonaría. Te desvaneciste en la culminación de una felicidad inesperada.

Reposamos nuestra gloria.

Luego partí, mirándote. Desde los pies de la cama te despediste sin mover los labios.

Francisco se vistió en el corredor. Saltó los muros y buscó refugio en las afueras de la ciudad, a la espera del nuevo día. Al amanecer iría hasta la Gobernación. Se tumbó bajo un árbol de plátano, cubrió su rostro con el chambergo y descansó un poco.

Más tarde, el sol le tocó en el hombro y le despertó. Escondiéndose de esquina en esquina llegó hasta la puerta de la Gobernación. Los guardias intentaron cortarle el paso.

—Debo ver al señor de la Vega. Decidle que traigo un recado apremiante de doña Lorenza de Acereto.

Uno de los guardias golpeó la aldaba. Transmitió las palabras de Santander a otro guardia en el interior.

—Aguardad un momento.

Al cabo de un rato se abrió la puerta, el de adentro ordenó a Francisco que pasara. Debió esperar otro poco. Por fin, un mayordomo bajó por la escalera y le dijo que el gobernador lo recibiría en su despacho.

—¡Caramba, Santander, vive Dios que sois el hombre más famoso de Cartagena! —saludó el mandatario.

—Mala fama la que me conduce al infortunio.

—Ya sabéis, amigo, quien al fuego se arrima...

—Permitid que os interrumpa, Excelencia, pero alguien más acuciado que yo implora vuestro auxilio y no es tiempo para refranes.

—Ya... Muy temprano habéis venido. Os debe apretar una causa impostergable. Me anunciaron que veníais de parte de doña Lorenza de Acereto. ¿En qué puede ser útil mi persona?

—Lorenzana... perdón, doña Lorenza, me solicitó entregar a vuesa merced una nota para llevar inmediatamente al inquisidor Mañozca. Sabéis que hoy se falla su sentencia. La nota en cuestión debe tenerla el inquisidor antes de que comience el consejo.

—No sé por qué habría yo de intervenir en estos despropósitos. —El gobernador rodeó el escritorio en actitud pensante—. En fin... ¿dónde está esa nota?

—No la tengo, Excelencia. No soy hombre de letras... ni de las de leer ni de las de fiar. Para las unas no tengo aptitudes y para las otras no tengo dineros. No pude esta mañana acercarme al cuartel para que algún compañero la escribiera. Entended mi situación.

—¿Y qué pretendéis entonces?

—Que la escriba vuesa merced. Yo la tengo memorizada.

—¡Gran osadía la vuestra, caballero! Primero solicitáis que haga la vista gorda a vuestra afición de escalar los muros del convento... ¿o me equivoco...?

—No, Excelencia.

—... Y luego proponéis que escriba de mi puño y letra una nota al inquisidor Mañozca, con Dios sabrá cuáles propósitos... ¿Por quién me habéis tomado?

—Señor de la Vega, vedme como un simple emisario de doña Lorenza. Cumplo sus órdenes. Si en algo la estimáis y podéis ayudarla a salvar la vida, escribid por favor esa nota. Si a mí queréis detenerme o denunciarme, hacedlo. No opondré resistencia.

—¡Ay Dios mío, Dios mío...! Si mi señora averigua esto, me mata. Dictadme la condenada carta.

—¡Gracias, Excelencia!

—Ni gracias, ni cáscaras... Soltad de una vez lo que guardáis en la memoria.

El gobernador tomó papel y mojó la pluma en el tintero. Escribió al dictado del sargento, variando la caligrafía para que no la reconocieran. Dobló el papel y lo selló con lacre.

—Muy bien, mozalbete, iré a llevar este papel a Mañozca. Largaos y no volváis a aparecer ante mi vista el resto de vuestra vida.

—Sois un buen hombre. —Francisco le hizo una venia.

—¡Ca...! Lo que soy es... eso, muy fácil de convencer. Ni siquiera pude decir que no a mi mujer cuando me obligaron a casarme. Pero muchacho... haz bien y no mires a quién.

Santander salió a la calle y se perdió por las callejuelas de Calamarí.

«A mí tampoco me gusta Mañozca, aunque sea el único capaz de librarme de la bruja... mi señora», pensó el señor de la Vega mientras atravesaba la plaza con la nota en la mano. Había mucho revuelo en la Casa de la Inquisición. Varios carruajes aguardaban en la puerta. El gobernador anunció su presencia y le hicieron seguir de inmediato. Salió a su encuentro Luis de Blanco. Explicó al secretario la necesidad de entregar la carta, de la cual era portador, haciendo la advertencia cuatro veces de que actuaba como simple emisario y desconocía el contenido de la misma, pero todo parecía indicar que se trataba de un asunto grave relacionado con el proceso de doña Lorenza de Acereto.

—Lo siento, señor gobernador, fray Juan de Mañozca se encuentra en consejo y es imposible interrumpirle. Si lo desea vuesa merced, yo mismo le entregaré la carta. Entraré a la sala dentro de un rato, cuando vayan a realizar la votación.

—Quedo confiado en vos, don Luis. —Se despidió y regresó a la Gobernación. En realidad, se fiaba tanto del secretario como de una piraña en una letrina; pero no le quedaba otro remedio.

En la sala de Audiencias estaban reunidos desde muy temprano los miembros designados por el Consejo General para que dictaran sentencia en el proceso de doña Lorenza de Acereto. Previamente, Salcedo y Mañozca habían despachado los expedientes de los reos que comparecerían en el primer Auto de Fe, a celebrarse en Cartagena el 2 de febrero de 1614. En la extensa lista muchos nombres conocidos: Juan Lorenzo, Paula de Eguiluz, María Tasajo, Elena de Vitoria, Rufina Biáfora, Potenciana Bioho, y un clérigo ajusticiado por solicitación: fray Luis de Saavedra. Lorenza no saldría en dicho Auto, tendría el suyo particular. No podían exponerla ni exponerse a los sentimientos incontrolados de las multitudes.

Se había dispuesto una mesa alargada en el centro de la sala. Una de las cabeceras la ocupaba Mañozca. La otra, el ordinario del obispado, fray Sebastián Velázquez. A la derecha de Mañozca el otro inquisidor, Salcedo. Junto a él, Bazán de Albornoz. Enfrente del fiscal estaba don Diego Pimentel, el cojo. Y a su lado, el padre Bernardino Almansa. En una mesa pequeña, aparte, el escribano Damián de Bolívar. Quedaba un pupitre vacío, destinado al secretario, Luis de Blanco, garante de la votación.

Después de varias horas de acalorado debate e interrogantes al fiscal, y una vez leídas todas las páginas del proceso, las fuerzas estaban divididas: los dos inquisidores y Pimentel eran favorables a dar un escarmiento ejemplar para el pueblo y mandar a Lorenza a la hoguera (motivos existían suficientes), mientras que Velázquez y Almansa eran partidarios de menores sanciones, leves incluso, pues entendían que la procesada ya había confesado y sufrido mucho por la mayoría de los delitos juzgados.

El provisor y el obispo en funciones entendieron que, por más que berreasen, la balanza estaba claramente desnivelada, tres contra dos, y de nada servía continuar gastando saliva. Casi todas las actuaciones de Lorenza habían sido catalogadas como «*heretical que sapit heressin manifeste*». Mañozca se había llevado el gato al agua.

Sólo hasta la noche anterior, Almansa cayó en cuenta que Diego Pimentel, ahora familiar del Santo Oficio, era el joven al que Tomás Cacanegra, el inseparable amigo de Lorenza, había destrozado el talón de Aquiles con una estaca en la puerta de la catedral. «¡Hasta ahí llega la malicia del inquisidor!» Entonces comprendió lo poco que podría hacerse por la inculpada. «Todo ha sido en vano.» No obstante, lo habían intentado.

Velázquez, finalmente, solicitó al secretario para proceder a la votación. El fiscal tuvo que abandonar el recinto, según las disposiciones.

Mañozca estaba radiante. Abrió las contraventanas antes de que entrara Luis de Blanco. Su arrogancia no cabía en la sala. Poco le había costado días atrás convencer a Diego Pimentel de cuál debía ser su voto. El letrado, recíprocamente, se había deshecho en agradecimientos.

Cuando entró el secretario, Mañozca regresaba a su puesto. Aprovechó su paso junto al inquisidor para agacharse y comentarle la incidencia de la carta. Depositó el papel lacrado sobre la mesa y se dirigió a su pupitre. Permaneció en pie hasta anunciar las reglas de la votación. Los miembros del consejo escribirían en una cuartilla su resolución. Sólo tenían dos posibilidades: la hoguera o el destierro.

Mientras el secretario daba las instrucciones oportunas,

Mañozca quebró el sello de lacre y leyó la nota. Ninguno de los otros percibió cómo se le encendieron los ojos y se le desbordaron las venas de las sienes. Únicamente volvieron la cabeza cuando rompió la nota en mil pedazos y la guardó en el puño izquierdo.

—Disculpen. Se trata de un asunto familiar. Prosigan, por favor. —El inquisidor trató de fingir.

El escribano, tras las explicaciones del secretario, pasó, uno por uno, entregando la cuartilla y una pluma mojada en tinta. Después recogió los papeles, sin mirar, y los introdujo en una bolsa negra. Votó primero fray Sebastián Velázquez. Le siguieron Salcedo, Pimentel y Almansa. Mañozca aguardó hasta el final. Esperaron pacientemente a que el inquisidor escribiera y entregase su voto. Permanecía inmóvil. ¿Por qué tanta demora, si todo estaba claro? La tensión y la incertidumbre se adueñaron del consejo.

Pero Mañozca tenía que sopesar, rápidamente, el calibre de la situación. «Suponía que las amistades de la bruja eran muchas; pero nunca pensé que tantas y tan selectas. ¿Cómo ha podido enterarse de lo de Clara? Muy pocos lo sabían. Sólo Manzanares y el rey. Ahora tendrán que morir dos secretos con ella: el del pergamino y el de mi hermana. Sin embargo, no puedo arriesgarme a que la camarilla de endemoniados que la rodean hagan público el asunto de Clarita. ¿Cómo podría permitir su sacrificio? Mi hermana, mi única familia, mi apoyo... No me lo perdonaría nunca. Juré a mi madre dar mi vida por la suya si fuera necesario. Ya le ofrendé mi carrera. La he protegido, y de su arrepentimiento nació mi felicidad. ¿Merece la pena arrojarla al fuego por una mujerzuela sin principios, sin valores, sin moral ni religión? Tengo que hallar la manera de proteger la vida de Su Majestad sin poner en peligro la vida y la honra de Clara...» Sacó el anillo del dedo y lo hizo girar repetidas veces sobre el mantel. «¡Pardiez, si no fuera porque está en juego la vida del rey...! Estoy seguro de que mi hermana entendería el sacrificio de su vida, si así quedara protegida la del monarca...»

Mañozca escribió y metió el papel en la bolsa. El escribano la entregó a Luis de Blanco. El secretario sacó los papeles y los leyó con parsimonia.

—Hoguera.

—Hoguera.

—Destierro.

Una de las plumas cayó al suelo y manchó la alfombra de tinta.

—Destierro.

«*Ex aequo.*» Quedaba la última papeleta: el pasaporte a las llamas o a la libertad. La tensión era tan material que los rayos del sol, desde las ventanas, no podían penetrarla.

Almansa y Velázquez se levantaron con intención de abandonar la sala nada más escuchar la sentencia de muerte. Luis de Blanco, antes de dar a conocer el veredicto, apartó la mirada del papel y la dirigió a Mañozca.

—Destierro.

Una expresión generalizada de incredulidad y asombro quebró el silencio. ¿Qué insólita circunstancia había podido cambiar la, en apariencia, inamovible condena? ¿Se había atrevido alguien a traicionar a Mañozca? Cuando percibieron la actitud lenitiva del inquisidor, cayeron en cuenta de que él era quien se había traicionado a sí mismo. ¿Por qué? Nadie podía imaginarlo. El contrariado fraile no dio oportunidad a las cavilaciones. De inmediato ordenó al secretario que redactara la sentencia.

Reunidos el día 27 de septiembre de 1613: los inquisidores Juan de Mañozca y Mateo Salcedo, en consulta y vista de procesos de fee; el ordinario del Obispado P. Fr. Sebastián Velázquez, guardián del convento de San Diego, que tiene poder del deán y cavildo de esta santa yglesia en sede vacante; el tesorero, provisor y vicario general del Obispado, P. Bernardino de Almansa; y, como consultor, Diego Pimentel, familiar del Santo Oficio, habiendo examinado el proceso contra doña Lorençana de Acereto, fallaron:

... atentos los autos y méritos del dicho proceso que,

por la culpa que dél resulta contra la dicha doña Lorençana, si el rrigor del derecho uviéramos de seguirle, pudiéramos condenar en graves y grandes penas; mas, queriéndolas moderar con equidad y misericordia, por algunas causas y justos respetos que a ello nos mueven, en pena y penitencia de lo por ella fecho, dicho y cometido, la devemos de mandar y mandamos que le sea leida esta nuestra sentencia y sea reprehendida gravemente, y que el día de su pronunciación, el primero de octubre de mil y seiscientos y trece, oyga la misa que se dijere en la capilla de este Sancto Officio, en forma de penitente, en cuerpo, con sambenito y coroza con sus insignias correspondientes, y una bela de cera en las manos y no se umille, salvo desde los santos hasta haver consumido el Santísimo Sacramento; y, acabada la misa, offresca la bela al clérigo que la dijere. Y la condenamos en dos años como mínimo al destierro de esta ciudad y su Gobernación. Mas le condenamos en cuatro mil ducados de Castilla para gastos extraordinarios de este Sancto Officio, con que acuda al recetor dél y, por esta nuestra sentencia definitiva, juzgando ansi, lo pronunciamos y mandamos en estos escritos.

Mañozca fue el primero en firmar. Antes de que terminasen los demás, abandonó la sala y se dirigió al dormitorio. Mantenía los pedacitos de la carta en el puño. Cuando llegó al cuarto, los colocó en un plato de barro y les prendió fuego con una antorcha. «Vuélvase al humo, lo que humo es.» Había cambiado la sentencia, sí, pero a sabiendas de que otra estratagema le cubriría la espalda. «Esa arpía no tiene escapatoria.» Mañozca trataba de sacarle partido a la nueva situación. Después de cumplir la penitencia en la capilla, la rea tendría que regresar al convento para recoger sus pertenencias, pues al día siguiente, antes del amanecer, debía abandonar Cartagena para ir al destierro. Era probable que esa misma noche tratara de recuperar el pergamino para llevarlo consigo. «Tengo una oportunidad para hacerme con él.» Con pergamino o sin pergamino, la de Acereto sólo tenía dos opciones para abandonar la ciudad: o el puerto, o el camino hacia el río Magdalena, remontarlo e irse al interior. En cualquier caso no era complicado cubrir ambas rutas. Una vez que el gobernador leyera el acta de destierro, una comitiva acompañaría a la bruja hasta las afueras. Allí quedaría sola. En el momento oportuno, algún asesino a sueldo acabaría con ella. «Calamarí está lleno de desalmados, capaces de matar por un puñado de pesos. Debo elegir bien a los hombres.»

No quiero hacer comentarios acerca del sueño con Lorenza ni de la sensación de realidad que me invadía al despertar. Prefiero dejar este aparte en el saco de mis íntimas temeridades.

Bajé del cuarto temprano, dispuesto a encontrar ese día, fuera como fuera, la pista que ya había localizado el padre Ferrer entre los legajos. Desayuné rápido. Fui hasta la recepción para dejar la llave. Me atendió el mismo morenito que estaba de turno la mañana anterior.

—Caballero, le tengo buenas noticias —me dijo—. Ya sé quién es la sardina que usted anda buscando..., la que me dijo ayer.

Me pegué al mostrador como una lapa.

—Es la hija de un senador de la República. Anda con una montonera de familiares y amigos para celebrar su cumpleaños. Se llama Patricia. ¡Menudo ojo tiene usted, maestro! Es una de las peladas más queridas del país.

¡El recorte de prensa! ¿Podía existir alguien igual a Lorenza? No lleva su apellido. No es su descendiente. ¿Nunca había muerto? ¿Se había reencarnado? «Ya estoy desvariando otra vez.» Alguna razón tenía que existir.

—Pero me temo que no podrá verla hasta mañana. Salió temprano para la isla de Barú. —Se me acercó para hablarme en confidencia—. Habitación doscientos veinte.

8

Para entrar en la Taberna del Áncora había que tener pinta de matarife, porte de malandrín y cara de mala gente. Para volver a salir, además, había que ser diestro con la espada, afilado de lengua y discreto con lo escuchado. Sólo quienes públicamente contaban con más de un muerto a su cargo se atrevían a beber, de tú a tú, con la canallesca del puerto. El chuzo estaba medio escondido en el primer callejón paralelo al muelle. Podía distinguirse por la murmulladera inagotable, oleadas de susurros, y por su obscena oscuridad. No era bueno que se regaran, de puertas afuera, los negocios allí tratados, ni era grato ni prudente observar en buena luz los rostros tajados de los contertulios. La Taberna del Áncora abría a la media noche. Los clientes entraban de uno en uno. No eran hombres que se fiaran de sus amistades, tampoco de su propia sombra: la sombra proyectada por la luna solía quedarse aguardando en la esquina.

Resultaba inusual que un carruaje se acercara hasta las estribaciones del puerto a altas horas de la noche. Más inusual todavía que un coche tirado por caballos andaluces se detuviera en la boca del callejón donde hervía la taberna. Del pescante descendió el cochero embozado en una capa negra. Hizo su entrada en el local sin los ademanes protocolarios: desprenderse de la capa con adornados movimientos, echar un vistazo a la concurrencia con mirada desafiante y elegir mesa desde la entrada, estuviera o no ocupada. Los derechos de reserva quedaban establecidos con el mandoble. El derecho de pernada se regía por las mismas reglas. El cochero atravesó el antro sin detenerse y sin mirar a nadie. Se encaminó, cubriéndose la cara con el ala del sombrero, hacia el rincón donde un par de tipos rudos acababan de despachar a dos pelafustanas. Varios hombres se levantaron dispuestos a sajar el camino de quien osaba cruzar su territorio con la cara cubierta. Pero al ver que los dos del rincón se ponían en pie para recibir al extraño, calmaron los ánimos y volvieron a centrar su atención en las mujerzuelas, desdentadas, que hacían lo imposible por entretener a los caballeros.

—Buenas noches los de Dios —saludó el embozado.

—Buenas las tenga usted —respondieron los dos hombres.

—Tal como acordamos, el carruaje espera en la puerta. Hagan el favor de seguirme.

—Un momento; sin afán. ¿Dónde está don Luis? —preguntó el más alto.

—Aguarda en el coche. No hay tiempo que perder.

Los hombres siguieron al embozado. Llevaban la capa en una mano, la otra en el pomo de la espada. Al salir también ocultaron sus figuras tras el manto y el chambergo. Ambos calzaban botas de caña, de buen cuero curtido, en las que se perdían los valones cerrados sobre las rodillas. Botas orladas de mugre y barro que, de tanto haberse incrustado en el cuero, ya hacían parte de él. Olían los tipos a diablos, sería porque los llevaban dentro. Sus cuerpos repelían el agua. Al sentarse a comer, debían pelear contra las hordas de bichos que les saltaban del cuerpo al plato. Las toledanas era lo único resplandeciente de su atuendo, de sus cuerpos y de sus conciencias. Bruñidas con esmero, relucían al chocar contra las escasas luces de la noche. El cochero miró los estoques, arañados y golpeados hasta la cazoleta, con irrefutables cicatrices que harían temer al más pintado. «Voto a Dios que este par son de la peor calaña que alberga Calamarí», pensó el cochero mientras regresaba al pescante, después de haber observado el respeto (miedo) que habían mostrado los demás maleantes en la taberna. «Dios pille confesados a quienes tengan obligación de pararse frente a sus aceros.» A decir verdad, la mayor parte habían muerto por la espalda. No les gustaban los encarguitos con demasiados requiebros. «Cuanto antes mejor, y sin complicaciones», solían decir al aceptar un trabajo. «Garantizamos el fiambre.» Cuando abordaron el carruaje, el hedor echó hacia atrás al único ocupante. Calló, por no importunar a los malhechores.

—Buenas noches, caballeros —dijo el hombre que esperaba en el asiento, ocultas sus facciones tras la capa.

—Buenas. ¿Es usted don Luis? —volvió a hablar el más alto.

—El mismo que viste y calza.

No preguntaron el apellido. La identidad de los contratantes les importaba una higa. Ellos hacían el trabajito, liquidaban o herían a la víctima, cobraban lo estipulado y se perdían sin dejar rastro.

—Pues díganos qué debemos hacer y zanjemos este asunto con premura.

—Señores, no seré yo quien dé las instrucciones. Iremos a lugar seguro. Por mi parte, únicamente advertirles que este asunto deberá tratarse con la máxima discreción.

—No se preocupe usted, trata con los mejores de Calamarí —contestó el de menor estatura.

—No, señor. Ustedes no son los mejores... Son los segundos —don Luis torció la sonrisa.

—¿Cómo os atrevéis...? —Se enfadó el alto.

—Los mejores, señores míos, andan prestos a rematar el trabajo, en el supuesto de algún fallo, y listos a echarles tres palmos de tierra encima si en un descuido se van de la lengua.

Los sicarios lo miraron con rabia, descubriéndose el rostro, mostrando la ferocidad de los cortes que les atravesaban las mejillas. Pero don Luis no se impresionó.

—Cúbranse, caballeros. Vamos a cruzar algunas calles importantes.

Dio dos golpes en el techo y el carro se puso en marcha. Al levantar el brazo, dejó ver bajo la capa un cordón de oro macizo y, en el dedo índice, un anillo con el inconfundible sello de la Inquisición. El más alto indicó al otro la mano de don Luis. «Mierda, el Santo Oficio.» Bajaron los humos de inmediato. La fanfarronería se les escondió bajo la suela de las botas.

Según lo pronosticado, cruzaron, en silencio, algunas calles aledañas a la Plaza Mayor. Luego se adentraron en los arrabales de la ciénaga, hasta llegar a las puertas de una pequeña ermita de piedra, lúgubre y solitaria, a un lado del camino. La única luz era la proporcionada por los farolillos del carruaje: la luna no se atrevía a iluminar aquellos parajes.

—Bajen ustedes y esperen a que abran —ordenó don Luis.

No rechistaron. Aquel don Luis de manos bien cuidadas no podía ser otro que Luis de Blanco, el secretario de la Inquisición. Pero ¿quién estaba dentro?

Se abrió la puerta. En el interior la oscuridad era total. Sólo las llamitas de los faroles del carro se reflejaban en los ojos de marfil de un Cristo crucificado en el altar.

—Acérquense a este confesionario —les reclamó una voz desde el lateral derecho.

Tuvieron que aguzar la vista para distinguir el cajón de madera. Tropezaron varias veces con las bancas hasta llegar al confesionario.

—Arrodíllense, uno a cada lado, y permanezcan en silencio mientras hablo. No quiero ninguna interrupción. ¿Entendido?

—Sí, señor.

—Don Luis ya les habrá hecho la principal advertencia: discreción absoluta. La tarea que les voy a encomendar resultará fácil y bien pagada, para tan avezados y experimentados mercenarios como presumen ser ustedes. El segundo día de octubre, al amanecer, será expulsada de la ciudad una persona juzgada por el Santo Oficio y condenada a la pena del destierro. Dicha persona sólo tiene dos alternativas para alejarse de Cartagena: por el sendero del puerto, para embarcarse, o por el camino del río Magdalena, para dirigirse al interior. Cada uno de ustedes cubrirá una salida. Sea cual sea la que tome, le darán muerte. No hay condiciones. Una vez seguros del fallecimiento, registrarán su cuerpo y sus pertenencias, y me harán llegar cualquier documento o papel que encontrasen. Dinero, joyas o alguna otra riqueza, serán parte de su botín. Después, se alejarán para siempre de estos contornos. Guardarán silencio *per secula seculorum*. Si la persona logra escapar con vida o alguien sabe de este encuentro, morirán irremediablemente. Yo mismo me ocuparé de que la Inquisición les caiga con todo su peso. El cómo, el cuándo y el dónde, son su problema. Don Luis les pagará esta noche la mitad de sus honorarios, diez monedas de oro. La diferencia, cuando entreguen alguna prueba de que han cumplido su parte, así como la documentación incautada.

—¿Qué debemos esperar de la víctima? —preguntó el corpulento.

—No opondrá resistencia. Irá desarmada.

—¿Cómo puede saberlo?

—¡Porque los procesados por la Inquisición no pueden llevar armas...! —A punto estuvo de insultarle—. Y además... porque es una mujer. Ya saben todo lo que deben saber.

—¡Pero señor, nunca hemos matado a una dama! Sería un acto de cobardía por nuestra parte.

—¡A buenas horas vienen a pavonear sus delicadezas! Déjense de monsergas, veinte monedas de oro bien sirven para comprar nuevos preceptos. Ahora vayan y dispongan sus estrategias. Y recuerden: no admito errores.

Los asesinos no se despidieron. Dos cuestiones les aturdían y causaban temblor en las canillas: por un lado, no hacía falta ser muy listo para descubrir en la voz del confesionario al inquisidor Mañozca. Por otro, la única procesada que partía al destierro, según sabía todo Calamarí, era Lorenza de Acereto. Mujer querida para arrastrados y portuarios. Muchos la habían visto crecer en la playa. Algunos habían jugado con ella en la arena. Juntos se habían revolcado en la miseria. La gesta de la hija del pirata era la favorita en hogares, tabernas y mesones. El pueblo no estaba feliz con aquel destierro, pero reconocían la suerte de librarse de la hoguera. «Su magia es tan poderosa que ha embrujado a los inquisidores.»

Cuando ese mismo día, al filo de la media tarde, el cochero de don Luis se había presentado ante ellos en el mesón de la Sevillana, no habían puesto reparos al encarguito, fuese cual fuese, por la inapreciable suma de veinte monedas de oro. «Aquí no vuelven a vernos el pelo.» Era su gran oportunidad, el trabajo esperado por cualquier asesino para dar el golpe y salir del hoyo. Muchos de los que entonces presumían de heridas ganadas en los tercios de Flandes, no eran sino viles suelderos que, gracias a la fortuna, habían logrado cambiar sus infames lesiones de rata golpeada por memorables cicatrices de heroicas guerras inexistentes, más, allí, en el Nuevo Mundo, donde cada cual podía inventar la batalla que mejor se acomodara a sus tullimientos. Sin embargo, acabar con la vida de Lorenza de Acereto era otro cantar. Ya no les cegaba el brillo del oro.

—¡Qué le vamos a hacer, Llano, hemos empeñado nuestra palabra! —se lamentó el grandullón al abandonar la ermita.

—Maldita sea nuestra estampa, Emeterio.

—Maldita sea, hermano, maldita sea.

Déjame, Lorenza, sacarle unas virutas a esta noche de vacilaciones, ya que has pasado de ser un fantasma a convertirte en una verdad elemental de mi existencia. Déjame contarte que no es fácil desprenderse de las huellas marcadas por tu cuerpo.

Y déjame pedirte perdón por haber utilizado mi sueño, mi sueño contigo, quizá nuestro sueño, para tapar el boquete imposible de cubrir para la Historia. Porque no consta, nadie sabe, no está escrito el tiempo en que tú y Francisco puntuaron las líneas escritas por el Destino. Sigo pensando que, como siempre, tú me hiciste llegar el sueño. Tal vez era la única manera de comunicarme que aquel encuentro de hace casi quinientos años también me pertenecía. ¿Por derecho? ¿Por herencia? ¿Por casualidad? Sea cual sea el motivo, tengo la sensación de que has reclamado mi presencia. Ahora es mi legado y yo lo he transferido de mi piel a mi sangre, de mi sangre a la pluma, de la pluma al papel y del papel a este mundo de incógnitas y enredos.

Vuelen las virutas hacia el cielo, mézclense con los círculos descritos por las golondrinas y vuelvan a ser lo que siempre han sido..., estrellas.

El primero de octubre amaneció cubierto de grises. De haber llovido, hubiera llovido mercurio. La superiora despertó a Lorenza antes de que cantara el gallo. La acompañaban dos hombres, uno de ellos era el alcaide de las cárceles secretas, Ramírez de Arellano, quien entregó a la compareciente una vestidura talar, amarilla, cruzada con el aspa roja de San Andrés. El otro, un guardia, le colocó una coroza cuando se hubo atado el sambenito con el cíngulo. Ataviada para su particular auto de fe, Lorenza acudió a la puerta del convento. Subió al rodal de la muerte; otra vez la transportaría en su pringoso estómago, caliente como el infierno, hasta la capilla de la Casa de la Inquisición. En las calles comenzaban a escucharse las voces de los primeros agitadores.

La Mojana iba seduciéndola, ella la rechazaba con el deseo irreductible de las últimas posibilidades. Porque la idea lógica y patente de una contingencia favorable *in extremis* nunca había desaparecido. Así no tuviera un horizonte claro, por no soltar la Vida de la mano, se aferraba en aquellos rígidos momentos de duda, de muerte, a una mínima esperanza que el futuro le mostraba como un sueño rebosante de soledad. La Mojana le golpeaba la coroza, muerta de la risa, y la tiraba al suelo. Lorenza permanecía quieta, impenetrable, y la fulguraba con sus ojos de miel. La Mojana le daba vueltas, le acariciaba el pelo y seguía riendo. Lorenza lloraba, le escurrían las lágrimas hasta la boca, pero seguía mirando a la Muerte, firme, aguantando el tipo. Los nervios le desgarraban el estómago con las uñas. «Espero, Mojana, que si dentro de un rato has de venir a rescatarme del fuego, lo hagas pronto. No me dejes sufrir entre las llamas.»

¿Sería factible que Lorenza supiera más del pergamino de lo que podemos imaginar? Su hermetismo no posibilita certificar este supuesto. Sin embargo, nada impide especular que entre palabra y palabra, frase mal o bien armada, o alguna consulta fructífera realizada a personas no implicadas en el proceso, le permitiera conocer más al detalle el contenido de las predicciones. Porque grandes fueron el aguante y la fortaleza mostrada ante el inquisidor y el tesón desmedido con que defendió su secreto, incluso arriesgando la propia vida. Lo cierto es que, conociendo o no el significado del pergamino, obró acorde y fielmente a sus promesas y convencimientos. No se amilanó ante las propuestas y tentaciones de Mañozca. Tampoco ante el tormento. Cabe también preguntarse si quizá sólo actuó como actuó para vencer su pugna contra la opresión, o como continuidad de aquel juego de niños con el francés... o una enorme venganza por todo el sufrimiento y las injusticias vividas en su entorno y en sí misma... o simplemente por miedo. ¿Qué estaba defendiendo como legado a la posteridad? ¿Una advertencia, una represalia, un castigo, una recompensa? ¿Acaso lo sabía?

Más humillado que la propia rea estaba Andrés del Campo, porque bien temprano el receptor del Santo Oficio había tocado a su puerta para solicitarle, muy comedidamente, sirviera entregarle la no desperdiciable cifra de cuatro mil ducados que tras los avisos recibidos había dispuesto la noche anterior en su despacho, rabiando encima de cada una de las barras de oro sacada de sus arcones para que pasasen a engordar los del señor inquisidor. Maldijo cada uno de los lingotes y juró por la tumba del Santo Sepulcro que aquel oro habría de volver a sus arcas. «Bastante he sufrido yo, cargando con una hembra de malas costumbres que trató de acabar con mi voluntad y con mi vida.»

«Pedro de Bolívar, recetor, en primero día del mes de octubre, trajo en barras de oro los quatro mil ducados en que fué condenada la dicha doña Lorençana, las cuales dichas barras de oro se metieron luego en el arca de las tres llaves que está en la cámara del secreto, estando presentes los señores inquisidores, y se asentó esta partida en el libro de entradas.»

Mientras el escribano se revolvía en sus espumarajos, una escolta de ocho guardias, precedidos por Ramírez de Arellano, abrió paso al lúgubre carruaje. Lorenza, entre la cócora de la desesperación, escuchaba los clamores opacados por la madera húmeda del rodal. Las estrellas, horas antes, le habían achicado la ansiedad. Hablaron de calma, del aire soplando en las copas de los árboles, y también le habían recomendado prudencia... ¡Ojo avizor!

Al descender del carro, rodeada de negras armaduras, el estruendo fue descomunal. Naranjas, tomates, huevos, lechugas, piedras, insultos, blasfemias, hechizos, madrazos, ultrajes... cayeron sobre la comitiva que intentaba alcanzar la puerta de la Casa de la Inquisición. Los guardianes y el funcionario buscaron protección en el interior del zaguán. La rea fue aupada en volandas por dos guardias. La desarreglada procesión alcanzó su destino jugosamente aderezada con restos de frutas, verduras, claras escurrientes, moretones, brechas, chichones y magulladuras. Mañozca, ilógicamente sereno, solicitó la presencia del señor de la Vega. Mantuvieron una pequeña conversación.

Una orden del gobernante, sigilosa, y por la retaguardia, desde las cuatro esquinas de la Plaza Mayor y las calles adyacentes, una tropa de comisarios y soldados cargaron contra la muchedumbre. Los más hábiles corrieron con suerte y lograron refugiarse en las casas próximas. De los bravucones, ocho murieron. A la hora de comenzar el sacro acto ni un alma asomaba por las cercanías. Un cordón de guardias rodeó la cuadra. Los cuerpos de los ocho muertos fueron colgados en postes, junto al rollo, en el centro de la plaza, como únicos testigos del amanecer.

La capilla había sido preparada con el fausto y los juegos

de impresionismo que sus recoletos espacios permitían. Los negros pendones en las paredes, los cirios ardiendo, la vetada claridad, el tufillo a encierro, la agónica mirada del Cristo en el altar (parecía haber escapado de la sala de torturas aquella misma noche), y la concurrida asistencia de personalidades eclesiásticas, incluyendo al padre Sandoval, Bernardino de Almansa, fray Sebastián Velázquez, los abades y superiores de todos los conventos, los inquisidores Salcedo y Mañozca, para un total de treinta y seis ensotanados, impresionaron a Lorenza cuando pisó el mármol frío, impersonal, de la capilla. Tuvo que permanecer de pie en medio de los religiosos, con la cabeza gacha. Ella, aún, no conocía los términos de la sentencia. Albergaba la esperanza de la efectividad de la nota. ¿Habría conseguido Francisco su propósito? Se veía ridícula ataviada con aquellos lienzos amarillos, signo de vergüenza y sometimiento, que no le causaban sino ira. El clérigo encargado de celebrar la misa, fray Rodrigo Pereira, dominico, hizo una indicación con la mano a Luis de Blanco. El secretario se colocó delante de la rea, subido en un pequeño estrado, y comenzó a leer la sentencia.

Al escuchar el veredicto, Lorenza no pudo menos que abandonar la postura claudicante y levantar la mirada, con sorpresa... con un ápice de gusto reflejado en los diminutos brillos que por un momento volvieron a recorrerle las pupilas. Imprecó contra Mañozca por haberle avinagrado la vida. Le extrañó, como a la mayoría, las leves penas aplicadas, contrarias al presupuesto. Pareciera que el escribano, a decir por la cantidad exigida, fuera el responsable de los pecados de su esposa, de los suyos propios y de parte de los cometidos por los vecinos de la región. «Costosa le ha salido al picaflor la toma de Cartagena.»

Un familiar del Santo Oficio, Francisco de la Parra, colocó en manos de la penitente una vela encendida. Lorenza cumplió los requisitos impuestos por el fallo del tribunal, no arrodillándose hasta consumido el Santísimo Sacramento y soportando las constantes advertencias lanzadas como dardos por fray Rodrigo de Pereira durante el ceremonial. Los sermones, los cánticos, los manteos, todo el contorno se perdía tras la llama diminuta. Sus fantasmas, sus creencias, sus culpas... aquéllos no desaparecían, nada sucumbía al arrepentimiento, nada se quemaba ni se desprendía de su alma ni de su cuerpo. ¿No deberían evaporarse junto a las frases del ritual todas sus lacras y todos sus carcinomas?

Entregada la vela al celebrante, concluida la misa, llegó el momento de la abjuración. «*Abjuración de levi*», según constaba en el fallo: «*... y por la sospecha que contra la rea del dicho proceso resulta, le mandamos abjurar y abjure públicamente de levi los errores de que ha sido testificada y acusada y toda otra cualquier especie de herejía...*». Lorenza abjuró; no le quedaba alternativa. Por último, escuchó los castigos que adicionalmente deberían cumplir, tanto ella como sus descendientes, por haber sido condenada por la Santa Inquisición: no portar armas, no lucir joyas, no ocupar cargos públicos... y una inacabable fila de noes repetitiva y mutilante. Finalizado el autillo, los clérigos se retiraron y Lorenza quedó en libertad. «¡Libertad! ¿Libertad?»

Mañozca no la perdía de vista. Dispuso en la puerta un carruaje privado, verde oliva, para conducirla al convento y recluirla hasta la pronunciación del destierro. Lorenza volvió a salir protegida por la guardia. En cuanto apareció por el portón, la multitud se abalanzó sobre ella. Querían animarla, tocarla, felicitarla. Alguno que otro se postró de rodillas para rezarle. El trayecto hasta la carroza era corto; pero no lo suficiente para que la turba penetrase por los costados y abriera una brecha en la cadena que habían formado los guardias uniendo sus brazos. El griterío era ensordecedor. La noticia de la venialidad de la sentencia pronto corrió como la pólvora. Un marinero logró acercarse a Lorenza hasta atufarla con su aliento de ron. Por encima del vocerío logró decirle: «Guárdese mucho, niña, el inquisidor ha sembrado de muerte los caminos que parten de Calamarí».

Intentó distinguir al viejo. Lo buscó entre la algarada. No había rastro de él. De nuevo la protegían las voces de su pasado. Tiró la coroza al suelo. Desde que escuchó el veredicto le asaltó un presentimiento: aquel monstruo tenía cola. Mañozca, evidentemente, había transigido a la amenaza de la carta; pero aún no daba por acabado el pleito que mantenía de forma personal.

Lorenza subió al carruaje con la zozobra prendida del sambenito. «Ángel de Luz, protector, con tu voluntad secreta, todas las sombras se movieron por tu eterno poder. Mueva el corazón de mis asesinos, a que no me hagan perecer.»

En la biblioteca del convento comencé a revisar los legajos por el lado opuesto del que lo había hecho la última vez; simples cábalas agoreras. Traté de alejar los motivos, y eran muchos, que intentaban despistarme nuevamente. O conseguía la concentración adecuada o se iban al traste todas mis pretensiones. ¡Fuera sueños, fuera mensajeros, fuera recuerdos, fuera corazonadas!

El primer mamotreto no contenía nada interesante, salvo un acercamiento a las fechas esperadas. Cogí el segundo fardo, repleto de manuscritos desordenados. Leí con parsimonia la primera acta. Era una sucesión de incongruentes anotaciones, tales como los réditos de la huerta, las recetas aconsejadas para las comidas, la instalación del Cristo en la capilla... Nada capaz de levantar la menor sospecha, hasta que llegué al final del documento: «*Hermana Coronación. Treinta de septiembre del año de mil y seiscientos y trece*».

¡Por fin! Aquella fecha me sacudió en el asiento. Pasé la hoja. Encontré un pedazo de papel con una frase escrita a pluma. Enseguida reconocí la letra del padre Ferrer. Era una frase corta, concisa, enigmática, aunque más alegórica que indicativa: «La respuesta está en el barro de los Andes».

La segunda acta comenzaba diciendo: «*Hoy recibimos nuevamente en esta santa casa a doña Lorençana de Acereto, mujer de Andrés del Campo...*».

La berlina de los inquisidores, con Lorenza a bordo, abrió con suma dificultad un camino entre la multitud hasta la puerta del convento carmelita. Consiguió llegar pasado el medio día. Los comisarios del gobernador custodiaban la entrada, y allí permanecerían, conteniendo a la turbamulta, hasta que la condenada partiera hacia el destierro.

La advertencia del marino ocupaba todos sus pensamientos. Acudió a su cuarto, intentando recuperar la privacidad y la quietud suficientes para analizar la situación y buscar la salida más airosa. La guardiana, y a ratos la superiora, vigilaban permanentemente sus movimientos. Le habían prohibido cerrar la puerta del dormitorio. Necesitaba hablar con la hermana Semilla. Lorenza suponía que la abadesa andaba, instigada por Mañozca, a la caza del pergamino.

Trataba de cavilar. Si partía con todos sus cofres y arcones, pocas posibilidades tenía de evadir el cerco de asesinos que, supuestamente, le había tendido el inquisidor. Renunció a todas sus pertenencias. Sin embargo, para no levantar sospechas, empacó sus ropajes en los baúles. «Mejor que piensen que voy cargada.» Apartó una saya liviana, de esclava, guardada como evocación de mejores tiempos. ¡Intentaría alcanzar la libertad vestida de esclava! Ironías de la Vida.

—Lorenzana, hay gente en el portón que reclama su presencia —dijo la hermana Semilla irrumpiendo en el cuarto.

—Ah, hermana, afortunadamente la veo. La estaba buscando.

La monja entendió la necesidad de alejar a la guardiana, allí clavada como un poste.

—¿Qué decimos a la gente que os aguarda? —preguntó.

—¿Quiénes son?

—El escribano, don Andrés del Campo, y un oficial de los alféreces del rey.

—¿El sargento?

—No, señora. Éste, por la chatarrería, parece de mayor graduación.

—Hermana, espantad por favor al escribano. No estoy en condiciones de soportar las estupideces de ese hombre. Al oficial, decidle que espere unos minutos. Me cambiaré y lo recibiré en el locutorio.

—Lo recibiréis en el torno. Las órdenes de la hermana Coronación son que nadie entre en el convento —dijo la guardiana frunciendo los pelillos del bigote que le sombreaban el labio.

Lorenza se quitó el sambenito y lo arrojó con fuerza a los pies de la cama. «Ojalá tuviera una antorcha para quemarlo.» Rescató una basquiña negra y una blusa perla del arcón y se las puso. Con la guardiana pegada a los talones se dirigió al torno.

A través de la tupida celosía no alcanzaba a distinguir la cara del soldado. Sólo escuchaba su voz gruesa.

—Buenas tardes, mi señora. Soy el teniente Alfonso de Laredo, compañero y amigo de don Francisco Santander. Antes de partir a Santa Marta, me rogó encarecidamente que estuviera pendiente de usted y le diera auxilio si lo necesitaba. Y así lo he hecho, en la medida de mis posibilidades. Alguien no está muy conforme con el veredicto dado por el Tribunal, o, al menos, hay personas a las que parece no convenirle mucho que sigáis con vida. Por eso, vengo a preveniros de que, según rumores, puede haber sayones apostados en los caminos. Necesitaréis la ayuda del cielo para salvar la vida. Os he traído una vela para que busquéis en ella vuestra salvación.

«¡Velas a mí! ¿Qué le habrá dicho Francisco al cretino este?» Lorenza dudó antes de aceptar la vela. Podía tratarse de una celada. ¿Pero estaba en disposición de rechazar auxilios? El habla del teniente sonaba sincera. La hermana Semilla, para distraer la escucha de la guardiana cantaba a voz en grito desde los soportales del claustro. El oficial puso la vela en el torno y lo giró para entregársela a Lorenza. La guardiana se adelantó. La examinó con la vista, la olisqueó como un perro, la mordió y, tras comprobar que aquella cera podía ser digna de quemarse en un altar, la entregó a la destinataria.

—El alma de esta vela os conduzca a una larga vida —se despidió el soldado.

«¿El alma de esta vela?»

La guardiana se entretuvo reprendiendo a la vil cantora y Lorenza aprovechó para correr por el patio y esconderse entre el edificio de las celdas y la iglesia, detrás de unos materiales de construcción abandonados. Tenía poco tiempo. Partió la vela con un pedrusco. A veces hay que ayudarse un poco de la fuerza para llegar al alma de las cosas. Ciertamente, el alma de la vela podía, intentaría al menos, liberarla. Un papel estaba enrollado en la cuerda de la mecha. Lo deslió y lo leyó.

Abandonad todo equipaje y toda carga que pueda lastrar vuestra huida. Una cabalgadura os aguardará en la puerta del convento. Después de la lectura del bando, todo el mundo piensa que tomaréis el camino del muelle, a la espera del primer barco que zarpe rumbo a Santa Marta. Así debéis hacerlo. Tomad el sendero que baja hacia el puerto. Pero antes de cruzar el puente, arread a la bestia y galopad a rienda suelta a través de los árboles del bosque, bordeando el arroyo. La corriente os llevará al lado opuesto de la ciudad. No paréis hasta llegar al cruce del camino del Magdalena. Allí encontraréis, antes de que claree la mañana, una carreta con frailes agustinos que se dirigen al interior. Ellos se ocuparán del resto.

A. de L.

Rompió el comunicado y guardó los papelillos y los fragmentos de cera bajo los escombros. No le agradaba que hubiera religiosos de por medio; pero aceptó el amparo, confiada en que el nombre de Francisco le trajera eso... suerte. Se alejó de allí por la parte trasera de la iglesia y dejó verse en un punto distante del escondite. La guardiana acudía bufando como un buey, bamboleando las grasas en medio de violentos resuellos.

—Si volvéis a hacerlo os arranco el pellejo con agua hirviendo.

—Guarde los sofocos, hermana, fui a ofrecer la vela al Cristo de la capilla.

—No creo que el Cristo reciba nada de tan sucias manos.

Lorenza aguantó la impertinencia, aunque le golpeaba los dientes. No le convenía provocar jaranas. Regresaron al dormitorio. La bigotuda se fosilizó en la puerta.

Al cabo de un rato, cuando ya Lorenza estaba al borde de la desesperación, llegó la hermana portera anunciando que la superiora requería la presencia de la guardiana. «Vaya con Dios, hermana, yo me ocuparé de la meiga.» Nada más irse, la gallega entró en el cuarto.

—Diga rápido si algo se le ofrece. Cuando la guardiana descubra que le he mentido, me va a descuartizar. La hermana Semilla no puede acercarse y me ha solicitado el favor que viniera yo mesma.

—Gracias, hermana. Sólo le pido una ayuda. Junto al pozo hay un majano. En una grieta que forman las piedras, pegada al suelo, encontrará un envuelto. Si me lo pudiera alcanzar sería gran beneficio.

La celadora corrió hasta el centro del patio. No le costó hallar el atadijo. Volvió al dormitorio y se lo dio a Lorenza.

—¿Ese papeliño guarda algún perifollo? —preguntó la monja.

—Algo parecido, hermana. Muchas gracias. Me gustaría recompensarla.

—No se afane, que no quiero recibir cosiñas de meiga. Mi Señor us proteja.

Y la hermana portera salió a perderse, porque los gritos de la guardiana ya se oían desde las escaleras.

... la hermana Inés del Avemaría, portera de aqueste convento, recibió en castigo diez latigazos por el pecado de mentir a la guardiana y distraerla de sus quehaceres, ansi como por las confessiones antes declaradas. Como Superiora que lo soi, pedí a doña Lorençana que me entregase el papel sacado de entre las piedras, so pena de esculcar todas sus pertenencias y someterla a grave escarmiento. La susodicha diome un pepel mojado en agua con letras muy deformes y escurridas y asseguró no haver más papeles en su poder ni en sus pertenencias. La hermana guardiana hizo inventario de todas sus cosas de la dicha doña Lorençana, sin hallar otro documento.

Así terminaba la hoja del diario correspondiente al primero de octubre de 1613, firmada también por la hermana Coronación, legajada en el fardo que escondía la nota del padre Ferrer.

Carmen entró en la biblioteca justo cuando apretaba mi puño sobre la mesa en señal de júbilo.

—¡Vaya pues, hombre! Parece que ya le vio las pulgas al perro —exclamó.

Le comenté el éxito del hallazgo. Carmen parecía interesada por el desarrollo de los acontecimientos. Se sentó a mi lado. Expresé mi inquietud por el papel que envolvía un perifollo, pues no tenía claro si se trataba del pergamino. Lorenza había advertido que no volvería a tocarlo. No obstante, a última hora, solicitó a la portera recogerle un «envuelto», arriesgándose mucho, para que lo llevara a su cuarto. ¿Qué contenía aquel «envuelto»? Era ilógico esconder el manuscrito a la intemperie, expuesto a los rigores del clima, menos aún, permitir su deterioro...

—Quizá había utilizado aquel papel mojado a modo de sobre de otro documento, y dentro del envoltorio se encontraba el verdadero manuscrito —apuntó Carmen—. Lorenza tuvo tiempo de guardarlo en alguna parte antes de que le interrogara la superiora.

En teoría, encajaban varias hipótesis. Todo aquello me parecía a la vez demasiado fácil y demasiado complejo. No me terminaba de convencer. ¿Qué importancia le había dado la superiora? Aparentemente, no mucha. ¿Por qué correr riesgos a última hora? ¿Qué objeto respondía a la denominación de «perifollo»?

También le dije que el teniente Laredo pudo advertir a

Lorenza de la emboscada dispuesta por el inquisidor, y ayudarla así a preparar un plan de escape.

Lógicamente, no conocía en ese instante con lujo de detalles todo lo que había sucedido aquella tarde. Pero algo comenzaba a intuir: la vida de Lorenza no encerraba la totalidad del misterio. El Destino había preparado la gran jugada maestra para más tarde...

Las diferentes órdenes religiosas de la época mantenían una constante lucha para ganar territorios de influencia. Dominicos, agustinos, jesuitas, franciscanos... pugnaban por los espacios del interior. Constantemente partían desde Cartagena expediciones formadas por puñados de religiosos aventureros, destinadas a fundar conventos o iglesias en las frías tierras andinas. Frailes y monjas se apoyaban mutuamente, dependiendo de la orden en que militasen.

En el día de ayer, antes de la queda, fueron puestas a disposición de unos monjes agustinos algunas frutas y verduras de la huerta, que nuestra caridad les dio por considerar muy cathólica y buena su missión de ir a fundar un convento christiano en Baza, en la muy lejana comarca de Márquez.

Estas líneas pertenecen a la segunda página del diario. Aquel grupo de agustinos a los que hacía referencia la hermana Coronación, factiblemente, serían los mismos que le indicó el teniente Laredo a Lorenza. No era común que varios grupos de religiosos partieran de Cartagena al mismo tiempo.

—Estoy hecho un lío —confesé a Carmen.

—Algunas veces la solución viene por sí sola. Cuanto más nos empeñamos en buscarla, más se nos esconde.

—Soy algo impaciente. Pero está claro que me toca continuar paso a paso —dije tratando de autoconvencerme. Al menos, tenía la satisfacción de saber que Francisco (familia es familia) se había preocupado por el bienestar de Lorenza.

La tarde del primero de octubre no sólo registró los disturbios callejeros, los preparativos del destierro de Lorenza o las agrieras de Mañozca. Andrés del Campo, furibundo por el rechazo y el desplante que le había propiciado su esposa, y convencido de que no la volvería a ver jamás, centró su cólera en tratar de recuperar, en todo o en parte, el oro apoquinado al Santo Oficio. A la hora de la siesta se presentó en la catedral con pretensión de ser escuchado por Bernardino de Almansa. El provisor, dispuesto a sacarse la espina, recibió y aprobó los argumentos esgrimidos por el escribano. Ambos tomaron asiento en el escritorio del despacho y redactaron un pliego de descargos que enviaron a España en el primer correo. Aunque el oficio, dirigido al Consejo General de la Inquisición, lo redactara el provisor, el único firmante fue Andrés del Campo.

Digo que el tribunal de los ynquisidores de la dicha ciudad de Cartagena procedió contra doña Lorençana, mi muger, y, según lo que por la execución a parecido, fué condenada en cuatro mil ducados y otras penas y, a lo que puedo presumir, la causa sería ymputable aver admitido algún uso de yerbas, polvos o palabras, de lo qual V. A. a de ser servido de no hacer la consideración que se deviera en estos rreynos, porque en aquella tierra es nuebamente plantada la fee y a estado llena de yndios ydólatras y las personas que allí an nacido, como nació la dicha doña Lorençana, se crían al pecho de amas yndias y negras que, ni hacen escrúpulo de lo susodicho, ni lo conocen por cosa mal echa, hasta que agora se fundó alli el dicho tribunal del Sancto Officio de la Ynquisición y con sus editos se a conocido; Atento a lo cual y a que la dicha doña Lorençana, como queda referido, nació en la dicha ciudad y se crió con las amas referidas, que son personas de poca capacidad, y ser ella de hedad no esperta en cosas que la pudieran advertir, y puesto que se trata del honor y fama de un hidalgo y su familia, a S. S. suplica se sirva mandar reeber los autos y, usando de la benignidad y misericordia, provea de tal forma que mi honor quede a salvo, deuelbiéndome los dineros pagados, pues por tal condenación quedaría con perjuicio considerable.

Los cuatro mil ducados («poderoso caballero es don Dinero», diría el poeta Francisco de Quevedo por aquellos años en Madrid) hicieron cambiar al escribano todos los convencimientos que, aparentemente, tenía contra su esposa. Le importaba un ardite el castigo moral, la misa o el destierro de Lorenza..., todo eso era ya causa perdida. Pero otra cuestión, razón de peso inmisericorde, eran las barras de oro que habían pasado ingrávidamente desde sus arcas a las del Santo Oficio. Y por muy santo que fuera el oficio de los inquisidores, no estaba dispuesto a que, además de las narices, le tocaran la cartera. Reemplazar la esposa sería coser y cantar. Conseguir otros cuatro mil ducados, una utopía. ¿Podría aclarar el cambio de actitud el tan traído y llevado, desde entonces y hasta la actualidad, baldón de la hidalguía? Porque no son pocas las veces que se ha escuchado lo de «por ser gente principal...» (hoy por hoy, resulta más común escuchar lo de «es de buena familia»). Lo cierto es que si para el escribano iba en detrimento de su reputación el tener un familiar penitenciado por el Santo Oficio, ¿por qué esos escrúpulos salieron a flote cuando la causa ya había sido fallada, y no antes, en el curso del proceso, donde él mismo la acusó de hechicera, en vez de, como ahora, tratar de justificarla? De haber actuado así, quizá otro habría sido el resultado, aunque nada supiera el escribano del asunto del pergamino ni de la guerra privada que mantenía el inquisidor Mañozca con Lorenza. De aquellas lides, tampoco sabían en España. Para Andrés del Campo, de escasa o de ninguna importancia eran las penas morales impuestas, ni que su mujer hubiera vestido el sayal de los penitenciados, ni que, infiel a los preceptos cristianos, fuera sorprendida o amenazada con la excomunión, ni que mala cristiana, se viera condenada al destierro. ¿Qué le importaba todo eso al escribano? Pero, ¡ah!, el golpe que había sufrido su caja..., ¡eso ya era otro cuento! ¿Y qué mayor motivo podía tener para reclamar ante el Consejo General, si además podía adornarse con los peligros del honor y acompañarlo con una larga ejecutoria que probase su rancia, limpia y prístina hidalguía? Por otro lado, sus amigos en la corte no iban a defraudarle.

—Mal hicimos, Llano, en dejarnos embaucar por ese marino tuerto. Malo es el ron para calafatear secretos.

—Más vale, Emeterio, que el navegante no haya abierto la boca. Tú sabes todos los amigos que doña Lorenza tiene en Calamarí. Si riega el chisme, el inquisidor nos va a hacer picadillo.

—Si sólo hiciera eso no me importaría porque ya estaríamos muertos. Pero, ¡ay diosito, cuánto tendríamos que penar antes!

—Lo dicho, Llano..., el ron y los secretos no deben mezclarse. Pero ahora no tenemos más remedio que cumplir nuestra parte del trato. Después, no nos encontrará ni el mismo diablo.

—No, Emeterio..., el diablo ya nos encontró.

Ambos se envolvieron en la capa. La noche estaba fresca. Temían que «la oportunidad de su vida» fuera al traste, por bocones. Días atrás, en el candor de las pestilencias de la Taberna del Áncora, un viejo marinero, un desconocido como otro cualquiera, hermanado a ellos por la desgracia, se había sentado en su mesa a ver bailar a la Lunareja (la que mostraba en sus danzas la mancha honrándole el trasero) y después de ventilarse la primera botella de ron, pasada la etapa denominada en las borracheras como «de las alegrías», llegó la de «las confesiones»; confesiones que terminaron hiriendo los oídos del navegante tuerto. «Yo vi corretear por estos andurriales a esa pobre chiquilla. ¡Menuda era su madre... la María! Ésa sí era una hembra como Dios manda. ¿Serán capaces éstos de estripar a la muchacha? ¡Malparidos...!»

El marinero, trajinado por la vida más de la cuenta, no contó lo escuchado a cuanto entrometido atravesó su camino, por el contrario, seleccionó las personas a su alcance que poseían suficiente rango o estaban en capacidad de intervenir o hacer algo por Lorencita; incluso, buscó la forma de decírselo a ella misma. Así llegó la noticia al teniente Alfonso de Laredo quien, sin parecer pendenciero, también gustaba de los favores de la Lunareja.

Había llegado el amanecer del segundo día del mes de octubre. Los dos sicarios se habían protegido cerca del puente que comunicaba la ciudad con el puerto. Al asomarse por el horizonte el primer atisbo de claridad decidieron el enclave que cada uno habría de ocupar.

—Yo cubriré el camino del puerto. Tú, Llano, te ocuparás del que conduce al río. Si tuvieras mala suerte y tomara esa ruta, cosa poco probable, no te descubras hasta estar plenamente seguro de que se trata de doña Lorenza. Irá sola. Pon atención, porque es variada la gente que aprovecha la frescura del amanecer para emprender viaje.

—Tranquilo, Emeterio, por la cuenta que nos trae, no he de fallar. Deséame suerte, como yo te la deseo. Si dentro de tres horas no ha cruzado doña Lorenza por delante de mi puesto, será que lo ha hecho por el tuyo y me iré a esperarte a la cueva de los Bucanes.

—Allí nos veremos. Que la Virgen del Carmen te proteja, Llano.

El más cuajado, Emeterio, se escondió en la maleza del camino, poco después de atravesar el puente. Llano, el regordete, rodeó la muralla hasta el otro lado de la ciudad. Se apuró a buscar el sitio apropiado para esconderse, más allá del cruce de los Candiles, en el punto que espesaba la manigua. Asustaban los sonidos de la noche herida; pero el recuerdo del aliento mortal del inquisidor les hizo aguantar la tensa espera.

Al filo de las seis, cuando las estrellas todavía titilaban, Lorenza abandonó su cuarto vestida con la saya blanca, ninguna carga, las manos libres, y se encaminó a la puerta. Una pequeña cuenta azul y naranja, de las miles que conformaban el collar heredado de Margarita, desbaratado en la boda por el escribano, colgaba en su cuello de una improvisada cinta de tela verde. La guardiana, la superiora y la hermana portera esperaban junto al locutorio. La hermana Coronación había prohibido dirigirle la palabra. La portera corrió los cerrojos y abrió el batiente. Los cascos de una cabalgadura resonaban en la callejuela. Por la bocacalle, un grupo de soldados enfilaba hacia la puerta del convento. Lorenza salió por última vez, sin mirar atrás. Quedó un rato observando al animal, una hermosa yegua negra, con el brío a flor de piel, de pelo brillante, recio, cuello largo, crines sedosas, patas fuertes, nervios templados...

Cuando los soldados estuvieron a su altura, montó sobre la yegua. Cuatro guardias se colocaron a cada lado. Dos adelante sujetaban las bridas. Despacio, recorrieron las calles que desembocaban en el centro de Cartagena, a la luz de los faroles moribundos.

En la Plaza Mayor, quienes aún tenían un resto de fuerzas tras los desmanes del día anterior, y algunos curiosos más, se agolparon para escuchar el bando que expulsaba a Lorenza de la gobernación. Ante el arribo de los mandatarios, los comisarios mostraron el bolillo para calmar los ánimos. También los militares estaban cansados.

En la escalinata de la catedral, donde el tío Luis y Margarita la salvaran veinticinco años atrás de su primera muerte, se habían situado las autoridades. El señor de la Vega llegó con aire abatido. Mañozca y Salcedo, a su derecha, intimidaban al pueblo con vistazos aleccionadores. Era el primer castigo que imponía la Inquisición en aquellas tierras. En adelante, serían los amos y señores de la crueldad y del terror; nadie podría oponérseles. Mañozca, de cuando en cuando, sacaba el anillo del dedo para jugar con él.

Lorenza cabalgó, rodeada por la escolta, hasta el pie de la escalinata. El gobernador, triste y solemne, dio lectura al bando que decretaba, por orden del Tribunal de la Santa Inquisición, el destierro, en los términos conocidos, de doña Lorenza de Acereto. Durante la lectura del acta el silencio fue absoluto, solidario. Únicamente lo rasgó el vuelo de las golondrinas.

Mañozca se ofuscó por la insolencia de la desterrada; pocas horas habían transcurrido desde la celebración del auto, y la muy descarada, desafiando a la suerte o provocando a la justicia, había colgado de su garganta un abalorio africano. Lo que para muchos pasó inadvertido, reclamó la atención del inquisidor. Bien conocía él aquellas heréticas simientes azules y naranjas que los negros usaban en los rituales mágicos. Con ganas se lo hubiera arrancado ahí mismo; pero no merecía la pena provocar crispaciones.

Concluida la parafernalia oficial, Lorenza giró la yegua, lentamente, y libre de la guardia comenzó a cabalgar por medio de la plaza hacia la calle que bajaba al puerto. Mañozca suspiró. «Hasta siempre, Lorenza. Mueran contigo tus secretos, los escándalos, las amenazas y las conspiraciones. Vuelvan a la calma las aguas que con tus malas artes has removido.» El inquisidor dirigió una mirada, intentó ser protectora, a su hermana Clara, que permanecía mezclada con la gente en las primeras filas.

Lorenza, en el extremo de la plaza, donde era menos densa la muchedumbre, arreó a la yegua y la puso al trote. Por el empedrado de la calle rebotaban los ecos de los cascos.

El sol comenzaba a despuntar. Dejó las murallas atrás y se dirigió al puente. Emeterio, camuflado en la maleza, veía, patrocinado por el alba, el camino que descendía desde la ciudad. Divisó la cabalgadura. Desenvainó la espada y agarró el extremo de una cuerda que había atado a un árbol, al otro lado del camino, y había mimetizado con hojas secas. Descartó desde el principio el uso de armas de fuego, el ruido llamaría la atención de los vecinos.

El sicario alcanzó a ver cómo Lorenza, un trecho antes del puente, agitó las riendas de la bestia y la golpeó con los talones para ponerla al galope. Asió con dureza la cuerda, porque la velocidad que traía el caballo provocaría un tirón descomunal. Ya estaba a punto de cerrar los ojos para aguantar el jalonazo, cuando percibió que los pasos desbocados del animal tomaban otro rumbo. Levantó la cabeza y vio que el negro corcel, justo antes de atravesar el puente, había abandonado el camino y chapoteaba por el borde del agua, loma arriba, buscando la selva. Lorenza, con la mano izquierda, trataba de apartar las ramas que le golpeaban la cara y se enredaban en la melena.

En el Archivo de Indias, Sevilla, reposan los diarios y las cuentas del convento de la Popa, bastión de los agustinos, cuyos antecedentes ya conocemos. Permítanme hacer a esta altura un oportuno paréntesis para constatar un detalle descubierto algo después de mi estancia en Cartagena. Como ya habrán deducido, escribo estas líneas desde la perspectiva que otorga el tiempo. Mis investigaciones no acabaron con mi retorno a España..., ¿o he de decir a la realidad? No. Estaba en la realidad. Sólo hay una realidad. El libro de cuentas correspondiente a la última semana de septiembre de 1613 registra una donación a nombre del teniente Alfonso de Laredo por valor de setecientos ducados, destinados a la expedición conformada por seis monjes de la comunidad, encargados de la fundación de un convento en la comarca de Márquez, en los terrenos de Baza. No resulta complicado deducir que, el oficial, había provocado la marcha de los monjes hacia el interior con una buena dotación para acometer la empresa, a cambio de la salvación de su protegida. Para los agustinos, aquélla no sólo era una excelente oportunidad para ensanchar sus dominios, sino también para hacerle la puñeta a los dominicos.

¿Pero consiguió Lorenza llegar hasta donde aguardaban los agustinos? ¿Logró burlar al segundo sicario? No esperaba yo encontrar las respuestas en los legajos de la biblioteca de las carmelitas. Si había respuesta alguna, estaría, como lo había indicado el padre Ferrer, siguiendo las huellas que marcó Lorenza en el barro de los Andes. No había necesidad de seguir revolviendo papeles. El padre Ferrer, a juzgar por el orden de las demás hojas, tampoco lo había hecho. Si acaso, aparecería por alguna parte el registro de salida de

Lorenza. Lo demás, recuento hacia el pasado, tiempo tendría de revisarlo.

El proceso había concluido, como había concluido la información que tenía sobre Ella. El acta inquisitorial y mis suposiciones no daban para más. De momento, sólo me quedaba un pálpito: Baza.

Recogí los documentos y mis notas. Devolví el legajo a su estante. Carmen me acompañó hasta la puerta. Me despedí, prometiendo tenerla informada de cuanto descubriese en Boyacá, departamento donde se encuentra la comarca de Márquez. Por supuesto, al convento habría de volver. Por una parte, quería escarbar en los legajos faltantes; por otra, aunque Ramiro Biáfora encabezase la lista de posibles mensajeros, Carmen estaba incluida en ella.

Corrí al Santa Clara. Aún podía llegar antes de que cerrasen la agencia de viajes.

De las ramas iban colgándose los recuerdos: los amores de Francisco, los juegos en la playa, las enseñanzas de Jean Aimé, las pillerías de Cacanegra, los hechizos del Delfín Verde, las tardes de chocolate con los Antonelli, los espantos del tío Luis, el cariño y la magia de Margarita, los músculos de Domingo del Señor, el convento, las monjas, el beso de Guiomar, las babas de Andrés del Campo, el rencor de Mañozca, los hechizos, los conjuros, las oraciones... Calamarí.

El riachuelo, a su izquierda, gorgoteaba brincando entre las piedras. Con dificultad, golpeándose contra la vegetación espesa y tratando de no aminorar el paso, remontó la corriente hasta que sintió el sol a sus espaldas. La yegua partía la selva en dos, se internaba en la maleza como si fuera parte de ella. Lorenza sintió cómo la abrazaba la manigua. Las hojas verdes, cubiertas de rocío, suavizaban los arañazos producidos por el hostil ramaje.

¿Adónde estaba llevándole la Vida? El destierro... muy bien, el destierro ¿y...? Luchaba por salvarse. ¿Qué había después?

La meta a más largo plazo que podía proponerse en aquel instante era llegar hasta la carreta de los monjes. Las golondrinas la seguían desde el cielo, bajaban en vuelos fugaces para recoger con el pico, y beberse, las gotas de su angustia.

No tardó en divisar el carretón, parado poco antes del cruce de los Candiles. Apuró la yegua en un último esfuerzo. Uno de los religiosos, en el pescante, apagó de un soplo el farolillo que los había iluminado hasta la alborada. Lorenza tiró de las riendas y la cabalgadura se detuvo a pocos metros del rudimentario carruaje. Cinco monjes se hacinaban en la parte trasera, sentados en bancas apoyadas contra los laterales, incomodados por los baúles, garrafas, sacos, ropajes, barriles y demás avituallamientos que ocupaban el centro del remolque. Dos toscas ruedas de madera maciza sostenían el planchón. Una loneta descolorida, azul si acaso, sujeta por cuatro palos desde las esquinas, sería la encargada de proteger a los monjes y a Lorenza del sol y de la lluvia. Uno de los agustinos, el más anciano, se apresuró a descender del carromato. Lorenza desmontó, acarició a la yegua y la despidió con unos golpecitos en las ancas traseras. El animal se lanzó contra la selva y a los pocos segundos ya no se oyó nada, como si bestia y manigua se hubieran fundido.

—Daos prisa, doña Lorenza. Soy el padre Arcadio Vanegas, responsable de esta humilde misión. Luego habrá tiempo para explicaciones; todavía acecha el peligro. Poneos este hábito y subid rápido al carro. —El agustino, apartándose las canosas barbas, le entregó una túnica marrón igual a la que vestían los demás frailes.

Lorenza vistió el burdo tejido de algodón por encima de la saya.

—Ahora, sentaos en medio de los hermanos y cubríos con la capucha. Avanzaremos un buen rato en actitud de oración. Pase lo que pase, no abráis la boca ni levantéis la cabeza.

Obedeció al padre Vanegas y se acomodó entre dos monjes que le abrieron hueco en el tablón. El del pescante arreó los cuatro percherones y el carromato arrancó en medio de rechinantes quejidos.

El sayón no sabía cómo estirarse para desentumecer las piernas. Llevaba más de una hora horcajado en la rama alta de un árbol que cruzaba sobre el camino. A diferencia de su cómplice, la estratagema elegida fue la de saltar sobre la víctima desde las alturas. Asía fuertemente una daga en la mano derecha. El filo penetraría por la espalda, directo al corazón.

Por fin escuchó ruidos tras el recodo a menos de cincuenta metros de su puesto. «¡Dita sea mi estampa... agarró *pal* río!» Se desperezó y fijó la vista en la salida de la curva. Si la mujer venía a caballo, debía ser certero en el salto.

Sólo el monje del pescante iba pendiente del terreno. El abad rezaba las letanías, los demás contestaban en voz monótona. Lorenza trataba de calmarse. Se había apoderado de ella un mareo sofocante, unas arcadas le treparon a la garganta. El monje de al lado cayó en cuenta y le apretó el brazo indicándole que aguantara. La visión se le comenzó a llenar de neblina. Las golondrinas descendían sobre el carromato y lanzaban agudos grititos. Lorenza, sumida en el desmayo, entendió que atravesaban el momento de mayor riesgo. Buscó el abalorio de su cuello y lo apretó en el puño.

El carruaje tomó la curva. Llano se agazapó y dejó que se acercara otro tanto. Tenía obligación de garantizar el éxito, tomar las precauciones necesarias. Primero oyó el rezo sedante de los monjes. «¿Qué carajo es esa vaina?» Luego atisbó la figura de los religiosos en el carromato. «¡No jodás, *hombe*!» Casi debajo de la rama, concluyó que aquel priorato rodante nada tenía que ver con la hembra esperada. «¡Pucha si salto y escabechino a los frailongos!» Dejó pasar la carreta y rió de pensar en el susto que se hubieran llevado los curillas. Volvió a fijar la vista en el recodo.

La carreta, renqueando, se perdió en la espesura.

Lorenza no aguantó más, giró sobre los hombros y vomitó en la vereda. El anciano indicó al conductor que no parase. Uno de los monjes a su vera le sujetó el capuchón sobre la testa. Aliviada, alzó un poco la vista y comprobó cuán extensa era la anchura del desconcierto. Otro monje agarró uno de los odres, lo abrió y le ofreció agua para beber y limpiarse.

—No tardaremos mucho en llegar al Magdalena —anunció el del pescante.

Cesaron las plegarias.

«La respuesta está en el barro de los Andes.» El jesuita había hecho una anotación para sí mismo. Estaba reflexionando. En el supuesto de que hubiera logrado traspasar el cerco de muerte levantado por Mañozca, Lorenza podría haber llegado a Baza, en cuyo caso existía la posibilidad de seguirle los pasos, o podía haberse quedado en algún punto del camino. Muchas eran las alternativas que ofrecía el Destino. Sólo había una forma de averiguarlo: ir a Baza. El padre Ferrer, la misma tarde de la ascensión, tuvo tiempo de indagar sobre el monasterio, convertido ahora, a decir por la página arrancada de la guía telefónica, en hacienda de reposo.

Debo confesar que me hubiera gustado remontar el río Magdalena hasta el puerto de Girardot, cerca de Santafé de Bogotá, tal como se hiciera hasta mediados de este siglo. Pero la navegación por la principal arteria de Colombia había muerto. El avión acortó distancias, las tractomulas reemplazaron a los grandes barcos de vapor, a la clase política no le interesó mantener a flote la vida en el río. Indefectiblemente, las aguas arrastraron la prosperidad asentada en sus orillas.

La señorita de la agencia buscó en el ordenador los vuelos disponibles a Bogotá. Debía volar a la capital y desde allí coger un autobús hasta Ventaquemada. Compré un billete para las ocho de la mañana del día siguiente, viernes 28 de marzo. Dejé abierta la fecha de regreso, aunque previsiblemente sería el 31. Reservé una habitación en la Hacienda Baza y aproveché para que me retrasaran la vuelta a España cuatro días.

Fui hasta la recepción para reclamar la llave de mi cuarto. Allí estaba el negrito con sonrisa de anuncio de pasta dentífrica. Le puse al corriente de mi salida durante el fin de semana y mi deseo de alargar la estadía en el hotel hasta el 5 de abril.

—A la orden, caballero. Así tendrá tiempo de verse con la señorita Patricia. Telefoneó para comunicar que no volvería hasta el domingo. Ha decidido quedarse un tiempo más en las playas de Barú —me dijo, haciéndose el despistado mientras anotaba la prolongación de mi estancia.

Le agradecí el chisme y subí al dormitorio para dejar mis cuadernos. Estaba contento por las averiguaciones. Pero me preocupaba la forma de cómo debería abordar a la hija del senador (he estado a punto de escribir «la hija del pirata»). Necesitaba un plan para acercarme a ella, o hacer como siempre y permitir a la suerte que me echara una mano..., la excusa de los tímidos. ¿Qué haría para llamar su atención? Di bastantes paseos alrededor del cuarto.

No se me ocurrió mejor argucia que facilitarle una copia del proceso de Lorenza, con algunas anotaciones de mi puño y letra, sin descubrir, por el momento, mi identidad. Estudiando a la vuelta sus reacciones, podría saber el grado de conocimiento y afinidad, si lo había, entre las dos mujeres. Dos mujeres que eran, a mi imagen y semejanza, una misma. ¡Bíblico discernimiento!

Bajé nuevamente al *lobby*. En mi carrera casi tropiezo con Maurice.

—¡*Cagamba!* Buenas noches. Hacía *gato* no nos veíamos —me saludó—. ¿Cómo ha estado *trags* la *morte* del padre *Fegrer*?

—Bien, dentro de lo que cabe —contesté—. Estoy ocupado en algunos estudios, y eso me ayuda a distraerme. Por cierto, ¿podría indicarme dónde puedo hacer unas fotocopias?

No me pareció oportuno darle palique. Me señaló una papelería en los sótanos, cerca de la agencia de viajes. Estaban a punto de cerrar. Mientras fotocopiaban las hojas pensé que tampoco debía descuidar a Maurice. Pero no quise dedicarle tiempo al asunto del mensajero antes del viaje, aunque me preocupaba no haber visto al gerente del hotel en los últimos días.

Con las copias debajo del brazo regresé a la habitación. Las ordené y me senté delante del escritorio, cara a la pared, a escribir durante dos horas lo que estimé oportuno para despertar la curiosidad de Patricia.

Metí los folios redactados y las fotocopias en un sobre y lo marqué: Patricia Acevedo. Habitación 220. *Alea jacta est!*, me dije.

Embutí parte de mi ropa en una bolsa de viaje. Guardé en un portafolios mis cuadernos, los recortes del padre Ferrer y la documentación reunida. Ya tenía listo el equipaje. Estaba a punto de salir a cenar, cuando recordé que me había olvidado de llamar a mis padres. Si iba a retrasar la vuelta, debía comunicárselo. Salté por encima de la cama y agarré el auricular. Marqué el número de mi casa. Tuve que esforzarme para recordarlo.

—¿Dígame? —Era mi padre.

—Hola, papá. ¿Qué hubo? —Traté de bromear hablando costeño. No le hizo gracia—. ¿Cómo estáis por allá?

—Bien, hijo. Tu madre un poco nerviosa. Dice que ya le estás haciendo falta.

—Estaré pronto allí, aunque, precisamente, llamaba para comentaros que he retrasado la vuelta hasta el día cinco.

—¿Algún problema?

—No, papá, en absoluto. Es que voy a viajar al interior. No quiero irme sin conocer el centro del país. También es mi tierra, ¿no?

—Sí, hijo, también es tu tierra; pero ándate con cuidado. Según las noticias, no están muy bien las cosas en Colombia. Hay problemas de orden público. Parece enredado el tema de la guerrilla y el narcotráfico.

—Pues aquí, en Cartagena, no me he enterado de nada. La verdad, no he visto un solo noticiero.

—La costa es como un oasis. Cuídate mucho, Álvaro. Estás en un mundo donde la fantasía, la realidad y la magia son una misma cosa.

No dijo más. Pasó mi madre al aparato. Traté de animarla y explicarle que no había sucedido nada nuevo tras el fallecimiento del amigo del abuelo, me encontraba perfectamente, y el motivo de mi retraso obedecía a causas exclusivamente turísticas. «Voy a conocer un monasterio del siglo XVII.» Tenía la obligación de calmarla. No lloró.

Me sorprendió la actitud de mi padre. ¿Había intentado ser comprensivo, siquiera amable? ¿Por qué ahora, en Colombia? ¿Era consciente de algún peligro sobre el cual pretendía advertirme? ¿Estaba haciendo un intento de suplir al abuelo? Tarde o temprano lo descubriría: mi padre ya se había convertido en mi padre. Posiblemente adivinó para qué sirve todo este galimatías que pretendemos llamar Vida. Es probable que hubiera descubierto o, al menos se hubiera acercado, a una noción aproximada de saber quién era él mismo.

Yo, todavía, no. Apenas estaba comenzando...

Antes de cenar dejé al negrito-todo-risa el sobre para Patricia.

—Descuide, patrón. La señorita recibirá la encomienda.

No lo dudaba. Si el conserje seguía mostrando tanto interés, estaba dispuesto a incluirlo en mi lista de posibles mensajeros. Cené liviano y me retiré a dormir.

Pero al sueño no le dio la gana visitarme.

Ya había descifrado la página de la guía telefónica. ¿Qué significaban los recortes del periódico, incluida la nota anunciando la celebración del cumpleaños de Patricia?

El amanecer me atrapó con la almohada hecha un gurruño y la cabeza en los pies de la cama. Ya era hora de levantarse para ir al aeropuerto.

El vuelo tuvo dos horas de retraso por malas condiciones climatológicas. Tras la espera (una monja, un *harecrisna*, dos mendigos, un gamín, un dibujante de caricaturas y cuatro locos se habían acercado a pedirme limosna, aunque juraría que era un solo tipo disfrazado), bastaron noventa minutos para que el avión aterrizara en el aeropuerto de Eldorado en Bogotá. El trayecto estuvo cubierto de nubes. En los claros alcanzaba a divisar la grandeza del Magdalena, el avión seguía su curso... como los barcos de antaño, remontando la corriente mientras ascendían por los Andes entre la Cordillera Oriental y la Central.

Al aparecer por la puerta de Llegadas Nacionales, una masa ingente, arrolladora, molesta como moscas de cien kilos, se abalanzó sobre mí. Eran los taxistas, legales e ilegales, luchando por mi maleta para subirla a su taxi. Tuve que realizar una maniobra brusca para quitármelos de encima. Monté en el menos abollado que encontré. El chofer, después de averiguar si era extranjero (no prendió el taxímetro), me explicó que allí llamaban maracuyás a los taxis, por su semejanza con dicha fruta tropical: amarilla y muy arrugada.

Amenazaba lluvia. Bogotá me pareció una ciudad oscura, fría, comparada con la luminosidad y el candor de la costa. A dos mil seiscientos metros de altura, en plena cordillera de los Andes, se esparce en una sabana verde, húmeda, de tierra generosa, rodeada de montañas que la delimitan con el firmamento.

No tuve tiempo de visitar la capital. La idea de Baza me mantenía con prisa. Las torres del Centro Internacional se veían silueteadas sobre los cerros, con Monserrate al fondo. El desordenado tráfico, agresivo, no me dejó disfrutar del escaso trayecto. El taxi subió por la Avenida 26 y a la una de la tarde estaba en el Terminal de Transporte para coger la flota a Tunja. El coche de línea también salió con retraso. «Salir puntual debe de traer mala suerte.» El cacharro tomó la 26 hasta llegar a la Avenida 30, y por ésta, derecho hasta enlazar con la Autopista del Norte. Cruzamos la espléndida sabana. Su frescura me descargó del malestar que me había provocado el punzante aturullamiento de la ciudad. Sus frondosos pastizales eran como un lago de hierba entre montañas, salpicados por los invernaderos de cultivos de flores. Chía, Sopó, Gachancipá, Tocancipá... Abandonamos el departamento de Cundinamarca. La carretera dejó atrás la sabana y comenzó a serpentear por el rugoso terreno boyacense. El autobús iba lleno de gente silenciosa, agazapada sobre sus canastos y sus tráfagos; apenas asomaban la cabeza por el cuello de la ruana. Yo iba un tanto adormecido, arrullado por el cansancio. En el puente de Boyacá, donde la nación ganara su independencia, subió una mujer con una gallina agarrada por las patas, puesta de cabeza y las alas abiertas. Mientras buscaba asiento se paró en el pasillo, con la gallina sobre la calva de un hombre que tenía echado el sombrero encima de los ojos para evitar la claridad. Cuando vi aquella escena, imaginé que si en aquel instante el pobre tipo hubiera apartado el sombrero de los ojos se habría sentido un elegido de Dios: el Espíritu Santo estaba descendiendo sobre él. Pero la campesina fue a sentarse al final del bus sin que el pasajero advirtiera el bucólico milagro obrado en su persona.

En Ventaquemada el autocar volvió a detenerse. Era mi parada. Descendí con todos los bártulos. Poco más abajo había una parada de taxis. Ya me habían informado que debería tomar uno para llegar hasta la hacienda. El vehículo, una radio con ruedas, se dejó caer pueblo abajo y no paró hasta el fondo del valle. Nos sacudimos sin remedio durante más de media hora. El conductor sólo había despegado los labios para decirme: «Son cuatro mil pesos». Ni para expulsar el humo del tabaco abría la boca... lo arrojaba por la nariz. Continuamos por la mitad del valle, desriñonándonos por una carretera destapada. Los montes se apretaban cada vez más. Creí que de un momento a otro iba a interrumpirse el camino porque una pared de montañas no nos permitiría el paso. Sin embargo, tras cada revuelta había un escape. A medida que bajábamos, el calor aumentaba. Llegué a distinguir algunas hojas de plátano, inusuales en tierra fría. A pesar de la cercanía del ecuador, la altura evitaba que el bochorno fuera insufrible. El coche, un Chevrolet modelo 50, avanzaba expulsando una polvareda tan densa que no se veía más allá del portaequipajes. El mundo iba perdiéndose tras la cortina de arena. Estornudé unas cuantas veces en la nuca del conductor, a propósito, a ver si se daba cuenta de que debía subir la ventanilla para no intoxicarme. Ni se inmutó. Se colocó la cachucha y continuó manejando, dando golpes con la mano en el volante cada vez que las Hermanitas Calle, en la radio, atizaban la música de carrilera y amenazaban a su amante (descifre usted la peculiar forma de enamorarse que tienen algunos) con un poético: «Si ya no me quieres te corto la cara con una cuchilla *desas* de *ajeitar*».

De pronto, la carretera cambió de curso y empezó a elevarse. Lagartijeando por una ladera trepamos hasta la cima del alto de la Rosa. Desde arriba pude apreciar y deleitarme con la hermosura, el reposo y la tranquilidad que emanaban de las tierras de la comarca de Márquez.

Recorrimos el último tramo, nuevamente en descenso, hasta el vértice donde confluían las faldas de las montañas. Baza estaba en el puro centro de una olla formada por elevaciones de tres mil metros de altura. La carretera moría en la puerta de la hacienda, roja y blanca con un tejadillo de barro. Todavía no divisaba la construcción. Pagué al taxista y crucé la puerta. Junto a ella había un puesto de Telecom, el único teléfono en muchos kilómetros a la redonda. Sólo se utilizaba en caso de emergencia. El aislamiento era total..., deseable.

El sendero descendía en una ese casi perfecta. Primero divisé la cubierta entejada. Luego asomaron las paredes blancas, gruesas, míticas, salpicadas aleatoriamente por ventanas escuetas con rejas de madera. Por fin abarqué la totalidad del conjunto: a la izquierda, el bloque principal, era todo de una altura. A la derecha estaban las caballerizas y los huertos. Al fondo, los coloreados bosques nativos. Según se entra al monasterio hay un jardín conquistado por agapantos y buganvillas. Aunque ahora sea una hacienda, hotel, o como quieran nominarlo, sigue poseyendo la solemnidad de las treguas, infundiendo los respetos y temores de un monasterio. Una galería con arcos protege de la lluvia y del calor la biblioteca, la capilla y las oficinas. No hay recepción ni negritos simpaticones. En un lateral del jardín queda el área de servicio y las cocinas. Un pasillo estrecho, adjunto a la biblioteca, comunica con otro patio porticado, alrededor del cual están distribuidas las once habitaciones. En la mitad hay dos árboles retorcidos, vetustos, con sillones de mimbre que invitan a la lectura. La dueña, Leticia Ospina, acudió en persona a recibirme. «Bienvenido a Baza, mi casa.» «¿Guardan estos muros tus huellas, Lorenza?» «¿Perdón?» «Disculpe, doña Leticia, estaba embobado con mis pensamientos.»

9

Sonaba en los altavoces el *allegro moderato* del *Concierto para violín y orquesta en re mayor opus 35* de Chaikovski... creo recordar, entonces no sabía el nombre. Dos muchachas, orgullosas de sus rasgos indios y su piel de campo, ataviadas con uniforme azul oscuro, mandil de encajes, cofia y guantes blancos, servían el caldo en sopera de plata. Así era Baza: lujo y misticismo criollo.

De las paredes colgaban pendones con símbolos emblemáticos, oro sobre añil, enaltecidos por el resplandor de las velas. Aunque la había, no utilizaban luz eléctrica. La vajilla era de porcelana inglesa de principios del siglo pasado. La cubertería, también de plata, sabía hacerse notar sobre los manteles de hilo. El comedor tenía siete mesas de cuatro puestos, todas ocupadas. Al fondo, en una esquina, un joven cargaba de leña la chimenea.

Compartía mesa con un matrimonio vestido contra la ocasión, él de frac y ella con traje de cóctel, y la dueña, doña Leticia, empeñada en que la llamáramos sólo Leticia. «Me hacen parecer más vieja.» Tenía cincuenta y...

—Esta crema de mazorca está exquisita —dijo el tipo del frac relamiendo la cuchara como si fuera un caramelo.

—Me alegro que les guste. Es receta de la casa —agradeció la anfitriona, limpiándose la comisura de los labios apenas rozándolos con la servilleta—. Y usted, joven, ¿cuál era el estudio ese que me comentó esta tarde que andaba realizando?

—Ah, sí... —Me pilló de improviso, concentrado en los dibujos chinescos del plato—. Una investigación de la vida en monasterios y conventos durante la primera época colonial.

—¡La madre patria preocupada por sus legados en las inhóspitas tierras de ultramar! ¡Oh, tierras de barbarie y fantasía, conquistadas a los indios idólatras y pecadores, en favor y para gloria de su majestad el rey! ¡Dios salve al rey! ¡Viva España! —El joven del frac levantó la copa de vino. La mujer del vestido de lentejuelas le reprimió con un apretón en el brazo.

—Tendrán que perdonarnos —se disculpó ella—. Carlos no está acostumbrado a beber.

Una sola copa había bastado para jumarle. Con un dedo estirado trataba de colocarse las gafas de pasta, a riesgo de sacarse un ojo. La muchacha, rubia, delgada, de unos treinta y cinco años, aparentemente mayor que él, intentó convencerlo para que, de *motu proprio,* se retirase al cuarto. Yo la miraba con extrañeza, lo notó.

—No me mire así de feo. Estamos de celebración —trató de justificarse.

—¿Algún aniversario? —preguntó la dueña.

—No, señora. Mi marido es astrónomo y lleva muchos años dedicado al estudio del cometa Hale-Bopp...

—¡Ja! ¡El rey de los cometas! ¡El príncipe del universo! —interrumpió el esposo, ya en pie, con la pajarita descolocada y un mechón de pelo sobre la frente—. ¡Festejemos su saludo, la gran reverencia que nos hará dentro de cuatro días! —Él también la hizo—. Y sacaremos luego los pañuelos para despedirlo en su fuga, surcando las constelaciones de Perseus y Taurus... —Se despedía de todo el comedor agitando su pañuelo blanco, balbuceando una inteligible lista de cuerpos siderales.

—¿Por qué aquí, en Baza? —alcancé a preguntar antes de que se perdieran por el arco de la puerta.

—Porque el romanticismo no está reñido con la ciencia —contestó la mujer desde la puerta.

«No me agrada esta casualidad», pensé, y me pateó recordar el trágico cometa. En su cola llevaba prendida la muerte del padre Ferrer. Rechacé los pensamientos que llamaban a mi puerta y procuré volver a sosegarme. Después del viaje, no tenía ganas de sobresaltos. Quedé a solas con doña Leticia. De vez en cuando se acercaba alguna criada para preguntarle asuntos referentes a la cocina. Ella respondía, e inmediatamente retomaba la conversación.

—Me decía usted que está interesado por los monasterios coloniales.

—Bueno..., por éste en concreto.

La dueña era una de esas mujeres delicadas, sutiles, distinguidas, cuya finura no pelea con la dureza del trabajo. Sus ojos rebosaban inteligencia y cordialidad. Intentaba demostrar esa seguridad aplastante, un poco fingida, de las mujeres que arrastran un divorcio lejano, asumido y superado en todas sus extensiones. Debió de ser hermosa. Tenía el pelo castaño recogido en un moño, los ojos azules, los labios finos y la tez morena.

—¿Y qué le atrae de Baza?

—Sigo los pasos de una mujer.

—¡Es la primera vez que alguien llega aquí buscando a una dama! —Sonrió mezclando la duda y la sonrisa.

A Baza habían venido buscando paz, descanso, desintoxicación, arte, vestigios arquitectónicos, amor, intimidad, protección, aventuras, espiritualidad... «¿Qué vendría a hacer una mujer en un convento de agustinos?»

Cuando terminé de contarle, a grandes rasgos, la historia de Lorenza hasta su desaparición, y la posibilidad de que hubiera llegado al monasterio acompañando a los fundadores, Leticia estaba perpleja, con las cejas en alto y la boca apenas abierta, lo suficiente para denotar sorpresa.

—¡Caramba, Álvaro, qué historia tan fascinante! Pero ¿en qué podríamos serte útiles? Mi familia es propietaria de la hacienda sólo desde 1861, cuando el presidente Mosquera, a través de un decreto de desamortización, expropió a la Iglesia todas sus propiedades en favor de los Estados Unidos de

Colombia. Y luego, a la postre, quedaron en manos de la oligarquía... No se extrañe por mi forma de hablar. Pertenezco a esa clase pudiente, y reconozco el gran favor que le hizo Mosquera a mi familia, propietaria no sólo del monasterio, sino de toda la comarca de Márquez, incluyendo nueve pueblos; pero me precio de ser una persona ecuánime. Ni fue, ni será, la única martingala apañada en este país del Sagrado Corazón. En la actualidad sólo tenemos la hacienda... y de milagro.

—Ya. ¿Pero no guardaron ustedes archivos, cartas, actas, cuentas o algún documento que estuviera en el monasterio cuando pasó a manos de su familia?

—Algo queda. Hay unos libros guardados en un baúl. Si quiere que le diga la verdad, nunca me he entretenido en leerlos con detenimiento. Apenas he ojeado uno que otro, muy por encima. Dudo que mi madre o mi abuela lo hicieran. Las pobres no sabían leer..., eran las costumbres de su época. ¿Sabe un dato curioso? Desde que perdió sus funciones religiosas, Baza siempre ha pertenecido a mujeres. La propiedad ha pasado por todas y cada una de las mujeres de la familia, desde mi tatarabuela hasta mí. Quizás ésa haya sido la causa de que la construcción se salvara. No sé si por tradición o castigo divino, hemos dedicado la vida a su mantenimiento. Para convertirla en hotel, hace veinte años, tuve prácticamente que reconstruirla. Toda esta tierra, en vez de aumentar nuestra riqueza, se la comió; pero es un justo precio por disfrutarla. —Ella formaba parte de aquello... ella era Baza—. En cuanto a los documentos, libros y demás papeles, muchos se han perdido. En mi casa, allí abajo, pegada al río, guardo lo que ha llegado hasta nuestros días. Con mucho gusto mañana podré mostrárselo. Ojalá encuentre lo que busca. Sería otra leyenda para sumarla a las tantas del lugar.

—¿Leyendas?

—Sí..., leyendas. Duendes, apariciones, fantasmas, ninfas, demonios, milagros, curas sin cabeza, espantos, hadas, historias de amor entre campesinas y clérigos, pasiones sin límite protagonizadas dentro de estos muros y en los bosques aledaños por famosos personajes de Colombia, pasados y actuales...

Charlamos hasta consumirse la chimenea. Nos retiramos cuando ya todos dormían. Doña Leticia apagó las velas con una campanita de hierro. Me deseó buenas noches y cruzó el jardín. Hacía frío. Unos botes con petróleo ardiendo marcaban los caminos. En la luz del fuego busqué el rastro de Lorenza, como Ella buscó a Francisco en el camino de espermas por las calles de Calamarí.

En enero de 1614, Emeterio Cifuentes, asesino a sueldo por no tener otra forma de matar el hambre, apareció torturado y muerto, colgado de un árbol por el pescuezo, a la vera del camino que unía las poblaciones de Lorica y Montería.

Un mes después, Juan de Talavera, apodado Llano por haberse extendido más a lo ancho que a lo alto, bajó flotando por las aguas del río Cauca con una amoratada mueca de estupor en el rostro.

Y a mediados del mismo año, el Consejo General de la Inquisición, compuesto por «*los Señores Valdés, Çapata, Castro, Pimentel, Ramírez y Mendoza*», resolvió (aunque no por unanimidad, ya que «*los señores don Juan Çapata y don Enrique Pimentel fueron de differente parecer*») aceptar la propuesta realizada por Andrés del Campo, con este fallo, lacónico y conciso, pero inapelable: «*que se le dé testimonio que no le obste y se le buelva el dinero*».

Guste o no guste, el escribano pudo festejar por todo lo alto la recuperación del oro. El padre Bernardino de Almansa obtuvo la mejor satisfacción a sus recriminaciones legales. Por lo demás, unos quedaron contentos y otros rabiando... unos vivos y otros muertos. ¿Y Lorenza?

Amaneció tarde, pero me levanté temprano. El sol tardaba en escalar los riscos del oriente. Las chicas del servicio mariposeaban de un lado a otro iniciando labores. Paseé un rato dando vueltas a la alberca que había en el traspatio de las cocinas donde, según la leyenda, había sido enterrado un duende. A finales del siglo XVII, un joven aspirante a fraile hizo amistad con un duende que vivía en los bosques de Baza. El muchacho, recluido a la fuerza por sus padres en el monasterio, se afanaba en hacer la vida imposible a los agustinos. Y nadie mejor que su amigo el pequeño duende para llevar a cabo las singulares maldades que habrían de perturbar durante diez años la vida monacal. Sonaban las campanas a las cuatro de la madrugada. El granero aparecía revuelto muchos días, con los granos mezclados y las sacas rotas. La cocina amanecía embadurnada de harina, sin que aparentemente nadie hubiese estado en ella. Cuando los frailes salían a orinar durante la noche, una escoba les perseguía por los corredores hasta recluirles en sus habitaciones muertos de miedo. Las diabluras del chico y su cómplice alteraron la voluntad de los monjes, a tal punto que pocos osaban abandonar los dormitorios después de la hora de queda, y aun algunos, durante el día. El joven conoció a una campesina y se enamoró de ella. Comenzó a frecuentarla y olvidó a su compinche. El duende, celoso, trató de vengarse del muchacho. En cierta ocasión, cuando la campesina cabalgaba por el bosque, salió a su encuentro y golpeó las patas del caballo. El animal se desbocó y lanzó a la chica contra las ramas de un árbol, causándole la muerte. El duende, arrepentido, confesó al joven su culpa, argumentando que lo había hecho porque ante todo estaba la amistad entre ambos, deteriorada por la intromisión de la mujer. El muchacho le otorgó su perdón, aunque en el fondo clamaba venganza. Una noche llamó al duende y le dijo que al vaciar la alberca los monjes habían descubierto un tesoro en un túnel que partía del fondo, pero era muy angosto y nadie había podido sacarlo. Le convenció de que, gracias a su baja estatura, él podía entrar y coger el tesoro para repartirlo entre los dos. Así lo hizo. Pero cuando el duende entró en el túnel, no era otra cosa que el desagüe, el joven bajó la compuerta. Horas antes ya había taponado con piedras la boca del pasadizo que vertía el agua en el río. Llenó el estanque y levantó nuevamente la compuerta para inundar el desagüe. Los frailes recuperaron la tranquilidad. Pero el muchacho no volvió a salir de su dormitorio, carcomido por sus dolores de amor y los gritos del duende, que cada noche le atormentaban desde el fondo de la alberca.

—Está más bonita cuando hace verano y las rosas caen sobre el agua para mirarse —dijo doña Leticia cuando llegó a buscarme.

Me aseguró que nunca había escuchado ningún alarido proveniente del aljibe, aunque eran muchos los sonidos intrigantes que recorrían Baza. Caminaba apoyada en un bastón, no me había dado cuenta, aunque era coja. «Cosas de la edad.» Me invitó a tomar tinto en el porche de su casa. Vivía sola. «Mis hijos trabajan en Bogotá. Vienen algún que otro fin de semana.»

—¿Tiene usted alguna hija?

—¿Por qué lo pregunta?

—Sería la heredera...

—No. No la tengo. —Dejó aflorar una insípida preocupación—. Baza no tiene heredera. Sólo tengo dos hijos varones.

—No siempre pueden seguirse las tradiciones. Si las monarquías han persistido por acomodarse a las circunstancias, bien pueden hacerlo ustedes.

—El espíritu de Baza es femenino. No sé si un hombre, aunque sea hijo mío, pueda entenderlo.

—Quizá, con mayor razón.

—¿No dicen ustedes que no entienden a las mujeres?

—Puede que no las entendamos; pero sabemos cortejarlas, incluso, hacerlas felices.

—No siempre...

Me estaba metiendo en terreno pantanoso. Le pregunté por los viejos documentos. «Sígame.» Me guió hasta una especie de estudio-biblioteca. Contra la ventana había un escritorio antiguo con una silla de cuero. En las estanterías, libros de mayor o menor edad, arbitrariamente colocados.

—Los documentos están en ese baúl.

Señaló un arcón de madera arrinconado en la esquina. Me invitó a destaparlo.

—Siempre le he tenido respeto a ese mueble. Cuando lo abría mi padre, yo corría a esconderme en el jardín. Ya ve, miedo a lo desconocido. Y aunque sé lo que contiene, sigo temiéndole. No hay justificación para ello, ¿verdad? Parezco boba. Bueno, no le distraigo más.

Había dos carpetas con hojas sueltas y una docena de tomos encuadernados en piel.

—Quédese aquí tranquilo. Si necesita algo, pídamelo con confianza. Y si yo no estuviera, llame a Margarita, la mucama.

Se marchó. Vacié el arcón y puse todos los libros sobre la mesa. Miré inicialmente las páginas sueltas. Continué de pie. La mayoría eran recibos comerciales, cartas instructivas y partidas de bautismo que no me llamaron la atención, las pasé un poco por alto. Los doce volúmenes tenían inscritos en la primera página los años que abarcaban. Fui devolviendo al arcón los que no correspondían a las fechas requeridas. Cada diario recogía las actas de un lustro. Las fechas saltaban bruscamente en el tiempo. Después de revisar diez tomos, había encontrado dos pertenecientes al comienzo del siglo XIX, cuatro al XVIII, tres a la segunda mitad del XVII y uno desde 1640 hasta 1645. Únicamente quedaban un par sobre el escritorio. El primero iba de 1634 a 1639. Curiosamente, empezaba narrando que en aquel año del Señor de mil y seiscientos y treinta y cuatro se decretaba fundado el monasterio de Baza; es decir, habían tardado algo más de veinte años en terminarlo completamente. La construcción no ameritaba tanto tiempo, pero los recaudos, en tan remotos lugares, no debían ser copiosos. Lo revisé por si acaso. Ni una palabra sobre Lorenza ni sobre algún acontecimiento, cuestión o persona relacionados con ella. «¡Al baúl!» Abrí el último con la desesperanza prendida del cuello. De repente, un golpe en el cristal de la ventana me hizo dar un paso atrás y cerrar el tomo que me disponía a revisar. Quedé atónito al ver las cabezotas de dos gigantescos mastines ladrándome desde el exterior. Con las patas trataban de rayar el vidrio. La mucama apareció gritando desde el césped, y los calmó.

—Disculpe, señor, no están acostumbrados a gente extraña —me dijo, sujetando a los perros por la correa.

Procuré no demorarme en recuperar el aliento. Me senté en la silla de cuero y coloqué el libro sobre el escritorio. Los animales seguían en el patio, dando vueltas, amenazantes más que vigilantes, traspasándome con la mirada. Abrí el tomo. No tenía fechas. Desde la primera página la caligrafía era apretada y torcida, como si hubiera sido escrito sin lugar donde apoyarse. Los mastines volvieron a ladrar.

«... y a vista del cruce de los Candiles, fué llegada a nos una muger que yba seguida de la muerte...»

¿Haría falta describir la pasmosidad que me invadió? En medio de la rigidez de mis emociones, sucedió algo que no puedo, a pesar de las facilidades concedidas por el tiempo, relatar en toda su magnitud. Porque no sé a ciencia cierta si lo percibido en las siguientes horas fue realidad o entré en un estado de hipnosis, catarsis o sueño ilógicamente adquirido. Sentía los mastines reanudar sus ladridos, más lejos, como si hubiera surgido un espacio entre el escritorio y la ventana. Luego escuché una voz hablándome a las espaldas, pero no hice nada por volverme. Era una voz tranquila. No vi a nadie en concreto, aunque sentí la presencia de un fraile, un religioso de barba larga y hábito color café. Podía tratarse del primer abad del monasterio. Sin verlo necesariamente con mis ojos, me di cuenta de que tras la barba del monje se escondía, o se mezclaban, los rasgos del padre Ferrer. No puedo certificar si cuanto ahora escribo lo escuché o lo leí en el libro. Quiero expresarlo como todavía lo siento, y concederme la gracia de ponerlo en boca del padre Arcadio Vanegas.

«La mujer llegó a todo galope sobre un caballo negro. Emergió de la selva como un pedacito de nube, un soplo de vapor desprendido de otra nube más grande. No aparentaba buena salud. Le di un hábito agustino y lo vistió. Arrancó la carreta y comenzamos a orar. En la parte donde suponíamos el mayor peligro, la mujer se desmayó y le vinieron arcadas a la garganta. Afortunadamente pudo contenerse hasta que el camino abrió y empezó a descender hacia el río. No pronuncio su nombre porque ella misma rogó encarecidamente no desveláramos su identidad. Pedía a gritos que la olvidara el mundo. Nos detalló, y corroboramos, la forma en que un teniente, amigo común, había organizado la evasión. Arribamos al puerto del Magdalena sin novedad. La mujer iba recobrando el aliento. El padre José, conocedor de algunas artes médicas, la examinó antes de subir al barco. La mujer estaba embarazada, de ahí sus mareos y vómitos. Le dije que no se preocupara, nos encargaríamos de cuidarla, así como a su hijo cuando naciese, si era su decisión permanecer algún tiempo con nosotros. Remontamos el río varios días hasta el puerto de Girardot. Ella colaboró, como uno más, en las tareas y quehaceres diarios del barco. Eludió acompañarnos durante las oraciones. A menudo la atacaban desfallecimientos, por lo que el padre José optó por llevar las sales permanentemente en el bolsillo. La mujer no disfrutó de la travesía. ¿Cómo podía hacerlo en tal estado? Pareciera que todo le daba lo mismo. Pero era fuerte. Luchó por su hijo y centró su vida y sus anhelos, pocos le quedaban, en sacarlo adelante. Desde Girardot subimos a lomo de mula hasta Santafé. Fueron cuatro jornadas insoportables: insoportable el calor del trópico, insoportable el ascenso a la sabana, insoportable el dolor de riñones, insoportable el frío de los páramos, insoportable la humedad, insoportables los zancudos... En la capital recibimos de los superiores de nuestra orden los títulos de propiedad de las tierras de Márquez. Repuestos del viaje, reanudamos la marcha. Un par de días bastaron para llegar a nuestro destino. El padre Sagunto, experto en construcciones, examinó el terreno denominado como Baza para el monasterio: una encrucijada de montañas, aislada de tal forma, que la muralla de montes lo protegería de las devastadoras manos del hombre. La mujer, en cierta ocasión, le dijo a su barriga que aquellas montañas tenían espíritu de hembra. Los amaneceres olían a leche fresca. Se iniciaron los trabajos de construcción, guiados por el padre Sagunto, quien cada mañana nos reunía para dar las órdenes precisas. Nunca dibujó un plano, todo lo llevaba en la cabeza. Las primeras semanas fueron terribles, no teníamos techo para cobijarnos; el clima de la región es generalmente benigno, sin embargo, las caprichosas tormentas nos jugaron malas pasadas. Dormíamos cubiertos por la misma lona que nos sirviera de parasol en el carretón. Cuando se llenaba de agua, era peor quedarse debajo que salir a exponerse a la lluvia. El primer edificio fue un barracón que entonces sirvió para todo; luego se convertiría en la biblioteca. Y después, como era nuestra obligación, construimos la capilla, nueve meses tardamos en acabarla. Cuando digo acabarla, me refiero a la obra, porque Cristos, Vírgenes, bancos, custodias, candelabros, velas y demás elementos llegarían más tarde, a medida que los fueran donando las gentes principales de la comarca. Nuestra alimentación era rica y abundante... en patatas: caldo de patata para desayunar, patatas guisadas para comer y patatas hervidas para cenar. La mujer, algunas ocasiones, conseguía en el bosque ciertas hierbas masticables y las echaba al puchero. El padre José tenía preocupación de que el hijo naciera con cara de patata. Gracias a Dios, no fue así, aunque no pongo en duda que al enfermero le hubiera encantado estudiar semejante fenómeno. La mujer llevaba colgado del cuello un abalorio, azul y naranja, parecía una piedra alegremente coloreada, si bien ella afirmaba que era una semilla del África y, de muchas como aquélla, heredó un collar de su aya que la protegió de los malos espíritus hasta que un gañán lo rompió en un ataque de estupidez. No tengo mayores datos para aclarar las circunstancias. Por muchos intentos que hicimos para desterrar de su mente dichas idolatrías, contestaba que le había ido mejor creyendo en ellas que estando cerca de la Iglesia. Entraba en pánico si alguien nombraba la Inquisición. Hicimos un trato: ni ella manifestaría sus creencias paganas, ni nosotros intentaríamos volver a inculcarle ninguna idea a cristazo limpio. Guardaba esa pieza como oro en paño. Me aseguró que en el convento de las carmelitas debió esconderla de la furia de la superiora. Tuve ocasión de conocer a la monja el día antes de partir. ¡Retorcida señora! La mujer rescató su abalorio en el último momento, gracias a la colaboración de una hermana, quien terminaría azotada por contravenir a la abadesa. El amuleto había permanecido a buen recaudo en unas piedras del claustro, junto al pozo, dijo. Le causó risa el hecho de que la hermana a quien solicitara el favor, una gallega, llamase «perifollo» a su abalorio. Durante la construcción del monasterio acabamos haciendo buenas migas. Todos aprendimos un poco de todos, en aquella soledad que nos imponía el muro de montañas. No obstante, surgieron algunos problemas con los hermanos, alocados por el encierro, y propusieron a la mujer favores del cuerpo. Para evitarlos, le pedí que durmiera sola en la capilla una vez terminada. Y allí le sorprendió el alumbramiento. Era de noche. Acudimos a los primeros gritos. El padre José la atendió como buenamente pudo, con los escasos medios disponibles. Ordené que todos regresaran al barracón. Esperé en la puerta. El enfermero me pidió agua en varias ocasiones. Se la llevé del río en un balde un poco sucio. La mujer no cesaba de gritar. Yo no quería que nuestra iglesia registrara, como primer acto trascendental, un fallecimiento. Por suerte, fue al contrario. El padre José me indicó cuándo podía pasar. La mujer estaba arropada en una manta, al pie de la mesa de piedra que ya ejercía como altar. Desconozco por qué extraña razón, ella tenía el rostro alterado, con un gesto de asombro, quizá de terror, como si estuviera recapacitando o cayendo en cuenta sobre algo inesperado. El enfermero sostenía en los brazos al recién nacido, cubierto aún de bellas inmundicias. Se lo entregó a la madre, era un varón. El chico se crió sano y fuerte. Los campesinos, enterados del acontecimiento, venían a menudo con cantinas de leche y cestas de quesos y huevos. La verdad es que todos nos beneficiamos y comimos como si hubiéramos nacido a la par de la criatura. Quise extender, como es natural, la partida de nacimiento y bautismo. Me costó convencer a la mujer para hacerlo. Declaró no conocer al padre, y optamos poner al niño su mismo apellido. Nuestra relación siempre se desarrolló bajo pactos establecidos. Para seguir adelante entablamos otro: solicitó un pequeño cambio en el apellido del chico, argumentando que el peso de la Inquisición recaería directamente sobre él, pues había sido procesada y sentenciada (yo siempre vi una estupidez, por parte de los dominicos, utilizar como arma de sus pretensiones el perjuicio a la familia); accedí a la petición, y a cambio, ella permitiría el bautismo de la criatura. Dicho y hecho. El pequeño Francisco quedó en manos de Nuestro Señor. Poco después la capilla serviría para bautizar muchos otros bebés de la comarca; los lugareños los traían creyendo que el nacimiento de Pachito había sido una señal del cielo. Los estipendios contribuyeron a que la construcción siguiera adelante, así fuese con la lentitud establecida por los reducidos ingresos y la falta de brazos. La huerta también dio sus frutos. El niño creció aportando más quehaceres que alegrías. El día de su quinto cumpleaños, de puro rebelde, harto de comer patatas, metió varios terneros en el huerto para acabar con la plantación de tubérculos. Ese mismo día, su madre solicitó hablarme a solas. Fuimos a pasear al bosque, quería pedirme un favor. Esta vez no me propuso un pacto, pues no exigía retribución de mi parte. Me rogó que si algo le sucedía, o ante cualquier circunstancia futura, entregase a Pachito el abalorio azul y naranja, y, cuando tuviera uso de razón, si ella no estaba, le pusiera en conocimiento de una frase que pretendía dictarme. Regresamos al monasterio y copié lo que me dijo. Esa noche, sin avisar a nadie, la mujer desapareció. Supongo que se despediría de su hijo, aunque el chico jamás quiso hablar del asunto. Se perdió para siempre, nunca he vuelto a saber de ella. Posiblemente, Pachito tampoco. No entiendo por qué lo hizo, ni las justificaciones que ampararon su deserción. Tampoco me siento quién para juzgarla: aquella mujer cargaba en el alma pesos desmedidos. El chico, a los pocos meses, se fue a vivir al rancho de unos labradores en un pueblo vecino. Nos visitaba a menudo. Cuando cumplió quince años vino a verme, se plantó frente a mí y me dijo que tenía algo para él, quería recorrer mundo, y su madre le había dicho que, antes de alejarse del monasterio, el abad le daría una encomienda. Casi me había olvidado. Le di al chico el abalorio y leí la frase dictada por ella. Según la cara que puso, no la entendió. La copié en un papel y se lo di. Pachito también desapareció, como su madre... sin dejar huella.»

Los ladridos arreciaron y volvieron los perros a estar cerca, tras el vidrio. ¿A qué ladraban? Se esfumó mi ensoñación. Yo seguía con los ojos suspendidos en la menguada letra del libro, de renglones más rectos que los primeros, justo en las frases dictadas por Lorenza al fraile. Doña Leticia entró en el estudio y me preguntó si quería almorzar. Ya era la una de la tarde.

—¿Encontró algo de provecho? —preguntó.

—Todo —respondí sin estar compuesto del todo.

Rechacé la invitación. Si me acuciaba el hambre, no me enteré. Volvió a dejarme solo. Continué hasta la última línea referida a Lorenza. Luego medité sobre las revelaciones, y admito reconocer que lo conseguí metódicamente, a pesar de mis exaltaciones desbordadas.

Obviemos el regocijo de saber que Lorenza llegó a Baza. El consabido «perifollo» rescatado del majano por la hermana portera no era, ni más ni menos, que el abalorio de Margarita, azul y naranja, y que antes de abandonar el monasterio legó a su hijo. El papel húmedo entregado a la superiora no era cosa distinta que el envoltorio con el cual había protegido la simiente. Por lo tanto, nunca sacó el pergamino del convento de las Carmelitas.

El «gesto de asombro» en la cara de Lorenza descrito por el fraile tras el nacimiento del niño obedecía a que ella se dio cuenta inmediatamente de que el manuscrito había recobrado toda su validez. La hija nacida en el altar y asesinada en Cartagena constituía una protección, un despiste o una simple coincidencia. El legado arrancaría de su hijo Francisco. ¿Francisco? Queda claro que la afirmación al abad: desconocía la identidad del padre, fue una celada para esconder la verdadera filiación de su hijo. Sin embargo, algún reconocimiento quiso tener Lorenza al bautizarle con el nombre del progenitor.

Quedaban por resolver dos interrogantes: uno, cuál sería el apellido que dio al niño; y dos, qué significaban las frases leídas al final del texto. Debían encerrar un gran secreto, constituían la herencia de Francisco, su hijo. No capté el significado claro en la primera lectura. Descifrar el mensaje me llevaría tiempo. Así las cosas, retomé el caso del apellido. Saqué nuevamente del baúl las partidas de bautismo. Seleccioné todas las que registraban el nombre de Francisco, hasta un total de ocho. Luego descarté seis al no corresponder las fechas. Por último, centré mi atención en las dos posibles. Ambas estaban bastante deterioradas, me resultó complicado adivinar los caracteres. La primera se extendía a nombre de Francisco Arbeláez Sánchez, hijo de Francisco y Leonora. La segunda pertenecía a Francisco Ac... el apellido era ilegible, y no registraba, intencionalmente, el nombre de los padres. Estaban datadas con tres semanas de diferencia. ¿Cuál podía ser, si es que era una de las dos? Había un portalápices sobre el escritorio. Nunca fui especialmente ingenioso en labores detectivescas; pero, por si acaso, cogí un lápiz y sombreé muy suavemente el rugoso papel encima del apellido borrado. No era magia, ni la palabra apareció con nitidez. Tuve que ayudarme de una lupa y seguir, letra a letra, el trazado. Las dos primeras letras eran una *A* mayúscula y una *c*. La siguiente se me antojaba una *e*. Luego apareció una *v* seguida de otra *e*. Un corte. Después arrancaba una *d* excesivamente florida, para terminar con una *o* abierta y prolongada. No existía segundo apellido. Recompuse la palabra: «Acevedo». ¡Joder! ¡El apellido de Patricia y de su padre, el senador! ¡Patricia Acevedo! Me lo repetí un centenar de veces, lo escribí incluso. Lorenza había permutado la *r* por una *v*, y la *t* por una *d*. Seguramente el padre Vanegas no le permitió mayores modificaciones; sólo las necesarias para hacerle un quiebro a la Inquisición, al Destino, y ajustarse al aprieto. Entonces... entonces... entonces Patricia sí era descendiente de Lorenza. ¡Eso explica muchas cosas! Y además me permitía sacar la irremediable conclusión de que Patricia era familiar mía. ¡Los Acevedo y los Santander éramos consanguíneos! De no haber negado Lorenza la identidad del padre, todos tendríamos el apellido Santander. *Voilà!*

Para intentar descifrar el contenido de las frases que dictara Lorenza me levanté de la silla. Comencé a dar vueltas alrededor de la alfombra, procurando no pisar las esquinas... manías. El texto legado a su hijo era el siguiente:

> *La verdad está en los libros.*
> *El Catecismo nos enseña*
> *a sobrevivir en el tiempo*
> *hasta que se cumplan*
> *los designios.*
> *El Ángel de la Guarda*
> *nos protege.*

Es lo que entendí y copié del tomo del abad, aunque para mayor compresión actualicé un poco el castellano. Enseguida me pregunté por qué nombraba Lorenza el catecismo, o el ángel de la guarda, siendo elementos cristianos con los que poco comulgaba. Al padre Vanegas debió de parecerle el mensaje muy adecuado y propio para Francisquito. Pero resultaba evidente que escondía una clave debajo de las palabras. Lo primero que había de encontrar era el objeto cifrado. ¿A qué aludía el comunicado? Y en concreto, según la última frase, ¿qué protegía Lorenza? No cabía otra respuesta que el pergamino. En él unifiqué todos los razonamientos. «Cuando se refiere a que la verdad está en los libros... entiéndase, en uno de ellos lo ha escondido. Es lógico. El papel entre papel se pierde. El libro que más tuvo en las manos, y pudo manipular con tranquilidad fue, como señala, el Catecismo. En concreto, el *Catecismo Tredentino,* cuya lectura le impusiera el padre Almansa en el convento a través del confesor. ¡La madre que me...!» Habíamos acariciado el libro; el padre Ferrer lo había sacado de la estantería y me lo había mostrado. Continuaba dando vueltas sobre el perímetro de la alfombra. «Si dice: *nos enseña a sobrevivir en el tiempo,* es porque albergaba la esperanza de que el manuscrito permaneciera oculto el tiempo necesario, corto o prolongado. La única certeza era que al abandonar Cartagena, seguía en su lugar. *Hasta que se cumplan los designios... ¿los conocía?»* Me rugieron las tripas. El estómago dio un aviso: necesitaba más que palabras. *«El Ángel de la Guarda nos protege... ¿desde cuándo Lorenza creía en él?»* Discurrí bastante. En ese momento llamaron a los perros. *«¡El Ángel de la Guarda! ¡Por supuesto...! No se refería al ser celestial que nos cubre las espaldas. La alusión no puede ser más directa: el ángel dibujado en la guarda...»* Las guardas de los libros son el papel pegado a la tapa por el interior. Y el *Catecismo Tredentino* encontrado por el padre Ferrer tenía uno, con trompeta y todo, en la pasta de la contracarátula. *«¿Estará allí?»* Cabían varias posibilidades: o el hijo recibió el mensaje y lo entendió, si Lorenza le había ampliado la información anteriormente; o Francisquito no comprendió el mensaje y dio a su madre por loca; o tomó al pie de la letra el contenido y se metió a monje, algo así, con lo cual el manuscrito seguía escondido en la guarda del libro; o el Catecismo del convento podía no ser el mismo de Lorenza; o alguien ya podía haberlo encontrado tiempo atrás..., quizás el mensajero.

Quedaba en el aire otra cuestión, que de antemano era imposible solucionarla, al menos inmediatamente: ¿por qué se había largado Lorenza sin más, después de cinco años en el monasterio, abandonando a su hijo y desechando la protección que, así fuera comprada, había recibido de los agustinos?

La tensión y los nervios pudieron conmigo. Tomé los apuntes necesarios y salí del estudio en busca de doña Leticia. No estaba en casa. Debían de ser las cinco o cinco y media. Ascendí por el camino hasta la entrada y entré a Telecom. Solicité al dependiente, un chaval del pueblo cercano, una comunicación con Avianca, en Bogotá. Contestó al teléfono una chica un tanto seca. Le expliqué mi necesidad de viajar con urgencia a Cartagena, a ser posible, en algún vuelo del día siguiente.

—Lo siento, señor. No hay vuelos disponibles hasta la media mañana del treinta y uno.

Insistí. No hubo forma. Me tomó la reserva con la frialdad que sólo son capaces de mantener las empleadas de una aerolínea. Me veía abocado a refrenar mis impulsos y mis ansias hasta el lunes. ¿Qué podía hacer yo, convertido en un manojo de nervios, un fin de semana en una hacienda de reposo?

El domingo 30 amaneció pletórico. El sol se agarraba a las cumbres con las manos y asomaba la cara por la campana invertida que formaban los riscos. Yo me había calmado un poco. Narrarle detalladamente durante la cena mis descubrimientos a doña Leticia me había servido para liberar unas cuantas emociones. Sin embargo, no pude sacudirme la sensación de que ella sabía más de lo que me había dado a entender. Varias veces asintió con la cabeza, inconscientemente, aseverando y confirmando mis teorías.

Me fui temprano a pasear por el bosque. Miré hacia lo alto y me pregunté si allí estaba Dios, en los picos de aquellas montañas incomprensibles. Caminé por un sendero marcado con letreritos indicando la dirección adecuada para no perderse. Los eucaliptos cubrieron mi cielo. Me puse a recapacitar sobre cuál sería la mejor forma de establecer contacto con Patricia. A todas luces, la situación se había complicado. Ahora era mucho, y complejo, lo que debía decirle; además, no tenía tiempo. ¿Cómo aceptaría una persona a la que de buenas a primeras, un perfecto desconocido, le confesara haberle dejado la fotocopia de unos manuscritos acerca de un proceso inquisitorial acontecido cuatro siglos antes, y cuya protagonista era, aunque pareciese increíble y no portara su apellido, una especie de tatarabuela, y encima, no era prima mía de milagro..., y cosas como la cuestión del pergamino, si no la conocía ya? Los pies de plomo iban a ser diminuta precaución. ¿Qué sucedería si al cantarle la tabla ella fuera consciente de todo, porque Francisquito transmitió la información a toda su descendencia? Por muchas vueltas que le di, siempre llegué a la misma conclusión: tenía que presentarme en el Santa Clara y arriesgar el pellejo. «El mayor atractivo de las mujeres es la incertidumbre escondida en sus primeras palabras.»

Después de comer encontré a los románticos-astrónomos en el patio nominado por mí «de lectura». Las empleadas terminaban de arreglar las habitaciones de los más perezosos. Carlos no se había desprendido del frac, aunque sí de los síntomas etílicos. La señora vestía otro impertinente modelito de lentejuelas. Las lentejuelas no deben exponerse al sol porque se vuelven ofensivas. «Pertenecen al espíritu de la noche», le dije. Como si la hubiera avergonzado, se tapó los hombros con un pañolón negro. El *estrellólogo* (innovación etimológica por considerar al científico más cercano a la bóveda celeste que a la tierra) leía sin tomar aire una revista de astronomía. La portada tenía unas gigantescas letras en fucsia, destacadas de otros textos en inglés: *Hale-Bopp*.

—Perdón, le interrumpo —me atreví—. Un amigo me habló hace un par de semanas del cometa. Estaba entusiasmado con la idea de observarlo y ascendió en globo, de noche. Su locura le costó la vida...

—¡Ah! —Por fin levantó la cara, las pesadas gafas de pasta en la punta de la nariz—. Se refiere usted al jesuita muerto en Cartagena.

—Al mismo.

—Hay personas que cometen verdaderas atrocidades para intentar descubrir los misterios del universo —intervino la señora.

—A mediados de marzo podía observarse el cometa. Pero más al norte hubiera sido mejor. Para verlo en toda su inmensidad debía haber viajado a Europa. Por desgracia, su amigo no podrá disfrutar, pasado mañana, del gran día. ¡El perihelio del Hale-Bopp...! ¡La anunciación de una nueva era!

Con la pronunciación de aquellas frases discurrí una

nueva teoría, tal vez descabellada, tal vez desesperada: si el cometa era el anunciante de una nueva era, ¿no podría ser quien respondiera al término de «mensajero»?

Han sido muchas las noches que, como chocolate, me derretí sobre tu recuerdo. Empalagosa negación de mis sentidos. ¡Cómo te hubiera hecho vivir, vibrar, siempre en un sueño! Lorenza de entonces, Lorenza de todos los tiempos que me atañen, del infinito que me pertenece.

Pusiste sobre mi alma, si la tengo, las vendas de la incertidumbre.

Las noches de Cartagena fueron Tú. Los deseos de romperle la cara a la gloria fueron Tú. Las manchas de amor que me quedaron en el alma fueron Tú. Tú fuiste Tú, y Yo fui Tú. Persisten las evocaciones en seguir volando, como las golondrinas, sobre mis sienes. Y pesan...

Entonces, ¿por qué me hiciste un mal tan dulce? ¿Acaso puede haber luna al medio día? Las mañanas no serán tan luminosas.

El resto de mi estancia en Baza fue un juego de «tú sí sabes, yo no sé» con doña Leticia. Claro, no descarto la posibilidad de que yo mismo, en mi iniciática carrera, elevase circunstancias sin importancia al rango de sospecha.

El regreso a Cartagena fue tranquilo, pero no exento de ansiedad. ¿Qué me depararían las horas próximas?

Entré al Santa Clara a las cuatro y diez de la tarde. El negrito-todo-dientes estaba de turno. «¡Quiubo, patrón!» Le conté lo imprescindible. «Cumplí su encarguito.» Me miró suplicando propina. Mandé la mano al bolsillo.

—La señorita insistió mucho en saber quién le había dejado el sobre —dijo con cara de culpabilidad.

—¿Usted se lo dijo?

—¡Pucha, jefe, ni siquiera lo conoce! Pensé que le despejaría el camino...

Saqué la mano del bolsillo, vacía.

En ese instante caí en cuenta de que había, diseminados por todos los rincones, hombres corpulentos con pinta de matones y radios en las manos o colgadas del cinturón.

—¿Quiénes son ésos? —pregunté.

—Tiras.

—¿Qué?

—Tiras... guardaespaldas. Llegaron esta mañana con el senador Acevedo y algunos invitados. Cada vez que se hospeda algún personaje importante en el hotel esto se llena de tiras. No se arrime, son mala papa.

—¿Pertenecen a algún cuerpo de seguridad del Estado?

—Los del senador son del Departamento Administrativo de Seguridad. Los de Pablo Miguel Pastor, que llegará mañana por la noche, son particulares.

—¿Pablo Miguel Pastor?

—Un conocido empresario de televisión, aunque todo el mundo sabe que es traqueto.

—¿Traqueto? —Me tenían loco los colombianismos.

—Narcotraficante. Venga. —Me hizo señas con el dedo para que acercase la oreja—. La fiscalía ha implicado al senador Acevedo el mes pasado en un proceso por tráfico de drogas. Es uno de los casos que aparece a menudo en la prensa y los noticieros.

Le agradecí la información. Ya me retiraba cuando me volvió a llamar.

—Oiga..., la señorita bajó por la tarde a leer sus papeles. Suele sentarse hacia las siete en el patio de los bronces.

Subí a la habitación. No deshice la maleta. Entré al cuarto de baño. Cogí una maquinilla de afeitar desechable y la rompí. Extraje la cuchilla, la envolví en el papel grueso del jabón y la guardé. Salí a toda prisa y, sin despedirme del negrito, me dirigí al convento de las Carmelitas.

La superiora, atenta como solía ser, me acompañó hasta la biblioteca. No le conté nada relevante: los posibles mensajeros no tenían derecho a saber nada. Cogí de la estantería un libro cualquiera, fingí que leía. Esperé a que Carmen se aburriera y saliese. Cuando estuve solo, me levanté y busqué el *Catecismo Tredentino* en el lugar donde el padre Ferrer lo había dejado. Allí estaba. Lo puse sobre la mesa y me senté. Verifiqué otra vez que no me observara nadie. Lo abrí por la última guarda. ¡El ángel! Un querubín con los carrillos hinchados como el fuelle de una gaita tocando la trompeta. Lo palpé con los dedos. Estaba abultada, pero nada hacía parecer que hubiera algo escondido debajo. Desenvolví la cuchilla. Con sumo cuidado despegué los bordes de la guarda. Estaba pegada con algún tipo de engrudo de harina, mezclado con un pegante reseco. El indicio era bueno. Si tenía dos clases de pegamento, el engrudo encima de la goma, era porque había sido despegado y pegado nuevamente. El papel crepitó como leña ardiendo. Llegué a la esquina de un documento doblado. Continué despegando. Descubrí totalmente el papel, plegado en cuatro. Antes de pararme a estudiarlo, coloqué la guarda como buenamente pude, sin volver a pegarla, y deposité el libro en el anaquel.

«¡Lo tengo en la mano!» Lo tenía en el corazón. Lo desplegué. El pergamino se quejó cuando lo abrí. Era un papel hecho a mano. Los pedazos de madera, los tallos y las hojas de las plantas con los que estaba confeccionado podían verse y tocarse en la textura. Tenía un color amarillento fuerte, intensificado por el paso del tiempo. Reconocí las palabras escritas por el francés para recordar su nombre a Lorenza: «*He cumplido la misión que me encomendó el maestro. Nunca me olvides. Jean Aimé*». El resto, latín, manuscrito en pluma sepia, había tratado de fugarse. Pero el papel logró retener la suficiente tinta para hacerlo legible. Al final, se adivinaban las iniciales *C. H.*, y el nombre de una ciudad y las siglas de un año, muy borrosas: «*Salon, 1566*».

«¡Aquí está el pergamino..., José María Ferrer! ¡Aquí lo tengo, abuelo! ¡Aquí lo veo, Lorenza de Acereto! ¡Lo encontré antes que tú, Ramiro Biáfora..., mensajero del fastidioso Destino! Ven por él, cometa Hale-Bopp, si es que tú también tienes algo que decirme. Sólo yo, Lorenza, he podido tocar tu gran secreto. Sólo yo, Lorenza.»

Quedó abierto el marco de las grandes incógnitas.

Mis conocimientos de latín no alcanzaban para traducir el pergamino. ¿Quién podía hacerlo, que me ofreciese suficientes garantías? ¡El padre Manuel! Si debía arriesgar con alguien, mejor con el anciano sacerdote. Copié los textos, rápido, no quería comprometer la pérdida de todos mis logros. Doblé el manuscrito, lo escondí en el bolsillo, recordé a Lorenza y las veces que hubo de llevarlo encima, la volví a querer y, tras despedirme de Carmen, fui a la parroquia.

Encontré al padre Manuel limpiando su altar. Me atendió con seca amabilidad y el mismo tabaco infumable entre los labios. Le expliqué lo del viejo documento, uno encontrado sin importancia, lo había pensado por el camino, y requería de un experto en latín para traducirlo. Él lo era, me lo había dicho el padre Ferrer. Desistí de mayores explicaciones: cuando alguien depende de superiores, tiende a contar o consultar con ellos. Me dejé aconsejar bien por la prudencia. El jesuita no puso objeciones.

—Ven mañana por la tarde.

—¿No lo puede tener antes? —El sacerdote no imaginaba el estado de ansiedad que me invadía.

—Esto lleva tiempo. Parece un latín impuro.

De regreso al hotel, fui directamente al patio de los bronces. Patricia estaba, como anunció el negrito, leyendo los papeles que le había dejado. Me amparó su concentración y la miré con detenimiento; la recorrí desde la punta de los pies hasta el cabello rubio posado en sus hombros. Vestía una falda larga, blanca, y una blusa roja. Me acerqué despacio, recreándome en ella. La toqué con la mirada, y levantó los ojos.

—Hola —dije.

—Buenas tardes.

Dos guardaespaldas salieron desde las columnas y se abalanzaron sobre mí.

—Tranquilos. Está bien. Pueden retirarse —los frenó.

—Gracias. Perdón que te interrumpa. Mi nombre es Álvaro Santander.

—Soy Patricia Acevedo... pero eso ya lo sabes.

Tenía el mismo deleitoso descaro que Lorenza, quizá, también el mismo repique en los ojos. Sin embargo, no era Ella. Una estaba viva, palpable, de la otra sólo había recibido impresiones, la tenía muy cerca, a menos de un metro; pero a Lorenza la tenía dentro.

—Si quieres, siéntate. Creo que me debes una explicación.

Fue entonces, al sentarme, cuando lo vi en su cuello.

—¿Qué pasa? —me preguntó inquieta.

—Perdona. Me ha impresionado el colgante que llevas.

—Un recuerdo de familia, un antiguo dije heredado de mi abuela. Mi padre me lo dio el día de mi puesta de largo, tiene por lo menos cuatro siglos.

—Perteneció a Lorenza.

—¿Cómo?

—Es una de las cuentas del collar que Margarita le dejó con Catalina de los Ángeles el día de su muerte.

—¿Te refieres a la Lorenza de estos papeles que me enviaste?

—A esa Lorenza. Y este amuleto azul y naranja se lo dio a su hijo en un monasterio, Baza, del que acabo de llegar.

Los dos teníamos la misma cara de asombro y desconcierto, supongo. Nos tanteamos con la vista, calibrando si debíamos darnos confianza. Mi duda inicial se iba despejando: Patricia no tenía conocimiento de sus antepasados. No obstante, preferí asegurarme.

—¿Nunca tu padre, o tus abuelos, te hablaron de Lorenza de Acereto, de Francisco Santander o de alguien relacionado con lo que has leído?

—No, nunca.

Poco a poco calmé los nervios. Ya estaba nadando, sin pensarlo, como si el abalorio hubiera actuado como un imán y nos hubiera acercado. Me fijé en la simiente. Aquello también era una pieza del rompecabezas: acababa de cumplir su función.

—Deduzco que tienes mucho para contarme. Dispongo de una hora hasta la cena.... —me dijo inquisitiva.

Gran parte de la historia ya la conocía, porque la había leído en los papeles (quiero suponer que era la única razón). «Camarero, dos cremas de curuba.» A salto de mata, entre síes con la cabeza y preguntas aclaratorias, llegamos al destierro de Lorenza y su huida con los agustinos. Tardamos cuarenta minutos en reconstruir los hechos; casi tres cuartos de hora en los que no fue posible revelarle la totalidad de los misterios de Calamarí.

—¿Por qué abandonaría a su hijo? —preguntó.

—No lo sé, ni tampoco para dónde marchó. Posiblemente algún día lo averigüe. Pero no son datos primordiales en este instante...

—¡Me tienes impresionada! Entiende, no es muy normal que un desconocido te mande un sobre con un antiguo proceso de Inquisición y unas anotaciones acerca de una tal Lorenza de Acereto... de repente, sin más, y que se cruza en tu vida para contarte que esa señora es tu pasado, tu tatatarabuela..., no sé cuántas tatas delante, y te descubre que llevas un colgante que le perteneció, y además, por si fuera poco, que estás involucrada en un tremendo jaleo cósmico donde intervienen cometas, mensajeros, altares, amores extraños..., un jurgo de cosas. ¿No te parece demasiado?

—Comprendo, no es fácil de encajar. Pero es la verdad. ¡Caray! Creí que nunca reuniría valor para contártelo, tenía miedo que lo malinterpretaras. He pasado todo el fin de semana pensando cómo acercarme a ti.

—Normalmente no muerdo.

—No es por eso. Date cuenta, para mí eras, o eres, como la reencarnación de Lorenza. Cuando te vi por primera vez en el coche de caballos, aquella mañana en la puerta de San Pedro Claver, casi me muero del susto. Después te vi fugazmente, ya estaba convenciéndome de la existencia de los fantasmas.

—Bueno..., los fantasmas existen.

—Puede ser. Pero tú no eres un fantasma.

—Eso espero. Después de lo que me has contado, puedo ser cualquier cosa.

Había oscurecido. El camarero prendió la vela del centro de la mesa.

—¿Qué piensas de Lorenza? —le pregunté.

—Fue... como una guerrillera.

—¿Una guerrillera? —Me pareció una respuesta disparatada. Aunque, curioso, el término me acercó a la historia del padre Ferrer y la subversiva. «No deben ir de la mano el amor y la muerte.»

—Una guerrillera de su tiempo, una superviviente.

—El término superviviente me gusta más. No eres la única en definirla así.

Tal vez estaba tratando de convertirla en mi cómplice. No había resultado difícil impresionar a la chica, a punto de cumplir los dieciocho, abierta a la magia de su tierra y a la seducción de un pasado fantástico que la tomaba por la cintura y la sumergía en una historia de espadachines, amor, brujería, misterios..., su propia historia.

No le dije nada de la posesión del pergamino. Ella no preguntó tampoco.

—¿Y quién podrá ser el mensajero? —quiso saber, lúdica.

—Esperaba que tú me lo dijeras.

—Siento decepcionarte. Ya ves, no tenía ni la más remota idea de todo este embrollo.

Le sugerí la candidatura del gerente del hotel. Se mostraba fascinada con el juego que había irrumpido en su vida. Seguramente estuvo a punto de afirmar: «Cuando se enteren mis amigas les va a dar un paro cardíaco», o cualquier otra frasecilla esnob.

Luego hizo una pregunta muy lógica:

—¿Entonces tú y yo somos familia?

—Me temo que sí.

Antes de que el senador Hugo Acevedo entrara en escena, alcanzamos a charlar sobre algunos temas ajenos a Calamarí. Quedó convencida, al menos creí conseguirlo, de que todo aquello no era un plan para ligar con ella. Estudiaba veterinaria, tenía *amigovio* en Bogotá y andaba dichosa por la gran fiesta que le estaban preparando. «Patricia, tu madre espera.» El político era de esos tipos que imponen respeto y encima dan la impresión de tener un yate: pelo canoso, chaqueta azul cruzada, pantalón y zapatos blancos, esclava de oro en la muñeca, anillo con piedra negra en el meñique. La chica recogió los papeles, me pidió permiso para retirarse y me dijo que seguiríamos charlando.

—Hasta mañana..., primo —pareció burlarse.

Se sujetó el abalorio con la mano y caminó por medio de la vegetación abundante. Volvió a mirarme, y aquella mirada era distinta a la que había mantenido durante toda la conversación.

Los ojos de niña boba se habían transformado, repentinamente, en los ojos de Lorenza.

10

¿Descansé? En absoluto. Las emociones se confabularon para hacerme el sueño imposible. A las seis de la madrugada la desesperación y yo no cabíamos en la cama. Pedí el desayuno y el periódico por teléfono a la habitación.

Me tumbé un rato más para leer el diario. «Privilegio de marqués.» Hasta la página de sociales todo transcurrió en la normalidad de las peculiares noticias que genera Colombia. Aparecía, sobre el crucigrama, una foto de Patricia Acevedo. Al lado, un aviso similar al que recortase el padre Ferrer, anunciando la celebración de su onomástica. A continuación, un retrato de los aparentemente felices y sacrificados padres: el senador, con la misma pinta de patrón de velero; la madre, *oh my God!*, Catherine Gibson, *made in Usa*. Gringa, con todos los aditamentos de los gringos: rubia, ojiclara, rellenita y traje color pastel. «¡El pirata se volvió nativo y la española inglesa!», típicos pensamientos producto de una noche de insomnio. Continué leyendo. El periódico destacaba los nombres de algunos invitados notables: políticos, empresarios, militares, financieros y hasta ministros. Estaba claro que el senador aprovechaba los actos, fueran del tipo que fueran, para apuntalar su candidatura presidencial. Releí la lista con mayor detenimiento. Dos de los apellidos se me hicieron familiares: Bioho y Esquivel. «¡Me parece que estoy empezando a adivinar dónde ponen los huevos las garzas!» Me duché a toda prisa, me vestí, creo que no me peiné, y bajé al vestíbulo. El hotel aún estaba desierto. El negrito-dientesblancos salía de turno. Ya vestía la pantaloneta de costeño feliz. Le pedí el favor (mil pesos por delante) de que me facilitase la lista de invitados al cumpleaños de la señorita Acevedo. «¡Huy, hermano, me la pone cuesta arriba!» Dos mil pesos, y una fotocopia del listado estaba en mi poder.

Regresé a la habitación. Saqué los papeles del proceso inquisitorial, los recortes del padre Ferrer, y comencé a comparar nombres y apellidos. Al cabo de unas horas había establecido buena cantidad de coincidencias: el ministro del Interior se llamaba Augusto Esquivel, como doña Bárvola; el comandante del ejército, Ernesto Bioho, igual que Potenciana; el presidente del Banco Colombino, Jorge Eduardo Señor, tal vez casualmente, como el hungan Domingo; el fiscal general, Julián de los Ángeles, como Catalina; la viceministra de Relaciones Exteriores, Cecilia Vitoria, como Elena; el presidente de la Cámara de los Diputados, José Harold Tasajo, como María; la gobernadora del departamento del Huila, Martha María Sánchez de Eguiluz, como Paula; y el gerente general de Cafetales del Viejo Caldas, Fernando José Olaneaga, igual que doña Ana María. «Demasiadas casualidades.» El padre Ferrer me había dejado los recortes porque intuyó, o descubrió, todos aquellos nombres arremolinados en torno a la fiesta. La solución, si la había, no podía estar sino en el pergamino. Se hacían de caucho, alargadas sin compasión, las horas hasta la tarde.

Después del medio día se encapotó el cielo. «Hay una tormenta tropical dirigiéndose a la costa», me anunció el conserje cuando salí del hotel. Aún no llovía. «Ni rastro de Ramiro Biáfora.» En la sacristía de San Pedro Claver, una empleada del servicio me indicó que esperase al padre Manuel. Al cuarto de hora apareció el viejo cura con el pergamino en la mano.

—Aquí lo tienes. He preferido no hacer interpretaciones, y aunque no entienda nada, he sido fiel al original. Lo único que no he podido traducir es un párrafo intermedio, escrito en una arcaica lengua africana. Parece un conjuro extraído de alguna desaparecida religión. Por lo demás, no sé si es lo que estabas esperando; pero yo no jugaría con estas cosas.

—¿Alguna revelación interesante?

—El diablo sabe cómo hace sus cosas, aunque todavía no he visto ninguna que le salga bien. Extraños los caminos escogidos a veces por el Señor. Mucho ojo... ya es suficiente con una muerte.

Me lo entregó. También un papel con la traducción.

—¿Sería tan amable, padre, de prestarme un escritorio donde pueda analizarlo tranquilamente?

—Sigue al despacho del padre Ferrer. Ya sabes dónde queda.

Reparé en los inmensos vacíos del cuarto. Solamente quedaban los momentos de mi primer contacto con Calamarí. Antes de leer la traducción, sentado en la mesa redonda, invité de corazón al sacerdote, a mi breve pero intenso amigo. Tenía el derecho y el deber de acompañarme, así fuera desde los balcones de la memoria. «¡Aquí tenemos el pergamino, padre!»

Del vientre de sangre inglesa
nacerá un vástago en un altar
señalado como vengador al imperio de las Españas.
Veo el número dieciocho rodeado de gente
el día que el cometa esté más cerca de la Tierra
poco antes de la Era de Acuario.

El mensajero les llevará este pergamino
con el conjuro de las puertas,
que desentrañadas por la sangre sajona renovada
abrirá de nuevo los caminos de la Memoria,
y despertará los demonios de la guerra, el Mal y la venganza,
y las gentes rodeando el número
provocarán una gran nevada que postrará el mundo.
Volverán los endriagos al monte.

Una dinastía de origen francés
reinará en España.
Ellos no sabrán que están esperando al mensajero
a orillas del mar,
subidos en su propia Historia,
porque el mensajero, sangre sobre la sangre,
trae la llave que los adueña del Reino.

Será éste el conjuro leído sin voz por el número:
«Ajkatala, ipsis notur acantaliga, diew noxa ugta,
patra neva tot orbagka. Sumi tedater owka
novalwaramma wannagea. Akywa stugta».

Leído el conjuro,
antes de que muera el día,
la orden de memoria y fuego
caerá sobre Ellos desde las estrellas rojas.

Pero si el pergamino es destruido,
el mar se llevará en su calma
la nieve y el fuego,
la Memoria, la venganza y la sangre,
la Vida que lo mantuvo y la que debería venir,
y no se abrirán las puertas que guarda el Destino.

C. H.
Salon, 1566

Debía estudiar el manuscrito punto por punto. «Tranquilidad. Despejo la mente. No quiero tinto, me altera los nervios. Comienzo a montar el puzzle.»

Estaba claro, del vientre de sangre inglesa, Lorenza, había nacido un vástago en un altar: Francisquito. ¿Por qué señalado como vengador del imperio de las Españas? Al ser el primer eslabón de la cadena genealógica de Lorenza, le corresponde el sañudo calificativo. ¿Quién quería vengarse de quién? Francia mantenía, en la fecha marcada en el manuscrito, pésimas relaciones con España. C. H., por adivinación o por deseo, indica que la descendencia de la inglesa se ocupará de hacerle el favor a los franceses. ¿Cuándo? Existía un incontrovertible indicio aclaratorio: «¡Hoy!». El día que el cometa esté más cerca de la Tierra, poco antes de la Era de Acuario... El primero de abril, tal como lo festejó el romántico astrónomo de Baza. Largo tiempo de incubación el de la venganza, estimado en más de cuatrocientos años.

¿Qué era el número dieciocho rodeado de gente? Dieciocho, dieciocho... ¡dieciocho! El cumpleaños de Patricia. Ella era el número, y la gente que la rodearía, evidentemente, los invitados. Ahí se acomodaba la coincidencia de los apellidos. Generaciones de brujos, así no supiesen que lo eran, congregados alrededor de Patricia, descendiente de Lorenza de Acereto, de Francisco Acevedo, para reunirse a orillas del mar a esperar al mensajero. ¡El mensajero! El *quid* de la cuestión, el rotor del engranaje. Sin él, no se movería el mecanismo de las puertas. «¡Padre Ferrer, hemos sido astutos!» Eso pensaba. Me adelanté al mensajero. Quizá por poco. Tal vez apareciera de un momento a otro reclamando el pergamino... Hasta entonces era nuestro...

Patricia, al leer el conjuro, las incompresibles frases en africano que no pudo traducir el padre Manuel, abriría unas puertas, imaginarias, y de alguna mágica manera, recuperarían la memoria dormida los congregados. No sería un instante de reencuentros, ni de «yo ya te conocía», o «por fin estamos todos». Posiblemente ellos no se enterasen de nada, porque de igual forma que Patricia leería el conjuro sin voz, o sea, para sí misma, los invitados, entiendo, empezarían a estrechar lazos, a sufrir acercamientos, y tiempo después finalizarían en obras concretas... en la venganza. ¿En qué consistiría?... Las gentes rodeando el número provocarán una gran nevada que postrará el mundo. ¿Una nevada? ¿A qué podía referirse tan gélida metáfora? Entonces no pude atar cabos. Me sacudía la prisa. Caía la tarde. ¿Qué debía hacer con el pergamino?

... por la sangre sajona renovada... otra alusión a Patricia, hija de una estadounidense. Ya podía afirmar que C. H. había escrito una profecía. Él no era el artífice de la venganza. Era un adivinador, un agorero. ¿Pero quién era C. H.? ¿Qué nombre respondía a dichas iniciales? También era imposible adivinarlo esa tarde. En cualquier caso, recogía el odio de alguien, o de sí mismo, hacia España. ¿Del gobierno francés, de una secta, de un grupo oculto de gente, de los militares galos, de la magia negra, de los eternos enemigos del catolicismo...? ¿Era un odio militar, vecinal, visceral, ontológico, diabólico, religioso, territorial, económico, plural, particular, espontáneo, provocado...? *Je ne sais pas.*

Volverán los endriagos al monte... ya se lo dijo Lorenza a Rufina Biáfora. La esclava conoció parte del secreto. «¿También lo conoce el gerente del hotel?»

No le tuvo que hacer, como no le hizo, ninguna gracia a la Inquisición que Lorenza hablara de una dinastía francesa reinando en España. Los Austrias ostentaban el poder. Felipe II estaba empeñado en agrandar el Imperio, y los franceses estaban hasta la coronilla de que el monarca español les provocara constantemente, inventando todo tipo de argucias políticas, económicas y militares, para anexar el país vecino a sus ya vastos territorios. Supuestamente, debía ser al revés: un rey de la dinastía de los Habsburgo en el trono de Francia. ¿Cómo iba un Borbón a reinar en España? La Inquisición, tan preocupada o más que por las desviaciones de fe en la Iglesia, se encargó de mantener firmes, en todos los órdenes, los intereses del rey. Junto al poder del soberano discurría el suyo.

¿Sería posible que existieran fuerzas ocultas, activadas porque una chica leyera ciertas frases en un incomprensible idioma desaparecido?

... el mensajero, sangre sobre sangre... ¿Sangre sobre sangre? ¿Estrellas rojas? Escuché los primeros golpes de una lluvia espesa en los cristales de las ventanas. El aire entraba por los huecos, silbando mis disparatadas elucubraciones. Un relámpago. Se fue la luz. Un trueno. Una sombra... ¿una sombra?

En la puerta de la oficina había alguien. Al apagarse la luz quedé ciego unos segundos. Al recuperar la visión, se fue haciendo nítida la figura de... «¡Ramiro Biáfora!»

—Disculpe. He tenido que refugiarme aquí de la lluvia —dijo.

No le creí. No quise creerle. Guardé rápidamente los papeles en el bolsillo.

—¿Le interrumpo? —preguntó. Movía la cabeza como si la tenebrosidad no le permitiera verme.

Sólo tenía una salida: correr. Esperé a que diera un paso hacia el interior del despacho, y aproveché el hueco a su espalda para salir y perderme en la sacristía.

Allí estaba el padre Manuel, consultando un tarifario.

—¿Qué hace ese hombre aquí? —le pregunté antes de salir.

—Es el gerente del hotel Santa Clara. Ha venido a consultar el valor de una misa que quiere dar el gobernador en atención a los ilustres invitados que ocupan la ciudad.

En su última palabra, yo corría bajo los goterones. A las dos cuadras me había calado hasta los huesos. Los faroles, más mortecinos que nunca, acababan de prenderse, antes de su hora, para intentar paliar la amenazante oscuridad. ¡Otra vez la oscuridad! Arreció la tormenta. El agua se me colaba en los ojos y me dificultaba la visión. «¿También tú contra mí, lluvia?» Instintivamente me dirigí al hotel. ¿Por qué?, pienso ahora. No lo sé. Repito, fue instintivo. Era el único sitio que me ofrecía refugio, mi cuarto. Acababa de dejar atrás al mensajero. Continuaba corriendo, sofocado, respirando fuerte, tragando incertidumbre, cuando llegué a media manzana del Santa Clara.

Frené en seco.

En este instante me parece mentira recordar todo esto y poder contarlo.

Me limpié los ojos con la mano. En la puerta del hotel estaba Patricia. Detrás su padre. Recibían a los invitados que no se habían alojado en el Santa Clara. Las limusinas paraban en la entrada, descendían los ocupantes, protegidos por el paraguas del botones, saludaban a Patricia, luego al senador y a su esposa, y seguían hacia dentro. Me acerqué lentamente. Saqué el pergamino del bolsillo. Lo sostuve en la mano derecha. Patricia se desvanecía tras la cortina de agua. Cuando estuve cerca, me miró. Abandonó el acto protocolario ante la incomprensión de su padre. Dio unos pasos, bajó un escalón y se dirigió hacia mí. Paró a escasos cinco metros de donde yo estaba.

En la esquina estacionó un Mercedes azul. El ocupante bajó la ventanilla trasera. Era Ramiro Biáfora, con su joroba y sus ojos de murciélago. Nos miraba.

Los guardaespaldas trataron de sujetar a Patricia. No se dejó. La lluvia le había empapado el vestido de algodón blanco, largo, al estilo de las sayas de las esclavas. El pelo mojado. La tela se hacía transparente al contacto con el agua. Eran sus ojos, los de Lorenza, los mismos que me perturbaron en la despedida del día anterior y en toda mi estancia en Calamarí. Ya no tenía cara ni poses de niñita inocente y desprevenida. Su rostro recogía la entereza, la rabia, el valor, el miedo, la magia, el encanto mortal de Lorenza.

Entonces comprendí. Estrujé el pergamino en la palma de la mano. Lo miré. Miré a Patricia.

¡Era Yo!

«¡El mensajero está en mí!»

«¡¡¡Yo soy el mensajero!!!»

¡Yo, el único destinatario de ese gran juego del Destino!

Juguete, fantoche, conductor, hilos, risa, furor, engaño, rabia, estupidez, timo, farsa, jugada, iluso, bobo, utilizar, ilógico, incomprensible...

El mar. «El agua limpia y purifica», le había dicho Margarita a Lorenza cuando fueron a tirar al río el muñeco atravesado con estacas que le habían dejado al tío Luis. Un río... «¡Una corriente!» El agua bajaba por la calle hacia el mar, chocaba contra mis zapatos, los sobrepasaba, y seguía su curso hasta la playa. Me agaché. Rasgué el pergamino por el centro, de arriba abajo. Luego lo volví a rasgar de derecha a izquierda. Repetí el corte hasta convertirlo en añicos. Y con cada corte sentí un desgarrón, una muerte, un alivio. Lo solté sobre el agua que borraba la calle. Los papelillos navegaron en fila, casi ordenados marcialmente. En la playa los esperaba el Destino para entregárselos al Mar.

> *Pero si el pergamino es destruido,*
> *el mar se llevará en su calma*
> *la nieve y el fuego,*
> *la Memoria, la venganza y la sangre,*
> *la Vida que lo mantuvo y la que debería venir,*
> *y no se abrirán las puertas que guarda el Destino.*

Me incorporé. Recorrí los cortos pasos que me separaban de Patricia. Me puse a su lado. Ella me sujetó el brazo. Paré. La miré otra vez desde la lluvia.

—¿Estás bien? —preguntó.

Asentí con la cabeza. Le di un beso en la mejilla y, atravesando toda la comitiva que aguardaba la fiesta, subí a la habitación.

Estoy desconcertado, Lorenza. ¿Qué acabo de hacer contigo? No tengo parámetros para evaluar si mi actuación ha sido la correcta. ¿Dónde está, padre Ferrer? ¿Por qué no me ayuda? Abuelo, al menos tú...

Has muerto despacio, bajando por la calle sobre el agua de la lluvia. En la playa, en el Mar que te ha bañado la infancia y el silencio, aguardaba La Mojana, anónima, metálica, con sus grandes párpados de madera cubiertos por el capuchón negro. Te acogió en su manto batido por el viento. Desapareciste entre las olas, quitándote la saya blanca, caminando desnuda con el manto estrellado de La Mojana cubriéndote de Noche. ¿Buscabas el barco de nácar? Ya no estás sola. Serás uno más de tus fantasmas. Y todos tus fantasmas serán míos. Como tus ojos... como Calamarí.

¡Yo era el mensajero! ¿Quién quiso jugar así conmigo? Vas a contestarme que el Destino. Lo vi esperándote en la playa, mientras los papelillos del pergamino descendían por la riada, antes de que La Mojana te vistiera de Luna para siempre.

Hoy tu alma murió en la mía, eternamente. Aquí estará enterrada...

Salía de la tina, llamaron a la puerta. A pesar de haberme calado hasta la médula, decidí darme una ducha caliente para intentar relajarme. Aún estaba aturdido y desconcertado por lo que acababa de suceder.

Abrí. Era la sonrisa rodeada del negrito. El conserje me entregó un papel de parte de Patricia Acevedo, una nota escrita por ella misma: «Te espero en la fiesta. Baja hacia las nueve». Ya no había treguas.

Busqué en el closet lo más aparente de mi vestuario: camisa azul y pantalón siena de gabardina italiana.

Recogí la ropa mojada que me había quitado. Revisé los bolsillos, como suelo hacer siempre y encontré, escurriendo agua y tinta, la traducción del pergamino. Extendí el papel sobre el escritorio y le di aire caliente con el secador del baño. Aún existían las palabras del hechizo, allí estaban. ¿Si alcanzaba a leerlo Patricia, causaría el mismo efecto que si lo hubiera leído en el pergamino original?

No me interesó la respuesta. Doblé el papel, lo escondí bajo el forro de la maleta, puse ropa doblada encima, la cerré con candado, me vestí y bajé al salón de recepciones.

Busqué a Patricia entre la multitud. Biohos, Esquiveles, Olaneagas, Eguiluces, Tasajos... danzaban concentrados en sus pasos, ignorantes de lo acontecido, al compás de una orquesta salsera. También estaba Ramiro Biáfora. No me atreví a pedirle disculpas hasta dos días después.

La Torre de Babel de Calamarí, sus sombras alargadas cuatro siglos, bailaban a mi alrededor como los títeres que no saben que lo son, como las marionetas incapaces de distinguir si están muertas porque les han cortado los hilos, o son libres porque ya nadie las manipula.

La vi desde lejos. Se había puesto un vestido negro, corto, muy escotado en la espalda, y llevaba la melena recogida en una cola de caballo.

—¿Cómo estás? —me preguntó cuando llegué a su lado.

—Confundido. ¿Y tú?

—También. —Despidió a dos amigas—. ¿Qué pasó ahí afuera? —Volvía a tener aspecto de niña consentida—. Durante unos momentos no supe qué estaba haciendo. Perdí el control de mí misma. ¡Como si me la hubiera fumado verde...! Tenía necesidad de ir hacia ti, esperaba que me dieras algo, no sé qué. Luego, cuando rompiste ese papel, me di cuenta de que estaba emparamada, en medio de la calle, y todo el mundo nos miraba escandalizado. Me sentí ridícula. ¡Qué oso!

Llegó un camarero con trago y pasabocas. Cogimos un vaso de güisqui cada uno.

—Hoy es el primer día que me dejan beber mis padres.

—No será la primera vez...

—¡Qué va! Imagínate en la universidad..., pero nunca me han pillado.

Seguía colgando de su cuello el abalorio.

—¿Otra vez obsesionado con el dije?

—Disculpa. —Traté de cambiar la conversación—. ¿Por qué me invitaste?

—Quería entender lo que había pasado. He tenido, y sigo teniendo, una sensación rara. Me siento culpable por no haber hecho algo que estaba en la obligación de hacer, como si no hubiera terminado una tarea del colegio. ¿No te has sentido nunca regañado injustamente? —Hizo un puchero con la boca.

—Puedo decirte lo que debías haber hecho. Pero no sé si va a gustarte.

—Cuéntamelo, ya te diré si me gusta o no.

—Te contaré... pero aguardemos a que pasen las doce —le dije, por si acaso las tentaciones.

—¿No me irás a contar el cuento de la Cenicienta?

—No. Es mi propio cuento. Mi propio y cruel cuento...

—¿Actúo?

—Tienes un papel protagónico.

Alzó el vaso de tubo, invitándome a un brindis. «Feliz cumpleaños... número dieciocho», pensé.

—¿Sabes bailar?

—No...

... No pude terminar el no. «¡Cuuumbiaa!» De buenas a primeras, tenía una mano de Patricia en el hombro y le cogía la otra. Un camarero había repartido velas encendidas entre las parejas danzantes y habían apagado las luces. Me hubiera gustado regalarme la belleza de Patricia, pero estuve muy ocupado fijándome en cómo se movían los demás.

La rumba siguió con más güisqui y más baile: merengue, salsa, vallenato, porro, cumbia, pasillo, chucu-chucu. Patricia me presentó a algunas amigas, ñoñas. Con el trago fueron diluyéndose los pensamientos profundos y los miramientos. «¡Uepa je!»

A medianoche se había retirado mucha gente. Yo apuraba mi último vaso en la victoria por reconocerme un bailarín extraordinario. Patricia me tomó del brazo. «Ha llegado la hora.» Ella tampoco estaba en sus seis sentidos. Salimos a la terraza, desde la que había visto tantas puestas de sol cuando aún eran serenas. La lluvia había cesado, la noche permanecía nublada, sin luna, y todo estaba mojado, cubierto de una humedad pegajosa. Nos quedamos de pie, apoyados en la baranda.

—¿Qué era el papel que rompiste y tiraste al agua?

—Directa al grano.

—Déjame confesarte algo: ayer no te dije toda la verdad.

—¿Por qué?

—Por precaución. Entiéndeme, todo este jaleo ha sido tan fascinante, tan ilógico...

—Tan mágico...

—Sí, tan mágico... que siento haber perdido la proporción de la realidad.

—¿Ya la has recuperado?

—No. Simplemente el estar aquí contigo, como si fueras Lorenza viva..., como si te hubieras escapado de mi mente y te hubieras materializado..., como si te conociera de siempre... —Le aparté un mechón rebelde que le caía sobre la mejilla—. Déjame preguntarte otra vez, ¿de verdad no tenías ni la más remota idea de todo esto?

—Te lo prometo.

Sus ojos me obligaron a creerla. Y la creí.

—Está bien. Te diré... El papel que rompí era el pergamino.

—¿El de Lorenza?

—Sí... el manuscrito que le dio el francés, por el cual sufrió, perdió a su esclava y amiga Catalina de los Ángeles, a su hija, a Guiomar, a tantos otros, y por el que llegó a ser torturada. Ayer lo encontré en el convento de las Carmelitas. Lorenza había dejado en Baza las pistas necesarias para localizarlo y, afortunadamente, el libro utilizado para esconderlo no se había perdido.

—¿Qué decía? —preguntó con cautela, tal vez con miedo.

—No lo he estudiado suficientemente como para darte una explicación precisa. Contenía una profecía y un conjuro. La profecía hablaba de venganza, de una venganza contra España, todavía no sé quién sería su promotor, llevada a cabo por un hijo de Lorenza nacido en un altar, y su descendencia.

—Francisco Acevedo.

—Tu antecesor. Después, el visionario, que responde a las iniciales C. H., habla del número dieciocho rodeado de gente, justo el día de hoy.

—¿Hoy?

—El día en que el cometa, el Hale-Bopp, está más cerca de la Tierra. Hoy, el día de tu cumpleaños... tú eres el número dieciocho; la sangre sajona renovada.

—¡Bonita definición!

—Al menos efectiva: eres hija de una estadounidense. ¡Sangre sajona renovada! Chica, qué quieres que te diga, yo no lo escribí. En esos tiempos eran un poquito retorcidos.

—Lo que eran era un poco hijoemadres. ¡Menudos jueguecitos!

Reímos. Se levantó un poco de brisa.

—También hace referencia a la dinastía de los Borbones; en aquel entonces no convenía, ni se esperaba, accediese al trono español. Este aparte... lo poco conocido, es la que desesperó a Mañozca.

—Por el interés te quiero Andrés.

—Más o menos. El cambio de dinastía tocaba a la Inquisición las narices, la estabilidad y la cartera. Más valía lo malo conocido que lo bueno por conocer.

—¿Y dónde está mi papel protagónico? —refunfuñó.

—Aguarda un poco. La profecía, según la adivinación de C. H., reúne a un grupo de personas, en torno a ti, a orillas del mar. O sea, aquí.

—Quieres decirme que todo ha ido cumpliéndose al pie de la letra...

—Por increíble que parezca, así es. Hasta el momento en que rompí el pergamino, la profecía se estaba consumando. ¡Y yo era el encargado de hacerla realidad!

—Tú eras el mensajero.

—Supuestamente. Pero eso lo sabemos ahora...

—¿Ahora?

—Bueno... esta tarde, cuando te vi en la puerta del hotel, cuando se formó ese cuadro bajo la lluvia y caí en cuenta... «Sangre sobre sangre»... al principio no capté el significado de la frase; pero está clara: somos familia, la misma sangre; somos descendientes de Francisco y Lorenza.

Pero aquella frase tenía más vueltas.

—Esperaba que el mensajero —continué—, cuando no sabía quién era, me hiciese la vida imposible, intentara adelantarse para conseguir el pergamino antes que nosotros..., cosas parecidas.

—¿Nosotros?

—El padre Ferrer y yo.

—¿Y tienes claro lo demás? —trató de apurar.

—No. Hay cuestiones como la descripción de la propia venganza…, no la entiendo. Habla de una gran nevada que postrará el mundo. Y también menciona demonios de la guerra, y del mal, y de no sé cuántas otras hermosuras. Tampoco sé por qué habla de estrellas rojas.

—Si las hay, no podremos verlas con este cielo cubierto.

No recordaba el manuscrito con exactitud. Matizamos algunos pormenores de mi aventura, hasta acabar en las advertencias del padre Manuel. Patricia quiso saber, de una vez por todas, qué sucedía con ella.

—Tú eras la encargada de culminar la profecía y de generar el principio de la venganza. Leerías un antiguo conjuro africano escrito en el pergamino, y desde ese momento se abrirían unas puertas… o algo así, una figura retórica, supongo, que provocaría que tus invitados, ya los hemos relacionado con los viejos brujos, comenzasen el proceso vindicatorio. Tengo la impresión de que algo, además de tu cumpleaños, iba a pasar aquí esta noche.

—Sabes que no toda esa gente es trigo limpio. He tenido una bronca con mi padre: yo estaba muy ilusionada; pero se empeñó en invitar a un montón de tipos mal vistos. Nunca ha respetado los límites entre su política y sus negocios, y nuestra vida privada.

—De todas formas, ha sido una fiesta estupenda —pretendía animarla.

—¿Para quién? He pasado la mayoría del tiempo saludando indeseables.

—Bueno, para nosotros. ¿No te parece emocionante lo que estamos viviendo?

—Ya… —Miró hacia el mar—. ¿Bajamos a la playa?

Asentí. Por los efectos del alcohol no percibía el fresco. Salimos del hotel, cruzamos la carretera y entramos en la playa. Nos descalzamos. La arena estaba apelmazada por la lluvia. Se habían borrado todas las huellas, sólo quedarían impresas las nuestras, nuevas y paralelas. «Vamos hasta la orilla.»

—¿Hubieras leído el conjuro? —le pregunté.

—Sí. No me preguntes por qué, pero estoy segura de que lo hubiera hecho. Todavía, si me lo entregases, lo leería.

Preferí no seguir indagando. Lo llevaba dentro, como yo. Callamos un trecho.

—Somos las dos caras de una moneda, y Lorenza es el canto —dijo de repente.

No me atrevo a juzgar si la observación fue acertada.

Caminamos hasta el borde y metimos los pies en el agua para que Lorenza nos acariciase desde las olas.

La cogí por la cintura y la miré intensamente a los ojos.

—No me beses —dijo.

—¿Por qué?

—Porque ese beso sería para Lorenza, no para mí.

Patricia se fue al día siguiente. Un accidente inesperado había obligado a la familia Acevedo a viajar urgentemente a Bogotá. Me dejó una nota de despedida, recomendándome que le escribiera desde España. Sabía, como yo lo supe desde la noche anterior, que no volveríamos a vernos. El último pedazo del pergamino lo habíamos rasgado a la orilla del mar. Entendí que el conjuro, de abrirse, nos hubiera unido. «Sangre sobre sangre.» Y en la playa preferimos dejar roto lo que roto estaba. Cada cual debería controlar cuanto se le había colado en el alma, misteriosas fuerzas legadas por el Destino. El mismo Destino que reía en la arena, por la tarde, cuando destruí el manuscrito.

Fui hasta la recepción a por un periódico. Tenía un guayabo pomarroso, inconmensurable. Agarré *El Tiempo* y me senté junto a la piscina. Antes de leerlo quedé embobado con los reflejos del agua.

«¿He traicionado a Lorenza?» A fin de cuentas, había destruido lo que Ella protegió con tanto sacrificio. ¿Cómo puede arriesgarse la vida por un misterio? ¿O realmente Lorenza fue la gran bruja, como la mayoría pensó? Tal vez empleara sus encantos, sus poderes amatorios africanos, para llegar hasta mí y hacerme creer enamorado. Pero si me creía enamorado, sólo por creerlo, no debía haberla traicionado, porque si estoy convencido de que no hay límites en el amor, debería haber corrido el riesgo. Ella se me entregaba en Patricia: mi recompensa. «¡Bendito triunfo rechazado!» Tuve que ser el árbitro entre el Bien y el Mal, cuando ambos iban vestidos de igual manera. ¿Cómo distinguirlos? «Espero que por una vez mi espíritu rebelde haya optado por el bando de los ganadores, aun sintiéndome dolido por ti, Lorenza.»

Nada más ojear la primera página, encontré la gran respuesta, la penúltima incógnita del pergamino; la razón que justificó mis decisiones. «*Empresario de televisión, presunto narcotraficante, muerto en accidente de avión. Anoche, cuando la avioneta privada de Pablo Miguel Pastor se dirigía a Cartagena, estalló en el aire sobre la Ciénaga Grande, a la vista del aeropuerto de la Ciudad Heroica, a causa del mal tiempo reinante en la costa. Según investigaciones policiales, Pastor tenía intención de reunirse con el senador Hugo Acevedo, quien celebraba el cumpleaños de su única hija en el hotel Santa Clara. La fiscalía tiene fundadas sospechas de que Pablo Miguel Pastor estaba dispuesto a financiar la campaña presidencial de Acevedo. En contraprestación, Acevedo permitiría mayores libertades a la organización de Pastor, a quien se le acusa de ser el responsable de los mayores cargamentos de cocaína enviados a Europa.*» «¡Cocaína...! ¿No la llaman también nieve?» La nieve que C. H. vio en su profecía. No se refería el adivino a las nieves del Nevado del Ruiz, ni de la Sierra Nevada de Santa Marta, ni a ningún paraje invernal. Estaba refiriéndose a la droga. «*... las gentes rodeando el número provocarán una gran nevada que postrará el mundo.*» «Pues los primeros copos han caído hace rato», pensé. Copos como Rafael Estrada, el colombiano que entrevisté en la cárcel de Carabanchel. Copos esparcidos a través de redes organizadas. Copos que congelan y aturden la vida. Copos de muerte. Después tendría tiempo de profundizar en este apocalíptico sueño del visionario, que me pareció en aquel entonces más deseado que cierto, motivado por anhelos de venganza y no por una realidad que necesariamente habría de transformarse en la agonía de sus enemigos.

Permitiendo a la sinrazón facilitarme las deducciones, supuse que el accidente de la avioneta se produjo, no por causa del mal tiempo como aseguraba el diario, sino porque, al despedazar el manuscrito, quedó rota la línea de acontecimientos que debía desembocar en el encuentro entre Acevedo y Pastor, lo cual hubiera supuesto el posible triunfo del político, quien, convertido en presidente, hubiera facilitado la labor de Pablo Miguel Pastor en su endiablada carrera de distribución de coca en sus principales áreas de acción: España, Alemania, Italia y Portugal. «¡Los antiguos territorios del Imperio español durante el reinado de Felipe II!» Los invitados conformaban el equipo de trabajo del senador. Equipo que lo hubiese llevado hasta el Palacio de Nariño, y el mismo que hubiera ocupado los principales puestos en su administración: los demonios de la guerra, el Mal y la Venganza.

La avioneta no estalló por la tarde, sino durante la madrugada, después de que Patricia rechazara el beso... Fue entonces cuando terminó de quebrarse el alma del manuscrito.

Si no hubiera roto el pergamino, «perdona, Lorenza», sólo habría sido el arquitecto inconsciente de una pesadilla.

Los días restantes no salí del hotel. Me dediqué a expiar mis culpas, a tratar de enfadarme con Ella, a examinarla desde todos los puntos de vista para culparla, para desenamorarme, para librarme de su hechizo, de sus ojos, y tratar de recomponer mi integridad y mi cordura.

El día 5, temprano, cogí el vuelo directo a Madrid. El avión despegó en medio de una mañana luminosa. Sólo algunas nubes surcaban el cielo. Al pasar por ellas me asomé a la ventanilla. Abajo quedaban las murallas, las callecitas empezando a bullir, los balcones floreciendo, los faroles apagados, las golondrinas volando sobre la Plaza, los galeones atracados en la Bahía de las Ánimas.

Después de que la azafata me retirase la bandeja del almuerzo, cogí la revista de la aerolínea para entretener un rato las lágrimas. Las páginas centrales estaban ocupadas por una foto a doble página del Hale-Bopp mostrando su cola ardiente, majestuosa, como si llevara un velo de fuego.

¡Las estrellas rojas!

Un pie de foto aclaraba que la cola del cometa dejaría caer, en años venideros, una lluvia de polvo cósmico y pequeños meteoritos sobre la Tierra. ¡Claro, la venganza no era para una sola noche! El primero de abril era la fecha de partida, la reunión entre Acevedo y Pastor; pero se desarrollaría durante varios años, y cuando las partículas estelares de la cola del cometa, «las estrellas rojas», cayeran sobre el planeta, la labor realizada por los narcos, «la gran nevada», sería irreversible o, al menos, traumática para los países afectados. «¡Sutil *vendetta*!»

Hay venganzas que terminan volviéndose contra todos: vengados y vengadores.

Entendía completo el pergamino. Pero continuaba sin entender a Lorenza y sin entenderme del todo a mí mismo. El frío de Madrid tendría que espabilarme o que congelar definitivamente mis recuerdos.

11

Ha transcurrido el tiempo. Los posos del agua turbia están asentados en el fondo del recipiente de las emociones. Tengo ya bastantes canas para recordar tranquilo aquel viaje patrocinado por el abuelo, hace más de veinte años. Continúo solo, viviendo en casa de mis padres; pero ahora soy yo quien cuido de ellos. Mi padre se reúne todos los días con ex compañeros de trabajo en la residencia para la tercera edad que hay cerca de casa; desde hace tres años le ha sacado el gusto a jugar al dominó. Mi madre no sale mucho.

He ocupado los espacios del abuelo. Paso las horas en su despacho, sentado en el escritorio, parapetado en torres de hojas blancas, tan blancas y tan altas como las que él construyera, comenzadas desde el regreso de Calamarí. ¡Haciendo literatura! Todavía no alcanzan el techo; pero ya me puedo refugiar tras ellas. Todos los días agarro firme la pluma y comienzo a pensar en Lorenza. Escribo sistemáticamente, al dictado del alma. Cuando termino el folio lo pongo sobre cualquiera de las torres. No corrijo. El papel se termina a menudo. Entonces me visto, me pongo la bufanda, bajo a la papelería a tres manzanas de casa, compro una resma. ¿Para quién escribo? Para mí. Descargo la conciencia en el papel. No me cabe. Trato de definir lo que significa Lorenza, y no hay espacio.

Algunas veces, sobre todo por la tarde, algunos personajillos asoman entre los pilares de papel. Son parecidos a los que vi en los ojos del limpiabotas: negritos, indios, piratas, frailes..., diminutos demonios de mi mente. No sé si escapan de las letras o los tengo en mis pupilas y se proyectan sobre el blanco del papel amontonado. ¡Qué más da! El caso es que están ahí, y me acompañan. Saben de mi soledad desde que tuve noción de ellos. Hace mucho deduje que al romper el pergamino también había roto mi proyección, mi herencia y el futuro de los apellidos Acevedo y Santander, correspondientes a una misma rama genealógica. Patricia Acevedo, por lo poco que he sabido de ella, no ha podido tener descendientes. Aunque los hubiera tenido, sus hijos, salvo otro cambio como el causado por Lorenza, no hubieran transmitido el apellido a las generaciones posteriores. Y yo, Álvaro Santander, no he buscado siquiera la posibilidad de tenerlos. He ocupado demasiado tiempo en liberarme de los fantasmas de Calamarí... tanto, que ya no creo pueda conseguir ni una cosa ni la otra. Patricia y yo éramos los nuevos retoños, los últimos brotes de dos árboles que eran uno solo, esquejes de un mismo tronco; pero no lo sabíamos. Y cuando supimos la verdad, las ramas se habían separado excesivamente.

El conjuro, en su juego de venganza, nos unía. Si Patricia lo hubiera leído, nos hubiéramos besado en la orilla del mar. Lorenza, desde las olas, se habría fundido en ella. Lo habríamos entendido, y el Destino, poco después, nos habría juntado para siempre. La familia volvería a ser una. Estaría cerrado el círculo que habían iniciado Francisco y Lorenza. Pero no sucedió así. Se quebró antes de unir los extremos. El conjuro era la soldadura que lo sellaba. Patricia y yo quedamos en el aire, iniciamos el sacrificio. Ambos, aunque ella no lo sepa, cumpliremos con impuesta dignidad la tarea de rematar el árbol, de cerrar el paréntesis de nuestra familia. ¿Era también misión del mensajero continuar la estirpe?

Lorenza sigue dentro de mí, enterrada en mi alma.

La cartulina que dibujó el abuelo con nuestro árbol continúa colgada en la pared. ¡Si hubiera sabido lo incompleta que estaba! Me gusta mirarla cuando paso delante; es un involuntario monumento al sueño de un pasado real.

Cinco años después de regresar de Cartagena tuve la oportunidad de viajar a Londres, en calidad de invitado a un congreso de Historia Precolombina. Aproveché mi estadía en la capital inglesa para rastrear los antecedentes de Jean Aimé, e intentar descubrir al visionario que se escondía tras las iniciales del pergamino. En aquel entonces lo veía como a un dios en la sombra que había manipulado mi vida. Un dios que sólo tenía un par de letras.

Ayudado por miembros de la Royal British Academic of History, localicé los registros correspondientes a navíos y tripulaciones que zarparon del Támesis entre 1570 y 1590. Resultó relativamente fácil descubrir un francés entre tanto nombre sajón. El 14 de junio de 1583, zarpó el *Marigold,* cuya misión estaba encuadrada en la categoría de *«making business in the Caribean»,* o sea, piratería encubierta, llevando entre sus navegantes a un tal Jean Aimé de Foix. Ya tenía el apellido, índice, a la usanza de la época, del lugar de nacimiento.

El hallazgo permaneció en dique seco hasta que un viejo amigo francés, Michel Privat, compañero de universidad al que había referido parte de la crónica de Calamarí (sólo la parte histórica), me envió un libro en el cual se hacía referencia a un Christian von Hund, hermético alemán radicado en Francia. Procedía de una familia acomodada que perdió su patrimonio, casi la vida, al ser acusada de apoyar la reforma luterana. Desde entonces, Von Hund comienza a cultivar un odio exquisito contra España y contra el emperador Carlos V. El visionario germano supo ganarse el favor de la corte francesa, inclinada a las adivinaciones, magias, ritos, cábalas y todo tipo de distracciones esotéricas que les acercasen al futuro, les propinaran la esencia del erotismo o, algo más vulgar, convirtieran el plomo en oro.

Nació en 1503 en Erlangen, cerca de Nuremberg. Salvo que fue un chico introvertido y huraño, enjuto y de malas pulgas (tanto en el genio como en la ropa), no hay mayores datos que nos acerquen a su juventud e infancia.

En 1525 ejerce como médico en Narbona y Burdeos, a pesar de no tener título oficial. En 1529 se traslada a Montpellier, donde estudia medicina y alcanza el doctorado. Allí conoce a Jean Aimé de Foix, alumno de menor edad, pirenaico, quien acaba convertido en su mejor amigo, admirador y discípulo. Por aquel entonces, Von Hund ya revolucionaba las casas de los notables con sus proféticas adivinaciones.

Casi todas sus ágoras le llegan durante el sueño. Dormía con papel y pluma en la cabecera de la cama. Nada más despertarse, escribía e interpretaba cuanto había soñado. Luego utilizaba a sus amigos y seguidores para hacer llegar las predicciones a los lugares en que habían de producirse. Cuentan que envió emisarios a Rusia, a Nápoles, a Inglaterra, a Alemania y a las tierras del Nuevo Mundo. Hablaba varios idiomas, incluido el latín. Muchas de sus profecías iban dirigidas contra la Corona española. No se conoce la efectividad de la mayoría. «¡Pero yo puedo dar fe!»

Jean Aimé permanece siempre a su lado. Estudian juntos, transitan los caminos alquímicos, buscan, como todos, el Santo Grial. No está comprobado, pero se les tacha de haber pertenecido a la secta de los rosacruces.

Von Hund contrae matrimonio en 1534, del que nacen dos hijos. Inicia una etapa de viajes por el África durante ocho años, acompañado de Jean Aimé.

Puede que víctimas de su propio invento, porque lo predijo con tres meses de anticipación, sus hijos mueren envenenados, sin que él pueda llegar a tiempo a su casa para impedirlo.

En 1544 se muda a Salon. Pronostica para ese mismo año una gran epidemia de peste, que cae sobre Francia en el mes de diciembre. Es reclamado en Lyon, donde obtiene, ayudado por Jean Aimé, grandes éxitos terapéuticos. Enrique II le otorga sus favores, haciendo la vista gorda a su origen alemán. El rey está interesado por sus servicios, pero la Iglesia no piensa de la misma manera. Con el fuego de la hoguera pisándole los talones, huye a Italia y busca la protección de Catalina de Médicis, conocida mecenas de los más afamados nigromantes europeos. Descrestan sus saberes adquiridos en el continente africano.

Sueña la muerte de Enrique II y manda a París su profecía. La corte sabe de la predicción, y se aterra cuando fallece el monarca. Quedan divididas las opiniones: unos le consideran un vidente, un sabio, otros un charlatán. En 1555 se interesa en la astronomía. Jean Aimé, por su cuenta, ya se había iniciado bastantes años antes. Le lleva ventaja al maestro.

Muere su esposa y Von Hund termina fascinado con el mundo de las estrellas para matar los recuerdos.

En noviembre de 1565 pide a su amigo Jean Aimé que le acompañe a Salon. Se siente viejo y quiere arreglar los asuntos familiares. A mediados de diciembre tiene un sueño que lo sume en persistentes desmayos. Redacta un manuscrito, al borde del delirio, y ruega a Jean Aimé que lo entregue a una niña inglesa nacida en tierra española del nuevo mundo. Le da las instrucciones pertinentes y cae en un profundo letargo durante algunos meses, hasta que fallece, sin recuperar la razón, balbuceando extraños conjuros africanos.

Ése fue C. H. ¿Qué tenía que ver conmigo? Nada. Somos una circunstancia mutua. Él fue mi dios por un tiempo. Y al final yo me convertí en su dios, al menos, en su juez. En mis manos tuve la posibilidad de ejecutar su profética venganza, en la que, pienso, metió la mano. Porque a la profecía se sumaba el conjuro, y al conjuro la venganza. En su sueño tuvieron que mezclarse las visiones con los deseos. Allí estuvo el fallo y mi oportunidad. Tuve ocasión de discurrir, de colarme por la fisura que habían dejado sus anhelos. Todas las piezas encajaron en la predicción: Lorenza, Francisco, Patricia, el padre Ferrer, el abuelo... todos menos el mensajero. ¿Por qué? Porque Calamarí no podía traicionarse a sí mismo y me dio la oportunidad de elegir.

Jean Aimé... el viejo francés, ¿quién era? Sólo he podido contestarme: fue una encarnación del Destino. ¿Qué más podía ser?

Cuando leo los periódicos percibo que, sea o no venganza de alguien, el mundo está invadido por la droga, la nieve, y que esa parte de la profecía se ha realizado parcialmente. Von

Hund soñó una gran nevada, una imagen apocalíptica, como si un nuevo diluvio universal en forma de nieve inundara y terminase con el Imperio español; cualquier excusa, cualquier visión catastrófica, aniquiladora, le servía como pretexto para organizar la trama de sus vengativos deseos. Y con esa mezcolanza de adivinación y odio maquinó una cuasi fantasía que a punto estuvo de realizarse. El brazo de Pastor y Acevedo fue cercenado en la destrucción del pergamino; pero no cabe duda de que esta alianza hubiera supuesto una importantísima ayuda a la expansión de los mercados internacionales de la droga, un incremento de su difusión y consumo a una escala que hubiera resultado sumamente complicada de manejar..., mucho más complicada de lo que ya hoy puede suponer el entramado de las organizaciones de la droga. Sin embargo, Von Hund no supo dimensionar las consecuencias de su sueño profético, y lo amasijó, por conveniencia, con sus particulares enemistades hacia la Corona española, creando, o creándose, una ilusión plagada de medias verdades. Este descubrimiento significó, por expresarlo de una forma gráfica, el pegamento que unió las piezas que ya estaban montadas. Pero no trastocó nada.

Tengo un amigo, editor, empeñado en que le escriba un libro para publicarlo. Lo estoy pensando. ¿O ya lo estoy haciendo?

Me gustan las mañanas soleadas del invierno. En verano comienzo a sudar, y cuando sudo, se me escapan por los poros las remembranzas de Calamarí. Es el mismo sudor agrio de los marineros del puerto.

Francisco de Santander contrajo matrimonio en Santa Marta, el 26 de mayo de 1618, con Mercedes Sánchez de Oruño. ¿No esperó a Lorenza? Posiblemente sí, pero nunca como esposa. Francisco encontró en Mercedes, hija del tesorero del cabildo, la oportunidad para encaramarse en la cúspide de la escala social. Comenzó a ocupar cargos importantes en la administración, hasta llegar a ser delegado de la Gobernación para Santa Marta, ya al final de sus días.

¿Después de abandonar Baza, correría Lorenza a su lado? No lo sabemos con exactitud. Cualquier especulación que se haga sólo será eso, una conjetura sin basamento. Unas croniquillas que localicé en el Archivo de Indias, picantonas por lo demás, relacionan a Francisco Santander, a comienzos de los años veinte, con una mujer siniestra, anónima, encubierta, a la que nadie llegó a ver, o al menos a descubrir, entre los habitantes de la villa. Si era Lorenza, la situación de Cartagena se habría volteado completamente. Santander sería entonces el acaudalado funcionario, sujeto a las estiradas costumbres de la rancia clase pudiente, y Ella la mujer libre (aunque no creo que sea el adjetivo más afortunado) que visitaba al encopetado amante.

La verdad es que nunca se supo el paradero de Lorenza, ni por qué huyó del lado de su hijo: ¿para protegerle de la Inquisición o de algún otro riesgo? ¿Por amor? ¿Porque estaba gravemente enferma? ¿Porque fue a recogerla el barco de nácar? ¿Por orgullo? ¿Porque Mañozca la había localizado? ¿Por placer? ¿Por aburrimiento? ¿Porque se lo indicó el Destino? Muy poderosa sería la causa. He construido una torre de enigmas, posibles e imposibles, todos sin solución. Nadie conoce su final, ni dónde se produjo su muerte, si es que murió.

De la unión de Francisco Santander Rivamonte y Mercedes Sánchez de Oruño nació, en 1619, Manuel José Santander Sánchez. Y tuvieron una hija: Mercedes Santander Sánchez. Manuel José se casó con Catalina del Fresno González, quienes engendraron a Francisco Manuel Santander del Fresno en 1642.

Estoy refiriendo todos los hijos legales, tal como los había rastreado el padre Ferrer. Los naturales e ilícitos, mucho más numerosos que los reconocidos, son incontables, así que, a pesar de tener conocimiento de alguno, prefiero ignorarlos en este listado.

Francisco Manuel tuvo que casarse con una robusta costeña, Asunción Morales Cárdenas, y en 1667 nació el primero de sus vástagos, Juan Pedro Santander Morales, quien después de poco pensarlo, se metió a cura. En 1669 nació el segundo, Mariano José Santander Morales, a su vez padre de dos hijos y una hija. Conste que el cura también los tuvo, pero no los registró. Los hijos de Mariano José nacieron de su matrimonio con María Clara Fuenmayor Caballero. Esta rama legalizada es la que va guiando mi línea descendente. La pareja decidió trasladarse a El Socorro, en el departamento que luego llevaría el nombre de su tataranieto: Santander. El primogénito, Mariano José, bautizado como su padre, falleció a los nueve años. La hija, Asunción, era un poco tonta. El que restaba, Juan Alfonso Santander Fuenmayor, nacido en 1695, salvaría el apellido. Con tanto esfuerzo extramatrimonial resultaba complicado tener muchos hijos en casa.

Juan Alfonso cometió matricidio contra doña Consuelo Hernández Arteaga, la rica del pueblo, y procrearon, en 1715, a Agustín Santander Hernández.

Agustín se casó con Josefina Colmenares Taboada, y en 1752 nació Juan Agustín Santander Colmenares. Del matrimonio entre este último y Manuela Antonia Omaña Rodríguez, nacería, en 1792, el hombre de las leyes, el primer presidente: Francisco de Paula Santander. Había llegado el momento, épico y terrible, en que los hijos se rebelaron contra las ideas de los padres. La independencia, la libertad, el relevo en el poder. De Francisco de Paula hacia abajo, hasta mí mismo, siguen los Santander conocidos. La cadena está completa. Jamás dibujé ni me propuse continuar, tupir, el árbol que pintara el abuelo. Como están las cosas, están bien.

De Francisco y Lorenza nacieron los Acevedo, a quienes ha sido imposible seguir la pista. De Francisco y Mercedes, los Santander. En Patricia y en mí se cierra el paréntesis. «¡Sigan viviendo los naturales, nada es perfecto en esta Tierra!»

Trabajo en casa. Escribo para varias revistas de Historia. Cuando lo hago, no me siento en el escritorio del abuelo. Prefiero que mis mundos no se mezclen, aunque a menudo es difícil evitarlo.

Pero no me gusta pasar mucho tiempo alejado de mi castillo. Hoy miraba, desde mis torres de papel, la cartulina con el árbol dibujado, y su sombra, la del árbol, alcanzaba a tocarme. Se me escurrió de la pluma una frase curiosa, una pregunta: ¿Lorenza fue el bien al servicio del mal, o el mal al servicio del bien? Demasiada filosofía para la simpleza, estoicismo más bien, en el que han convergido mis sentimientos, mucho más hieráticos que antes. Si el abuelo viviese, me estaría diciendo que ni siquiera son hieráticos, sino científicos. Me sirve la opinión para ir a celebrar a la nevera.

Hoy también me he dado cuenta de una cosa: desde que podo el árbol, desde que no crece, tiene flores como las del jardín de Baza, algo resecas, rodeando el tronco.

Pero quizá todo esto ya no importe. Lo fundamental de la historia son Lorenza y Calamarí, si comprendemos, como yo he llegado a comprender, que una es el alma de la otra.

No he vuelto a soñar contigo. Esta mañana también te estuve pensando. Y así continuaré hasta que un día, lejano aún, salga La Mojana de alguna de las torres de papel y me arrope con su manto.

Me pregunta mi madre por qué estoy tan apático. ¿Acaso no sabe mirar, como todas las madres, y se da cuenta de que la Vida la llevo adentro?

He abierto la ventana tratando de encontrarte, de encontrarme. Me he visto reflejado en el cristal, y he suspirado...

Aún me pierdo en los ojos de Lorenza..

Fin

OTROS TÍTULOS
DE ESTA COLECCIÓN

EL IMÁN Y LA BRÚJULA

Juan Ramón Biedma

En la Sevilla de 1926, Éctor Mena es requerido para recuperar dos películas tipo *snuff* que, junto a una tercera que acaba de salir al mercado negro, constituyen una trilogía filmada catorce años atrás. Los responsables eran siete jóvenes transgresores, admiradores de cualquier forma de malditismo en el arte y pertenecientes a lo más alto de la sociedad de la época, hasta el punto de que la casa real está interesada en su recuperación. En su búsqueda Éctor recibe la ayuda de Piancastelli, un individuo enigmático capaz de extraños prodigios, así como de Séptima, sobrina de uno de los miembros del grupo de realizadores de las películas. El recorrido que se hace por el Madrid de los años veinte, mientras se reconstruye la vida de cada integrante del grupo, contribuye a mostrar el cambio de época que está experimentando el país y a compender a los bandos que han terminado por hacer de las películas una cuestión de estado. En paralelo vemos a Jacinto Ortega, un aparente monstruo que se dedica a degollar niños para extraer su sangre. Cuando nos enteramos de que su hijo padece tuberculosis y que se ha descartado la posibilidad de curarle por medios convencionales, entendemos que casi nada es lo que inicialmente parece.

EL MAR DE JADE

Alberto Vázquez-Figueroa

Juvenal y César han crecido a la sombra de su tío Feliciano, ex militar del ejército español que estuvo destacado en
el desierto del Sahara. Poco antes de morir, su tío les habla
de su amor por Shereem, una joven saharaui que le hizo
creer que había tenido una hija suya; pese a haber invertido
treinta años en la búsqueda de ambas, Feliciano nunca logró
localizarlas. Juvenal y César, deseosos de salir de la monótona vida de Cuenca, emprenden un viaje que les deparará
múltiples aventuras. Se verán en la tesitura de ayudar a
unos inmigrantes subsaharianos abandonados en el desierto y descubrirán que su tío formó parte del ejército irre-
gular de los Grupos Nómadas del Sahara. Pero averiguar
el paradero de su posible prima resultará más peligroso de
lo que esperaban.

CADÁVER DE CIUDAD

Juan Hernández Luna

Skalybur, el Inmortal, tras hacer desaparecer con un misterioso y sorpresivo truco al líder de una banda delictiva, en plena catedral poblana, emprende una larga huida, que termina en un apacible autoexilio en la península de Baja California. En una playa olvidada, el antiguo mago Skalybur recibe una misteriosa visita con un jugoso ofrecimiento: un cheque en blanco a cambio de aclarar la castración de un millonario pervertido. Mientras el misterio se aclara, Ezequiel emprende otra misión: hacer desaparecer el Ángel de la Independencia.

Esta intrigante novela explora el mundo gore de la pornografía y la prostitución, mientras desvela cómo se tejen complejos mecanismos de poder alrededor de las sectas secretas.

LAS CAUSAS PERDIDAS

Jean-Christophe Rufin

Asmara (Etiopía), 1985. La hambruna, las deportaciones y los intereses políticos se ceban en la población civil. Sobre este telón de fondo se van dibujando las vidas de Hilarion, un anciano armenio antiguo traficante de armas; de Gregoire, que intenta llevar a término una misión humanitaria; de los representantes de la antigua colonia italiana, y de la joven Esther, que causa una especial fascinación a Gregoire. *Las causas perdidas* ofrece una brillante alianza entre las dotes de narrador de Jean-Christophe Rufin y su experiencia personal como miembro de Médicos sin Fronteras en África, al tiempo que cuestiona la intervención de las naciones europeas y la forma de acallar su mala conciencia en el continente africano. Una incisiva novela sobre el drama del hambre en África Central por el autor de *El abisinio*.